Geh aus, mein Herz

Das Buch

Spätherbst in Göteborg. Privatdetektiv Jonathan Wide erhält den Auftrag, eine Frau aufzufinden, die von ihrem Ehemann vermisst wird. Überrascht stellt Wide fest, dass die Frau aus demselben småländischen Dorf stammt wie er. Doch kaum hat der Ermittler mit seinen Nachforschungen begonnen, wird die verstümmelte Leiche der Vermissten in einem Park entdeckt. Kurz darauf taucht eine zweite, ganz ähnlich zugerichtete Leiche auf. Auch diese Person stammt aus Wides Heimatort. Der Privatdetektiv fängt an, seine Vergangenheit zu durchforsten, und versucht so, den entscheidenden Zusammenhang zu konstruieren. Auf einem alten Schulfoto entdeckt er schließlich ein ihm unbekanntes Gesicht. Könnte es dasselbe sein, das er kürzlich im Göteborger Stadtpark gesehen hat und das ihn seitdem nicht mehr loslässt? Besteht etwa ein Zusammenhang zwischen den Verbrechen und der gemeinsamen Schulzeit der Opfer?

Der Autor

Åke Edwardson, geboren 1953, arbeitete als erfolgreicher Journalist, Sachbuchautor und Dozent für Creative Writing an der Göteborger Universität, bevor er sich dem Schreiben von Romanen widmete. Seine Kriminalromane wurden mit zahlreichen Preisen ausgezeichnet.

Von Åke Edwardson sind in unserem Hause bereits erschienen:

Allem, was gestorben war
Der Himmel auf Erden
In alle Ewigkeit
Der letzte Abend der Saison
Die Schattenfrau
Segel aus Stein
Tanz mit dem Engel
Das vertauschte Gesicht
Winterland

Åke Edwardson

Geh aus, mein Herz

Roman

Aus dem Schwedischen von
Angelika Kutsch

List Taschenbuch

Besuchen Sie uns im Internet:
www.list-taschenbuch.de

Umwelthinweis:
Dieses Buch wurde auf chlor- und säurefreiem Papier gedruckt.

Ungekürzte Ausgabe im List Taschenbuch
List ist ein Verlag der Ullstein Buchverlage GmbH, Berlin.
1. Auflage November 2005

Titel der schwedischen Originalausgabe:
Gå ut min själ (Norstedts Förlag, Stockholm)
Umschlagkonzept: HildenDesign, München – Stefan Hilden
Umschlaggestaltung/Artwork: Hauptmann und Kompanie Werbeagentur,
München–Zürich
Satz: Pinkuin Satz und Datentechnik, Berlin
Druck und Bindearbeiten: Clausen & Bosse, Leck
Printed in Germany
ISBN-13: 978-3-548-60592-0
ISBN-10: 3-548-60592-3

Für meine Eltern

Namen und Ereignisse dieses Romans sind der Phantasie des Autors entsprungen und existieren nur auf diesen Seiten. Das im Buch beschriebene Umfeld gibt es in den meisten Fällen wirklich, aber nicht immer und nicht überall.

Jetzt sehe ich die wahre Kraft des Bösen. Der Himmel ist leer. Auf der Erde gibt es nur den Menschen.

Vasili Grossmann: *Leben und Schicksal*

1

Das Taufkleid schleifte leise raschelnd über den Steinboden, als alles andere verstummt und die kleine Gruppe vorn am Altar mitten in der Bewegung erstarrt war.

Dann kam wieder Leben in die Gemeinde, sehr deutlich und jäh kehrte es zurück: Das Kind schrie, immer lauter schrie es und verstummte auch nicht, als es einen Namen bekommen hatte. Isabella Magdalena. Ein feuchter Kopf und ein neuer Mensch, ein neues Leben, das wie am Spieß schrie.

Jonathan Wide fühlte sich fremd in seinem Anzug, der von Signore in der Östra Hamngatan stammte. Gestern hatte er voller Zweifel das Geschäft betreten und war nach zehn Minuten verloren gewesen. Er hatte vor lauter Schwitzen nicht darauf geachtet, wie viel der Anzug kostete. In den ungewohnten Kleidern fühlte Wide sich noch fremder, noch mehr als der Außenseiter, der er hier in der Carl-Johans-Kirche war, unter Menschen, die er nicht kannte, abgesehen von dem Mann in seinem Alter, der mit einem Lächeln auf dem Gesicht dort vorn stand.

Wide lachte auch, er lachte plötzlich ein kurzes Lachen,

das er nicht hatte zurückhalten können, und einige drehten sich zu ihm um; aber der Mann dort vorn lächelte nur noch breiter, und die Frau neben ihm sah Wide mit demselben Leuchten an, das während des ganzen Aktes von ihr ausgegangen war. Strahlende Augen: das erste Kind, die erste Taufe. Das erste Ritual, eins von vielen auf einer langen Reise.

Das war einen Moment unkontrollierter Freude wert.

Jonathan Wide hatte selber zwei Kinder, aber Jon und Elsa waren nie getauft worden. In einer Zeit, als er in verschiedene Richtungen engagiert gewesen war, hatte Wide die schwedische Kirche verlassen. Seine junge Frau Elisabeth hatte dasselbe getan. Das war Ende der siebziger Jahre gewesen und Wide hatte nie wieder den Fuß in eine Kirche gesetzt. Erst als seine Frau ihn verlassen hatte, war er ein paarmal in eine von Göteborgs Innenstadtkirchen gegangen. Was hatte das zu bedeuten? Er dachte darüber nach, als er sich nun erhob und die Lippen zu einem Choral bewegte. Dort vorn sah er seinen früheren Kollegen das Gleiche tun. Svante Berger hatte den Polizeidienst quittiert, genau wie Jonathan Wide, aber Berger war nie aus der Kirche ausgetreten; er hatte lange auf diesen Moment und dieses Kind und diese strahlende fünfundzwanzigjährige Frau gewartet, die sich für die Beziehung zu ihm, dem Vierzigjährigen, entschieden hatte.

Jetzt reparierte Berger Segelboote in einer zugigen Werkstatt an der Långedragsumgehung. Er hatte viel früher als Wide den Entschluss gefasst, sich vom Polizeidienst zu verabschieden, schon zu der Zeit, als sie beide noch Uniformen trugen.

Sie hatten eng zusammengearbeitet, in langen, ermüdenden Nächten. In einer späten Stunde vor vielen Jahren waren sie in eine Wohnung unten in Lana gekommen, in der sie eine Mutter, einen Vater und Kinder vorgefunden hatten. Die Mutter lag niedergestreckt auf dem Küchenfußboden, der Vater stand mit einem Baby auf dem Arm vor dem Herd, und als sie die Tür aufgedrückt hatten, in die Wohnung gestürzt waren und die Küche erreicht hatten, hatte er ihnen das Kind buchstäblich entgegen*geschleudert*, sich dabei drehend wie ein Hammerwerfer. Das Kind kam mit einem unheimlichen, zischenden Laut durch die stickige Luft auf sie zugeflogen. Berger stand in der Wurfbahn, und mit seinem Körper machte er etwas, was eigentlich kein Mensch vermochte: Er hatte ihn zu einer Art Behältnis geformt und das Kind darin aufgefangen, während er gleichzeitig rückwärts durch den Flur stolperte und am Treppengeländer im Hausflur Halt fand. Erst war das Kind sehr still gewesen, doch dann hatte Wide sein lebendiges Geheul gehört. Er hatte am ganzen Körper gezittert. Die Mutter lag wie tot da. An der Wand hing ein Kalender, dessen Zeit schon vor zwei Jahren abgelaufen war. Durch das offene Fenster hörte man die ersten Straßenbahnen auf dem Mölndalsvägen. Berger kam vom Hausflur wieder herein, das Kind auf dem Arm, das sich bis obenhin voll geschissen hatte. Das war eine gemeinsame Erinnerung, aber sie hatten nie darüber gesprochen. Ein paar Monate später hatte Berger den Dienst quittiert. Er wollte weg, weg.

Jonathan Wides Blick wurde klarer, als er vor die Kirche trat. Kleine Menschengruppen gingen auf die parkenden Autos am Allmänna Vägen zu.

»Du kommst doch wohl noch ein Weilchen mit«, sagte Berger.

»Nein.«

»Nur auf einen Kaffee, wir können ein bisschen reden. Und Lisa würde sich freuen.«

Wide sah die Frau mit dem Kind, sie wirkten wie eine Einheit.

»Sie hat bestimmt anderes im Kopf.«

»Quatsch, du weißt, was ich meine.«

»Ein andermal. Ich möchte lieber ein Stück zu Fuß gehen.«

»Vielleicht hinterher, es sind sowieso nicht viele Leute da.«

Aber Wide setzte sich bereits in Bewegung.

»Bis dann. Ich ruf dich an.«

Berger schaute zu seiner Familie. Lisa winkte.

»Okay, pass auf dich auf.«

Der Wind kam von Osten. Wide spürte es, als er die Treppen zur Karl Johansgatan hinunterging. Er zog den Reißverschluss seiner Wildlederjacke bis zum Hals zu. Als er nach unten sah, stellte er fest, dass sein Sakko fünf Zentimeter unter der Jacke herausragte.

Der späte Oktoberhimmel lag wie mehrere Schichten Aluminium über der Stadt und in den Lücken dazwischen konnte man das blassblaue Gewölbe weit dort oben nur ahnen. Der Tag war düster, obwohl es noch nicht einmal Mittagszeit war. Die Stadt hatte den Häutungsvorgang beendet, Göteborg verkroch sich wieder in der Dunkelheit, die acht Monate des Jahres der Normalzustand war. Die kräftigen Farben des Sommers wurden von dem dunklen Gewölbebogen aufgesogen, abgeschwächt; sie verblassten und starben. Die Sonne bewegte sich in einem beschleunigten Umlauf, die Menschen wussten es, sahen es aber selten. Sie kleideten sich den stumpfen Farben entsprechend. Darin lag eine Würde, die verlässliche Gewissheit, dass man in einer subarktischen Küstenstadt am nördlichen Rand der Welt lebte.

Es begann zu nieseln und Wide schlug den Jackenkragen hoch. Er ließ die Straßenbahn der Linie neun passieren, überquerte rasch die Straße und ging zum Allmänna Vägen hinauf. Auf dem kleinen Spiel- und Rastplatz bei der Kreuzung fand eine Art Fest im Freien statt, obwohl es schon Herbst war. Vier Männer und eine Frau kauerten mit Bierdosen und billigem Wein bei der Sandkiste. Eher Rest- als Rastplatz, dachte er, ein Ort für die menschlichen Restprodukte der Gesellschaft, und er hob den Blick, als einer der Männer seinen Arm in den Himmel reckte und etwas rief.

Manchmal schauderte Wide, wenn er die heruntergekommenen Gestalten sah; es war unmöglich, ihnen nicht zu begegnen, wenn man sich im westlichen Göteborg nach draußen begab. Er sah sie und trat beiseite, und manchmal sah er sich selbst für den Bruchteil von Sekunden als einen von ihnen in der träge fließenden Menge zum staatlichen Schnapsladen am Jaegerdorffsplatsen wanken. Wie oft konnte ein Mann sich eigentlich vornehmen, mit dem Trinken aufzuhören, ohne dass auch sein letzter Rest Stolz verschwand? Es war ein sinnloser Gedanke.

Jonathan Wide folgte der Djurgårdsgatan in südlicher Richtung, kaufte sich bei der Shell-Tankstelle an der Kreuzung zur Bangatan eine Schachtel Fishermen's und beschloss, die Fjällgatan hinauf zum höchsten Punkt von Masthugget zu gehen. Es hatte aufgehört zu regnen. An der Steigung kam er ein wenig außer Atem. Die Pastillen brannten in seinem Hals, er überlegte kurz, in was für einer Verfassung sich sein Körper im Augenblick wohl befinden mochte, und ging weiter zu den neueren Mietblöcken, die am Abhang zum Masthuggstorget lagen. Es waren Häuser, wie geschaffen für das spätherbstliche Göteborg: grau gesprenkelt, wie in strömendem Regen erbaut, wenn man keine klare Sicht hatte, unmöglich, darin heimisch zu werden. Er wusste es; er hatte hier gewohnt. Die Eigentumswohnung hatte es ihm und Elisabeth ermöglicht, später das Haus in Fredriksdal zu kaufen, das Haus, das er schließlich verlassen hatte ... gezwungenermaßen – er sah es immer noch so, er konnte es nicht anders sehen.

Wide wanderte im Schatten der Patrizierhäuser in Olivedal die Vegagatan in südlicher Richtung und weiter auf dem Fahrradweg zum Botanischen Garten hinauf. Er betrat ihn durch das schmiedeeiserne Tor, und wie immer wunderte er sich darüber, dass kein Eintritt verlangt wurde. Wie lange würde das noch so bleiben?

Lange spazierte er zwischen den schlafenden Rosen umher, folgte dem breiten Hauptweg und stieg gemächlich zum Steingarten hinauf. Er war außer Atem, aber es war ein gutes Gefühl. Er war nicht richtig gekleidet, unter Jackett und Jacke klebte ihm das Hemd auf der Haut. Das machte nichts. Mitten auf dem Hügel begegnete er einem Mann; es folgte dieser kurze Moment, wenn sich gleichgültige Blicke begegnen, Gedanken kurz unterbrochen werden. Doch plötzlich, wie unter Zwang, drehte Wide sich um, sah den Rücken des Mannes, der nach unten ging. Er hatte das Gefühl, dieses Gesicht von irgendwoher zu kennen, oder Teile des Gesichts. Das passierte Wide zuweilen, das passierte womöglich jedem einmal. Er dachte noch eine Weile über das Gesicht nach, ehe er die Felsen erreichte und stehen blieb und auf die rasenden Schläge seines Herzens lauschte, die in seinen Ohren dröhnten.

Als Jonathan Wide in die Innenstadt zurückkehrte, begann es zu dämmern. Ihn fror, seine ursprüngliche Absicht, nach Hause zu gehen, hatte er aufgegeben; seine Schritte lenkten ihn zur Avenyn. Drei Minuten stand er vor dem »Lipp«, bevor er es betrat, die Jacke auszog, sich an den Tresen setzte und sich einen Lagavulin bestellte, den er sich eigentlich nicht leisten konnte. Das Tuborg, das jetzt vor ihn hingestellt wurde, konnte er sich auch nicht leisten. Er zahlte.

Auf der breiten Promenade war nur wenig los. Manchmal schaute jemand durch die Glaswand und sah ihn – einen ziemlich kräftigen Mann mit dichten blonden, in der Mitte gescheitelten Haaren, eine Furche zwischen den Augenbrauen, die ihm ein leicht mürrisches Aussehen verlieh.

»Sind Sie sauer?«

Er hatte sie nicht bemerkt, während er die Leute anstarrte, die ihre Nasen gegen die Scheiben drückten. Sie saß auf dem Hocker neben ihm: vielleicht dreißig, höchstens, komplizierte Frisur, breite, ebenmäßige Züge, ein weiter Pullover und Leggings – und Wide spürte fast augenblicklich ein leichtes Zucken in den Schläfen.

»Nein.«

»Sie sehen so wütend aus«, sagte sie.

»Wirklich?«

»Sind Sie wütend?«

»Nein.«

»Aber Sie sehen so aus.«

»Aha.«

»*The quiet type*, hä?«

»Wie bitte?«

»Der schweigsame Typ.«

»Tja ...«

Sie hatte ein wenig getrunken, er merkte es jetzt. Ihre Bewegungen waren etwas zu weit ausholend, die Vokale einen Tick zu lang gezogen. Sie saß wohl schon länger an der Bar. Als er hereinkam, hatte er sie nicht bemerkt. Betrunken war sie nicht. Sie war ihm nicht unangenehm.

»Warum trinken Sie am helllichten Sonntagnachmittag Whisky? Darf ich mal riechen ... igitt.«

»Mir war kalt.«

»Ich sitze hier und trinke auch ein bisschen.«

»Haben Sie einen Grund zum Feiern?«

»*Yeah*. Wahrscheinlich bin ich den Scheißkerl los.«

»So was kann allerdings ein Grund zum Feiern sein.«

»Was wissen Sie denn davon?«, fragte sie.

»Nichts.«

»Aber es ist wirklich ein Grund zum Feiern. Jetzt beginnt für mich ein neues Leben. Darüber denke ich gerade nach.«

»Viel Glück.«

»Danke. Ich glaub, ich schaff das ... ein neues Leben.«

»Da bin ich ganz sicher.«

Sie war etwas näher an Wide herangerutscht, er spürte ihren Arm an seinem, sie kam noch näher, ihre Stimme war ein heiseres Flüstern.

»Wissen Sie, eigentlich wollte ich nur ein Bier trinken und ein wenig nachdenken. Und dann nach Hause gehen und schlafen. Aber bevor dieser Tag um ist, werde ich mit einem Draufgänger in den besten Jahren und mit neuem Anzug ins Bett steigen.«

Wide griff nach seinem Whiskyglas, trank den Rest aus, erhob sich schweigend und holte seine Jacke. Er drehte sich um, wobei er ihr Gesicht im Profil sah, und er bemerkte, wie sie dem Barkeeper ein Zeichen gab. Auf der Avenyn hielt er das erste freie Taxi an.

In seiner Wohnung in der Såggatan suchte er eine *Traviata*-Aufnahme heraus, stellte *Avrem lieta di maschare la notte* im zweiten Akt ein, machte es sich mit einem Glas Rotwein bequem und dachte kurz an das Gesicht, dem er im Botanischen Garten begegnet war.

2

Der Tag war längst vergangen, aber die Dunkelheit wurde leicht aufgehellt durch den dichten Regen, der die Straßenbeleuchtung wie eine matt glänzende Haut umgab. Der Abend war wie eine Winternacht voller Schnee, aber der Winter war noch nicht da. Wie gewöhnlich war es ungewiss, ob es vor oder erst nach Weihnachten Schnee geben würde.

Es war kalt. Der Wind von Nordwesten brachte eiskaltes Meerwasser mit sich, scharf wie Nadelspitzen, die den Einwohnern ins Gesicht peitschten. Es tat weh, durch die Straßen zu wandern, über Plätze und durch Parks.

Der Fluss zog träge wie eine halb geronnene Arterie durch das Zentrum der Stadt, durch das schwarze Herz, durch den *pacemaker*, der versuchte, den Mechanismus der Menschen in Gang zu halten, helleren Zeiten entgegen.

Im Hagapark, in einem Gebüsch neben dem Spielplatz, hatte sich jemand ein Lager errichtet, ein Bett für die Nacht mit sämtlichen Teilen der *Göteborgs-Posten*: Der dicke Hauptteil reichte von der Brust abwärts, Teil zwei bedeckte die Schultern und Teil drei das Gesicht. Die daliegende Gestalt zog das Papier weit über die Stirn und sperrte auf diese Weise das Licht von der Sprängskullsgatan aus.

Von der Stelle, wo er stand, konnte der Mann die schwerfälligen Bewegungen im Gebüsch sehen, flatternde Zeitungsseiten, einen Stofffetzen; das Gesicht des Mannes war reglos, aber er empfand Sympathie für den Menschen dort hinten, fast Zuneigung. Er war einer dieser Geringsten gewesen. Er hatte so gelegen, war so ziellos umhergeirrt. Wie lange? Nicht lange. Was hatte ihn da herausgeholt? Er wollte nicht daran denken, aber er wusste, dass ihm keiner geholfen hatte, nur er sich selber, und hätten *die* ihn zu der Zeit gesehen, würde er jetzt nicht hier stehen. *Hätten sie ihn damals sehen können, dann hätten sie ihn fertig gemacht ... Scheiße ... wenn er nur ... aber nicht mehr lange, und er würde es ihnen zeigen ... er hatte ...*

Der Mann trat aus dem Schatten der westlichen Kirchmauer und ging langsam auf die Gestalt zu, die da auf dem Boden lag. Er beugte sich hinunter und lauschte den regelmäßigen rasselnden Atemzügen des Schlafenden. Er studierte die Stelle, wo das Gesicht sein musste, verborgen unter einer Seite, auf der er DIE ZINSEN FALL... entziffern konnte, bevor das dünne und jetzt ein wenig feuchte Papier sich hob, wo die Nase war.

Der Mann war von unendlicher Zärtlichkeit erfüllt; sehr vorsichtig zog er die Zeitung von dem Gesicht und streichelte dort unten im Dunkeln und im nassen Gras eine unrasierte Wange. Er hörte ein Murmeln, konnte jedoch keine einzelnen Wörter unterscheiden. Nach einer Weile richtete er sich auf und breitete die Decke, die er mitgebracht hatte, über den armen Kerl. Als er wegging, in Richtung Storgatan, hörte er, dass sich der Mann im Schlaf umdrehte und wieder etwas Unverständliches murmelte. Er hörte nicht genau hin. Er war endlich auf dem Weg, dem Weg, dem Weg.

Sie war spät dran. Immer kam sie zu spät. Jedes einzelne Mal, als würde sie die Alltagsroutine nie in den Griff bekommen, obwohl sie schon seit unzähligen Jahren unverändert war – so lange hatte sie diesen Weg zurückgelegt. Hin und zurück zur Bibliothek, hin und zurück, hin und zurück. Sie meinte schon jeden Grashalm entlang der Strecke vom Götaplatsen zur Bibliothek zu kennen. Es war nicht besonders weit, und es war ein schöner Abschnitt, besonders im Frühling. Sie nahm die Düfte von allem wahr, was aus der Erde spross, und sie liebte den Seerosenteich. Manchmal stellte sie sich vor, er sei eine Oase auf ihrer Wanderung durch die Wüste zum Arbeitsplatz. Ab und an blieb sie eine Weile hier sitzen und schaute in das trübe Wasser, das die Kinder ständig in Bewegung hielten.

Wieder einmal war sie in Eile, diesmal hastete sie in die andere Richtung. Sie wollte noch einkaufen. Wie jeden Herbst spürte sie die alte Irritation in sich hochsteigen: Warum war der Wegabschnitt zum Kunstmuseum hinunter nicht besser beleuchtet? Nicht, dass sie Angst gehabt hätte. Aber sie war doch immer irgendwie beunruhigt, wenn der Spätherbst sie mit seiner unbarmherzig frühen Dunkelheit überraschte. Der Seerosenteich war um diese Jahreszeit keine Oase mehr. Sie schaute nicht in seine Richtung, als sie ihre Schritte nun den Abhang hinunter, auf den Lichtschein der Avenyn zu, beschleunigte.

Er sah sie kommen – und alles hatte seine Ordnung. Er fühlte sich ruhig, er hatte schon viele Male hier gestanden. Er wusste, was er tun würde. Jetzt war es hier menschenleer und still. Er hatte immer gewusst, was er tun würde, *wie er sich verhalten würde, aber alles hatte einmal ein Ende, und er hatte sich gesehnt ... wenn die wüssten ... das Schwerste war das Grinsen, das Grinsen, das Grinsen, alle in einem Kreis und kein Entrinnen ... aber jetzt komme ich raus, jetzt komme ich raus ... jetzt werde ich frei.*

Es war eine andere Wirklichkeit, nicht ihre Wirklichkeit.

Sie sah den Mann aus den Schatten am Teich hervorstürzen. Zuerst glaubte sie, er würde von jemandem verfolgt, und trat einen Schritt beiseite, um nicht in irgendeine Auseinandersetzung hineinzugeraten, aber er kam geradewegs auf sie zu. Sie hatte das Gefühl, neben sich selber zu stehen, sie konnte es nicht glauben, sie wurde herumgerissen, spürte einen schweren Schlag im Nacken und eine brennende Wärme am Rücken und sie nahm wahr, wie ihr Körper ein Stück angehoben wurde, wie ihre Absätze durchs Gras schleiften. Jetzt sind die Schuhe hin, dachte sie. Dann war da jemand, der sich über sie beugte und mit ihr sprach, und sie sagte: »Du, du bist das«, und sagte es mehrere Male und noch einige Worte, und dann war da wieder die brennende Wärme, aber tausendmal stärker, und danach spürte sie nichts mehr.

Jonathan Wide tapezierte. Die Zweizimmerwohnung war immer enger geworden, bis er keine andere Wahl mehr hatte: entweder umziehen oder neu tapezieren. Neu streichen. Hier wohnte er jetzt seit anderthalb Jahren. Das erste halbe Jahr hatte er in einer Art Betäubung verbracht. Jetzt erwachte er jeden Monat etwas mehr. Was hatte er auch für eine Wahl? Er konnte sich etwas schaffen, das einem Heim ähneln würde. Das letzte Mal hatte er tapeziert, nachdem Elisabeth verkündet hatte, sie wolle sich scheiden lassen, unwiderruflich. Dass er noch einmal so stehen und tapezieren würde, dass er sogar Spaß an der Arbeit haben würde, überraschte ihn selbst.

Aber da gab es noch eine zweite Notwendigkeit: Bis jetzt hatte er keine Kraft gehabt, eins der beiden Zimmer für Elsa herzurichten; doch eine Elf-, bald Zwölfjährige braucht etwas Eigenes, auch in einer vorübergehenden Bleibe. Er wünschte sich spontanere Besuche. Wide wollte seine Tochter und seinen Sohn so häufig wie möglich bei sich haben, nicht nur jedes zweite Wochenende. Elsa und den sechsjährigen Jon, der bei ihm schlief, wenn er hier war.

Elisabeth hatte am frühen Vormittag angerufen.

»Jetzt scheint es ja nicht mal mehr am Wochenende zu klappen.«

»Ich verstehe nicht, was du meinst.«

»Du bist dauernd wegen eines Auftrags unterwegs – oder wie du das nennst. Und noch etwas. Jon hat bei seiner Rückkehr erzählt, dass ihr vier Stunden lang vor einem Haus in Tolered in deinem Auto gesessen habt.«

»Das hat ihm nicht geschadet.«

»Was habt ihr dort gemacht?«

»Wir haben die meiste Zeit ›Schiffe versenken‹ gespielt.«

»Versuch dich jetzt nicht rauszureden.«

Wide überlegte, ob er nach der Whiskyflasche greifen sollte, die auf der Spüle stand. Dieses Gespräch ging über seine Kraft. Sie hatte schließlich Recht.

»Du weißt es ja, warum fragst du dann?«

»Geh wieder zur Polizei, Jonathan.«

»Ha, ha.«

»Tu's.«

»Ich will nicht darüber reden. Das weißt du genau.«

»So kannst du nicht weitermachen: den Beruf ausüben und gleichzeitig mit deinen Kindern zusammen sein. Mit der Kamera in der Hand auf jemanden warten, der ... seinen Ehepartner betrügt.«

»Tolered war eine Ausnahme.«

»Eine von mehreren«, sagte sie.

»Nein.«

»Eine von mehreren, hab ich gesagt, verdammt noch mal.«

»Ist ja schon gut.«

Er lauschte der Stille, meinte, ihre Gedanken zu hören. Als

sie wieder sprach, war ihre Stimme eine Nuance heller, als wollte sie versuchen, so etwas wie Einverständnis zu schaffen.

»Du musst verstehen, dass es den Kindern nicht gut tut, wenn du abends plötzlich wegfährst, oder mitten in der Nacht. Elsa ist zwar schon recht vernünftig, aber du hältst sie für reifer, als sie wirklich ist.«

»Die wenigen Male, wo das passiert ist, hat sie gesagt, dass es ihr nichts ausgemacht hat.«

»Herrgott noch mal, stellst du dich so blöd, oder was?«

Kein Raum mehr für Nuancen, dachte er und fuhr sich heftig über das Gesicht.

»He, du fluchst ja!«

»Übrigens – aus den Novemberferien wird nichts.«

»Was?!«

»Ich trau dir nicht, du kannst die Kinder nicht haben.«

»Bist du verrü... Es sind doch nur drei Tage. Ich werde zu Hause sein, oder wir unternehmen was. Ich hab in der Zeit keinen Auftrag.«

»Das sagst du jetzt.«

Wide sah, dass sich an dem Arm, mit dem er das Telefon hielt, rote Striemen in die Haut gegraben hatten. Er strich mit der freien Hand darüber.

»Okay. Eigentlich wollte ich es dir noch nicht sagen. Aber ich hab über meine Zukunft nachgedacht.«

»Ah ja?«

»Ja, wegen der Kinder, aber auch, weil ... na, es ist ja kein Geheimnis, dass der Job eines Privatdetektivs nicht leicht ist. Vielleicht ist er interessant, ich weiß es nicht. Möglicherweise bin ich auch nicht dafür geeignet. Es fällt mir schwer, fremdgehende Eheleute auszuspionieren.«

So lange redete er sonst nicht am Stück.

»Das ist wahrscheinlich für niemanden ein guter Job.«

»Ich hab aber ein paar gute Sachen gemacht, trotz allem.«

»Was zum Beispiel?«

»Also ... einen Skinhead gerettet und in den Schoß der Familie zurückgeführt.«

»Das ist doch der, den sie wieder auf einer Demonstration geschnappt haben.«

»Er ist wieder heimgekehrt.«

Er hörte ein boshaftes Lachen in der Leitung. Er wusste, dass Elisabeth so lachen konnte.

»Und so willst du also weitermachen?«

»Es ist ein Einsatz. Wie die Amerikaner von der Drogenbekämpfung sagen: Das ist ein Krieg, den du nicht gewinnen kannst, aber kämpfen musst du.«

Diesmal lachte sie nicht, er hatte jedoch den Eindruck, dass sie lächelte.

»Wie viele solcher Frieden stiftenden Einsätze hast du im letzten halben Jahr geleistet? Na, lassen wir das. Du hast gesagt, du hast über deine berufliche Zukunft nachgedacht.«

»Ja.«

»Ja?«

Wie sollte er es aussprechen. Es klang so merkwürdig, fast noch sonderbarer als das, womit er sich jetzt beschäftigte.

»Ich kriege vielleicht einen Job in der Stadt.«

»Ja?«

»Beim NK.«

»Dem Kaufhaus? Erzähle! Muss ich dir denn jedes Wort aus der Nase ziehen?«

Wide holte Luft durch die Nase und stieß sie aus.

»Sie brauchen mehr Sicherheit. Ein alter Kollege von mir hat mir den Tipp gegeben und letzte Woche hat einer der leitenden Manager angerufen. Wir haben ein Gespräch vereinbart.«

»Mehr Sicherheit? Was soll das bedeuten?«

»Sie haben Probleme mit Ladendiebstählen. Es besteht sogar der Verdacht, jemand vom Personal könnte dafür verantwortlich sein. Außerdem geht es um Fluchtwege im Falle eines Brandes und so was. Mehr weiß ich noch nicht.«

»Hast du NK gesagt?«

»Ja, auf der Östra Hamn...«

»Schon gut, also das NK. Wird das anständig bezahlt?«

Er wusste, dass die Frage früh kommen würde. Sie hatte Recht. Es war eine Frage, die früh gestellt werden musste.

»Das weiß ich nicht, so weit sind wir noch nicht. Es ist ja noch nichts entschieden. Sie brauchen einen Sicherheitsberater, wie sie es nennen – eine Art Sicherheitschef, würde ich das vielleicht nennen.«

»Und sie wollen dich?«

»Scheint so. Frag mich nicht, warum.«

»Du musst eine Weile nüchtern gewesen sein.«

»Wundert dich das?«

»Ja. Nein. Entschuldige, Jonathan. Aber das klingt wirklich großartig.«

Er hörte den Zweifel in ihrer Stimme: Das würde er ja doch nicht schaffen. Oder wurde sie plötzlich unsicher angesichts einer Veränderung in seinem und ihrer beider Leben? Brauchte sie ihn als Buhmann, um daraus Kraft zu ziehen?

»Ich weiß nicht, ob es wirklich das Richtige für mich ist. Ich habe noch keine endgültige Entscheidung getroffen.«

»Aber du bekommst den Job, wenn du ihn willst?«

»Wir müssen noch über Arbeitszeit und Bezahlung verhandeln. Und andere Details.«

»Geregelte Arbeitszeiten.«

»Ja, was immer damit gemeint sein mag.«

»Schneidige Uniform.«

»Ha, ha.«

»Flottes Käppi.«

»Ha, ha.«

»Ein netter kleiner Posten am Eingang, neben der Parfümabteilung.«

»Noch mal ha, ha.«

Plötzlich spürte er, dass sie ihm ein wenig Wärme entgegenbrachte, zum ersten Mal seit der Trennung.

»Mach das. Nimm den Job an. Genau so was brauchst du.«

»Mal sehen. Jedenfalls hab ich mir einen neuen Anzug gekauft.«

»Lehn das nicht ab. Und ruf mich an. Tschüs.«

Er saß da mit dem Hörer in der Hand, legte ihn vorsichtig auf die altmodische Gabel und brachte dann die Leisten an der Decke in Elsas Zimmer an.

Himmel, was hatte er getan. In der Straßenbahn fühlte er die Blicke: Sie wussten es, sie sahen es ihm an, sie sahen den Beutel, den er bei sich trug, ganz bestimmt wussten sie es. Beim Dom stieg er aus, um sich etwas zu beruhigen, ging über Kungshöjd zum Järntorget und wartete auf die nächste Bahn. Er wartete auch auf die Reaktionen seines Körpers. Jetzt. Er spürte, dass sich in seinem Innern etwas tat.

Jetzt war er ruhig. Er war froh, nein, das war nicht der richtige Ausdruck: Er fühlte sich heiter und gelassen, so war es. Plötzlich war er ganz entspannt.

Während des letzten Teils der Fahrt schaute er aus dem Fenster, sah nichts Besonderes, sah nur Dunkel und Licht vorbeisausen.

Er betrat seine Wohnung. In den letzten Minuten hatte er sie vermisst. Nie hätte er geglaubt, dass er einmal so empfinden würde. Im vergangenen Jahr war er unaufhörlich durch die Stadt, durch die Parks gewandert. Im Palmenhaus konnte er verweilen. Nur zehn Minuten von zu Hause entfernt. Und immer kam er hier ins Grübeln. Einmal ertappte er sich dabei, dass er laut mit sich selbst redete. Das war ein erschreckendes Erlebnis. Es war ihm peinlich gewesen und er hatte sich schnell umgesehen, aber niemand schien ihn gehört zu haben.

Dass es so leicht sein würde. Mitten in der Stadt. Fast war er enttäuscht, aber er wusste, dass es so leicht gewesen war, weil er es so gut vorbereitet, so genau durchdacht hatte. Es hatte wehgetan, aber das war es wert gewesen. All das Belastende, Bedrückende war jetzt vorbei. Dies war der Beginn des anderen. Er würde es allen beweisen; wie sonderbar das in seinem Kopf klang: es allen beweisen. Aber genau dieses Gefühl hatte er.

Der Beutel lag auf dem Fußboden im Flur. Er hob ihn hoch. Er besaß ein Erinnerungsstück, etwas, was ihm bestätigen würde, dass es wirklich geschehen war, falls er einmal daran zweifeln sollte. Aber so weit würde es nicht kommen, davon war er überzeugt.

3

Roosevelt Tanai sprach leise und mit weicher Stimme, wobei er die erste Silbe betonte und ein wenig mit der Zunge anstieß, was ihr jedes Mal auffiel, wenn er etwas gesagt hatte. Nein, an den genauen Zeitpunkt konnte er sich nicht erinnern, aber es war in der Stunde vor Ladenschluss gewesen. Sie waren zu dritt gewesen. Ob er sich gleich bedroht gefühlt habe? Aber sicher – deutlicher hätte es gar nicht sein können; er hatte gesehen, wie sie sich in dem Moment, als sie den Laden betraten, die schwarzen Masken über das Gesicht zogen. Nein, draußen waren keine Menschen gewesen. Auch keine im Laden. All das hatte er doch aufgeschrieben. Falls sie es lesen könne, denn er schrieb schlecht mit der linken Hand. Noch Schmerzen? Ja, er hatte noch Schmerzen, nicht so sehr im Gesicht, aber im rechten Arm, wo ihn der Schlag mit dem Rohr getroffen hatte.

»War es nur ein Schlag?«

»Nur?«

Kajsa Lagergren seufzte unhörbar. Dieser Junge aus Kenia beherrschte die Feinheiten der Sprache. Sie musste auf ihre Wortwahl achten.

»Sie haben einen Schlag auf den Arm bekommen.«

»Einen Schlag auf den Arm, einen Schlag ins Gesicht, einen Tritt in den Magen. Dann lag ich auf dem Boden, und sie sagten, da bleibst du liegen, schwarzer Peter.«

»Schwarzer Peter. Sie haben Sie schwarzer Peter genannt?«

»Ja. Ich habe das noch nie gehört. Achtzehn Jahre bin ich jetzt in Schweden und habe das noch nie gehört.«

Roosevelt Tanai, der Kajsa Lagergren gegenübersaß, änderte seine Haltung. Sie befanden sich im Polizeipräsidium Skånegatan, in einem Verhörraum, in dem es nach Schweiß und Kaffee roch. Der Vormittag schleppte sich dahin; eine Schreibtischlampe, in die irgendein Trottel eine Sechzig-Watt-Birne geschraubt hatte, blendete, und draußen regnete es in Strömen. Ein Verbrechensopfer, achtunddreißig Jahre alt. Eine Kripobeamtin, neunundzwanzig Jahre alt, prämenstruell, Single, zwei Gerstenkörner in den Augen, die einfach nicht verschwinden wollten. Der Regen prasselte immer heftiger gegen die Scheibe, was nicht gerade zur Gemütlichkeit der Atmosphäre beitrug.

»Sie haben nicht gehört, wie sie gegangen sind.«

»Nein, das fand ich ja so sonderbar; aber ich sollte es wohl auch nicht merken, damit ich liegen bleibe.«

»Niemand hat also gesagt: ›Bleib fünf Minuten liegen, sonst kommen wir wieder‹, oder so was in der Art?«

»So reden sie nur im Film.«

Roosevelt auf dem Fußboden hatte so gezittert, dass er fürchtete, er bekäme einen epileptischen Anfall, ausgelöst durch den Schock. Sein Großvater hatte an dieser Krankheit gelitten.

Kurz davor hatte sich die Tür des kleinen Ladens mit dem gewohnten Klingeln geöffnet, und er hatte aufgeschaut und die drei mit dem schwarzen Stoff über den Köpfen hereinkommen sehen. Das passiert mir doch nicht, hatte er die ganze Zeit gedacht, bis er die Schläge spürte. Erst als die Polizei kam, hatte das Zittern nachgelassen. Später war er wütend geworden – und froh darüber gewesen. Wenn er wütend wurde, war er ganz ruhig.

Kajsa blätterte in ihren Papieren. »Sie haben ausgesagt, dass die drei etwa zehn Minuten geblieben sind.« Sie schaute auf, in Roosevelt Tanais tiefschwarzes Gesicht. Ein so schwarzes Gesicht hatte sie noch nie gesehen.

»Das ist eine Schätzung. So lange haben sie ungefähr gebraucht, um so viel wie möglich im Laden zu zerschlagen.«

»Es wurde nicht viel gestohlen.«

»Das Geld haben sie mitgenommen, aber es war keine Riesensumme.«

»Aber viel demoliert.«

Als alles vorbei war, hatte er sich langsam erhoben. Er konnte kaum glauben, dass man in so kurzer Zeit so viel zerstören konnte. Es war eine regelrechte Zerstörungswut – ein Hass.

»Sie müssen mich gehasst haben«, sagte er.

»Aber derartig schlimme Feinde haben Sie doch nicht.«

»Meines Wissens nach – nein. Aber darum geht es hier ja auch nicht.«

»Um was geht es dann?«

»Das ist doch klar. Ich bin eben, wie ich bin. Ich sehe aus, wie ich aussehe. Lesen kann ich auch. Die Gesellschaft lässt mich spüren, dass ich nicht dazugehöre.«

Kajsa Lagergren konnte es auch spüren, wenn es dessen noch bedurft hätte. Es gab eindeutige Fakten dafür: In den letzten Wochen waren drei kleinere Läden und zwei Pizzerien überfallen worden – schwere Gewaltanwendung gegen die Besitzer, die alle schwedische Staatsangehörige waren, jedoch aus einem anderen Land stammten. In der Woche davor fünf Läden, drei Pizzerien. *Einwanderer.* Was für ein blöder Ausdruck. Er unterstrich das Bild von einem Armen, der barfuß, mit einem Stock in der Hand und gebeugt, vor Schwedens Toren steht und demütig fragt: »Darf ich einwandern?«, dachte sie.

Man brauchte kein professioneller Beobachter der Gesellschaft zu sein, um zu konstatieren, dass das Misstrauen gegen Menschen, die in dieses reiche Land immigriert waren, gewachsen war. Früher waren selten Delikte gegen Andersfarbige vorgekommen. Jetzt hörte sie jeden Tag davon, sah es an Kleinigkeiten, einem schnellen, hasserfüllten Blick oder an schweren Vergehen wie gegen Roosevelt Tanai. Menschen, die unter Druck standen, griffen Außenseiter an. Sie war Polizistin, sie sah es deutlicher als viele andere. Sie stand nicht außerhalb der Gesellschaft und schaute hinein; sie hielt sich mehr Stunden am Tag, als ihr lieb war, in den unteren Regionen dieser Gesellschaft auf. Das war nun mal ihr Job.

»Schaffen Sie es, in den Laden zu fahren?«

»Wann?«

»Jetzt. Ich komme mit.«

»Klar.«

Im Auto mitten auf der Brücke über den Götaälv wandte sich Roosevelt Tanai ihr zu:

»Hier werde ich immer etwas schneller.«

»Sie reden doch jetzt nicht vom Autofahren?«

»Nein.«

»Vom Göteborg-Lauf also«, schloss Kajsa Lagergren.

»Ja.«

»Sie bestätigen das Vorurteil, dass alle Leute aus Afrika Langstreckenläufer sind.«

»Ich komme aus Kenia. Dort betreiben ziemlich viele Langstreckenlauf, aber nicht alle.«

»Haben Sie an Wettkämpfen teilgenommen?«

»Sie haben keine Ahnung von der Konkurrenz. Die, die an die Spitze kommen, sind unglaublich gut.«

Sie warf einen raschen Blick auf den Gullbergskai hinunter.

»Genau hier wird es schwierig, hier auf dem höchsten Punkt, wenn man an die gerade Strecke auf dem Södra Vägen denkt.«

»Sie laufen die ganze Runde? Ich hab mir schon gedacht, dass Sie sehr gut trainiert wirken.«

»Bis hierher bin ich es immer.«

»Dann laufen Sie zu kurze Strecken. Ist es dann überhaupt sinnvoll, die Runde zu laufen?«

Hatte es Sinn? Es war eine Art Ziel im Mai, ein konkreter Anlass, rauszugehen, wenn Körper und Geist schwach waren. Im Mai tat es zuerst immer weh. Hinterher war es schön.

Kajsa Lagergren fuhr auf der Hjalmar Brantingsgatan in nördlicher Richtung und versuchte durch die Windschutzscheibe zu sehen, die von Scheibenwischern gereinigt wurde, die längst hätten ausgetauscht werden müssen.

»Im letzten Jahr, als wir von der Brücke in die Stadt kamen, auf diesem verschlungenen Radweg, da saß eine Gruppe im Gras daneben. Sie hatten zu essen und Wein dabei und Banderolen mit einem Namen drauf, und es stellte sich heraus, dass der Junge dieses Namens zehn Meter vor mir lief. Seine Freunde oder Familie – oder wer das nun war – feuerten ihn an. Als er sie sah, rief er: ›Nein, ich schaff es nicht‹, blieb stehen und warf sich auf den Boden und dann brüllte er: ›Her mit einem Bier‹, und die Clique war sehr enttäuscht. So hatten sie sich das nicht vorgestellt. Sie versuchten, ihm Mut zu machen, ihn aufzurichten, aber vergebens.«

Roosevelt Tanai hörte zu und betastete vorsichtig die Kompresse an seiner linken Wange.

»Wenn sie nicht da gewesen wären, hätte er es vielleicht geschafft.«

»Vielleicht.«

Mit solchen Freunden braucht der Läufer keine Feinde, dachte sie. Sie bog zum Backaplan ab und parkte in südlicher Richtung; dann gingen sie zu Tanais Laden in einem der älteren Holzhäuser. Die Absperrbänder wölbten sich im Wind. Der dunkelhäutige Mann schaute auf die neuen Fensterscheiben. Drinnen bildeten Schotter, Erde, Wasser und Fußabdrücke ein bizarres Muster auf dem Fußboden.

»Das ist mein kleines Unternehmen.«

»Es wird nicht wieder passieren.«

»Können Sie mir das versprechen?«

Sie antwortete nicht sofort und folgte mit den Augen einem Schwarm Möwen, der nach Westen zum offenen Meer flog. Die Vögel wogten im Nordwestwind, blieben aber trotzdem zusammen. Wie eine riesige graue Decke schwebten sie davon, auf den schmalen Streifen Licht am Horizont zu.

Jonathan Wide nahm das Bierglas entgegen, ließ es aber stehen. Die Bar füllte sich langsam, es war die gewohnte Zeit. Er wusste es genau, und das wäre ein guter Grund gewesen, nicht hier zu sitzen. Hier hatte er zu oft gesessen.

»Ich sitze hier zu oft.«

Wim Shaeffer beugte sich über die Theke. Er war der Restaurantbesitzer, ein alter Freund, schwul, groß, gut in Form.

»Warum solltest du das Muster durchbrechen?«

»Ich weiß nicht, wovon du sprichst.«

»Das Verhaltensmuster geschiedener Männer. Sie hängen an Bartheken herum, jedenfalls die einigermaßen geselligen Typen.«

»Gesellig würde ich mich nicht gerade nennen.«

»Noch zwei Bier und du bist schon ein bisschen geselliger. Aber trink sie nicht.«

»Eine interessante Empfehlung von einem Barbesitzer.«

Shaeffer füllte zwei große Biergläser für einen Mann am anderen Ende der Bar und kam zu Wide zurück.

»Dein Fehler ist, dass du nicht loslassen kannst. Jetzt könntest du doch anfangen, darüber nachzudenken, was für ein Leben du künftig führen willst. Es gibt ein Leben nach diesem.«

»Ich weiß.«

»Schau dich an: fleckige Jeans, immer nur in T-Shirt und zerknittertem Hemd und dazu schmutzige Boots. Das Einzige, was an dir schön ist, sind deine Drei-Tage-Stoppeln.«

»Ich hab mir einen neuen Anzug gekauft.«

»Das reicht nicht. Hier geht es um die Einstellung. Die kommt von innen.«

»Was für ein scheißblödes Gerede.«

»Dieser Masochismus, den du pflegst, schadet auf die Dauer nur. Der ist kontraproduktiv. Damit wird man lächerlich.«

»Masochismus? Ausgerechnet du musst von Masochismus reden, du verwirrtes armes Würstchen! Was bedeutet der Pferdeschwanz? Der Ring im Ohr? Zur Schau gestellte Haare auf der Brust? Ha, ha.«

»Wie gesagt, es geht um die Einstellung. Kein Mensch kann sein Leben in den Griff bekommen, wenn er ständig zu Hause hockt, Puccini hört, trinkt und leidet.«

»Ich sitze doch hier und trotzdem leide ich. Das ist nicht weiter verwunderlich, jedenfalls nicht im Augenblick.«

»Irgendwann musst du dich entscheiden. Such dir eine Frau. Werde wieder Polizist. Trink weniger. Hör weniger Puccini.«

»Ich höre mir Puccini nur an, wenn ich froh bin.«

»Steht es schon so schlecht um dich?«

»Ja.«

»Du bist wie ein Held von Norman Mailer. Taffe Jungs tanzen nicht. Haben Manieren aus der Steinzeit. Taffe Jungs essen keine Quiches.«

»Doch, Quiches esse ich.«

»Aber du tanzt nicht.«

»Wenn sich die richtige Gelegenheit ergibt ...«

Shaeffer mixte einen Gin Tonic für eine Frau in Schwarz; sie zahlte und kehrte zu einer schweigenden Gesellschaft an einem der Fenstertische zurück.

»Ich glaube auch, dass du ein bisschen zu viel liest, Wide. Gerade in dieser Situation ist das nicht gut für dich. Trinken und Lesen in der Einsamkeit, dabei kommt man auf komische Gedanken. Hast du Sam Shepard gelesen?«

»Natürlich.«

»Sieh einer an. Dein Gehirn füllt sich mit Einsamkeit. Der Mann, der tun muss, was ein Mann tun muss – auch wenn das keinen Deut wert ist. Solche Mythen finden leicht Nahrung bei deinem Zustand.«

»Was empfiehlst du mir?«

»Wie gesagt: eine gute Frau. Vor allem das. Normalerweise bin ich vielleicht nicht gerade der Richtige, um dir das vorzuschlagen, aber im Augenblick bin ich es wohl.«

Wide kam nachts nach Hause, stand lange mit dem Schlüssel in der Hand da und suchte nach dem Schlüsselloch und kapierte, dass er zu viel getrunken hatte. Er stolperte über die Rolle mit Abdeckpappe, die im Flur gegen die Wand gelehnt stand, entkleidete sich mit ein paar Handgriffen, ging ins Bad und leerte seine Blase mit schwer hängendem Kopf.

Er wurde im Dunkeln wach, der Regen hatte ihn lange schlafen lassen. Frühstück, ein relativer Begriff: Pulverkaffee mit viel Milch, eine Scheibe Knäckebrot, Käse – aber nach zwei Bissen brach er die Mahlzeit ab. Er trank ein Glas Saft, spülte sorgfältig das Geschirr von vier Tagen und fand Linderung in der Arbeit; jemand, der einen Kater hat, findet immer Linderung in der Arbeit. Er duschte, rasierte sich so hautnah, wie er sich traute, und schnitt sich dabei in die Wange; doch er ließ das dünne Blutrinnsal zum Hals hinunterlaufen, bis er fertig war. Er hob seine Hand, in der er den Rasierapparat hielt, und sah, dass sie leicht zitterte. In einem Auge hatte er einen kleinen Bluterguss; er hatte keine Kraft festzustellen, in welchem, und wandte sich vom Spiegel ab.

Wide sortierte die Wäsche, steckte Boxershorts, T-Shirts und die hellen Strümpfe in die Maschine, die neben der Badewanne stand, und programmierte den Waschvorgang. Er lauschte auf das Knacken der Maschine, blieb stehen, bis er sie summen hörte, dann verließ er das Bad und beschloss, die Wohnung aufzuräumen. Nach der Tapeziererei in Elsas Zimmer hatte er gefegt und Staub gesaugt, aber das reichte nicht. Eine Sammlung grauer Staubflocken in einer Schlafzimmerecke – woher kam die? Wie bildeten die sich eigentlich? Bei der Arbeit hielten sich seine Gedanken hartnäckig auf diesem Niveau. Das Schlafzimmer war gleichzeitig sein Arbeitszimmer: sein Büro. Wie hätte er es wagen können, eins anzumieten, wo doch kein Geld vorhanden war! Er hatte sich ein Büro in Gårda angesehen: zwei kleine Zimmer mit Pantry in einem der alten Häuser, die die Zeit der Abrisse überlebt hatten. Es wäre richtig gewesen, dort in der Nähe all der Neubauten zu sitzen, die in dem Gebiet errichtet wurden, im Umfeld der Räumlichkeiten für Berater und Headhunter. Er hatte die Abweichung von der Norm registriert, in erster Linie für sich selber. Wenn er seine »Firma« dorthin verlegt hätte? Er hatte es nicht getan. Jetzt schob er den Mac ein Stück beiseite, um die Tischplatte darunter abzuwischen. Dieser Schreibtisch und dieses Zimmer mussten als Büro ausreichen; genau wie der Computer, den er vor einem halben Jahr gekauft hatte, der alle seine Ordner enthielt, die er brauchte. Er hatte auch einige Spiele gekauft, für Jon: Der Junge konnte stundenlang spielen. Er komme so gerne hierher, sagte Jon oft. Was wäre passiert, wenn Wide den Apparat nicht angeschafft hätte? Würde sein Sohn dann auch so gerne kommen? Als er den Staubsauger abschaltete, schaltete er auch diesen destruktiven Gedanken aus und hörte jetzt, wie die Wohnung von der Musiklautstärke geradezu erbebte. Hausputzmusik: ein fettes, nicht ganz junges Gitarrenintro, nicht ganz junge Trommeln, ein nicht ganz junger Bass, Musik, die mit ihm gealtert war, grobes Sandpapier in der Stimme, *Bobby's got a gun that he keeps beneath his pillow*. Wide hob das Mundstück zur Brust und schlug zwei Riffs, baamm, baamm, baaamm, baaamm, und er spürte einen Anflug von Kopfschmerzen, aber nicht so intensiv wie auf einem vorbereitenden Rundgang. Der Schweiß brach ihm aus, unerwartet und heftig, und ihm fiel plötzlich ein, dass er seit gestern Nachmittag den Anrufbeantworter nicht abgehört hatte.

Sie trafen sich in einem der Cafés im westlichen Teil der Linnégatan. Der Mann saß schon da, als Wide kam. Er hatte sich sehr gut selbst beschrieben: grauer Anzug, weißes Hemd, blaugrüne Krawatte, Brille, rote Haare, soweit noch vorhanden. Wide brauchte nicht zu zögern. Der Mann war der einzige Gast im Lokal.

»Sie müssen Anders Torstensson sein.«

»Wide, schön, dass Sie gekommen sind.«

»Hallo.«

»Kaffee?«

»Gern.«

»Was dazu?«

»Nein, danke.«

Torstensson ging zu dem Mädchen an der Kasse. Sein Jackett war am Rücken zerknautscht, dort, wo er sich gegen die Stuhllehne gepresst hatte.

»Bitte schön.«

»Danke.«

Anders Torstensson musterte Wides Gesicht.

»Wie geht es Ihnen eigentlich?«

Das war direkt. Wide schätzte Direktheit.

»Nicht so besonders.«

»Gestern gefeiert?«

»Grippe im Anzug, glaub ich. Nein – es ist auch aus anderen Gründen spät geworden.«

»Ich bin wirklich sehr dankbar, dass Sie so schnell gekommen sind.«

»Warten Sie mit dem Dank.«

»Tun Sie, was Sie tun können. Für mich reicht das. Dann hab auch ich etwas getan.«

»Verschwundene Personen gehören nicht gerade zu meinem Arbeitsbereich.«

»Was ist denn Ihr Arbeitsbereich?«

»Das weiß ich, ehrlich gesagt, nicht genau.«

»Dann können Sie mir ja wenigstens erst mal zuhören.«

»Gut.«

Der Mann erzählte. Sie war verschwunden. Nein, das war noch nie vorgekommen. Natürlich lief eine Suchanzeige, aber er hatte es als Demütigung empfunden, als er ihr Verschwinden meldete, wie eine Schuld. Hatte sie ihn verlassen? Nein, so war es nicht, da war er hundertprozentig sicher. In Ruhe erst einmal abwarten? Nein, das war nicht seine Art. Er wusste, dass dieser Fall auf einem Aktenstapel landen und bald unter anderen Fällen stecken würde, die gestern, heute, morgen kamen; er war ja nicht naiv. Es gab keine Möglichkeit, nach einer seit kurzem verschwundenen Frau zu suchen. Er wollte eine Alternative ausprobieren. Er hatte alles dabei, in diesem Umschlag: Foto, Geburtsurkunde, Aussehen, Schuhgröße, wie sie an dem Tag gekleidet war, ihre Interessen, alles. Er hatte versucht, nichts auszulassen.

»In welcher Stimmung war sie?«

»Wie bitte?«

»Wie war sie gelaunt, wie ging es ihr? Woran hat sie häufig gedacht, hat sie viel gegrübelt?«

»Das sind Bullenfragen, Schuldfragen.«

»Ich bin Bulle gewesen.«

»Da gibt es nichts zu berichten. Wir waren ... äh, vielleicht nicht die glücklichsten Menschen auf der Welt, aber das Schicksal teilt man mit neunundneunzig Komma neun Prozent der Weltbevölkerung. Das hat uns also keine Sorgen bereitet.«

»Nichts Ungewöhnliches in den letzten Tagen vor ihrem Verschwinden? Ist nichts passiert? Mit der Verwandtschaft vielleicht? Hat sie was gelesen, im Fernsehen gesehen? Wenn ich den Job annehme, möchte ich, dass Sie von jetzt an darüber nachdenken. Sie können mich jederzeit anrufen. Sie können auch faxen oder mailen.«

»Klar. Wollen Sie nicht auch fragen, ob sie einen Todfeind hat?«

»Haben Sie beide Todfeinde?«

»Das war eigentlich mehr als Scherz gemeint.«

»Also – Feinde?«

»Nein.«

»Freunde?«

Er sah, wie sich das Gesicht des Mannes veränderte, als ob seine Frage einen Nerv berührt hätte, der jetzt die Haut um die Augen zusammenzog.

»Warum fragen Sie das?«

»Ist das eine so abwegige Frage?«

»Das hat doch nichts mit dieser Sache zu tun.«

Wide ließ es. Wenn es wichtig war, würde er es herausfinden. Er konnte warten.

»Sie müssten mir trotzdem ein paar Namen nennen, Kollegen und dergleichen.«

»Ein Name steht in den Papieren, der eines Arbeitskollegen.«

Wide überflog die drei Seiten. Sie beschäftigte sich also mit Archivierung. Er las ein wenig und legte die Papiere dann beiseite. Später würde er sie genauer studieren.

»Die Bibliothek ist eine große Institution.«

»Ja.«

»Hat sie sich dort wohl gefühlt?«

»Ja.«

Er fragte nach dem Arbeitsweg. Er wusste, dass er den Auftrag annehmen würde, aber er wusste ebenso, dass er nicht viel tun konnte, und das sagte er auch.

»Eine Alternative, ich hab ja gesagt, ich will eine Alternative ausprobieren. So viel weiß ich über Sie, dass Sie erfahren sind.«

Wide betrachtete das Foto. Die Frau war vielleicht fünfunddreißig oder vierzig. Ihm fiel es immer schwer, das Alter von Frauen zu schätzen. Dies war das neueste Foto, das Anders Torstensson von ihr besaß; das Datum stand auf der Rückseite, und ja, sie war sechsunddreißig, als es aufgenommen wurde. Sie lächelte unsicher und ein wenig nervös wie manche Menschen, wenn sie keine Lust zu lächeln haben. Ihm fiel auf, dass sie nicht direkt in die Kamera schaute, sondern mehr nach links am Fotografen vorbei. Vielleicht zu Anders Torstensson, der dort gestanden hatte. Ihre Haare sahen frisch gelegt aus, wie nach einem Friseurbesuch. Sie trug ein hübsches Medaillon, ganz oben am Hals. Sie hatte einen scharfen Zug um den Mund, der nicht zu der Unruhe in ihren Augen passte.

Als Jonathan Wide mit dem braunen Kuvert unterm Arm durch den Schlosswald nach Hause ging, dachte er über das Gesicht nach, diese unbestimmten Züge, die ihm am Sonntag im Botanischen Garten begegnet waren ... Auch gestern hatte er kurz daran gedacht. Er war etwas irritiert, weil ihm Name, Ort und Zeit zu diesem Gesicht einfach nicht einfallen wollten. Warum dachte er eigentlich darüber nach? Irgendwo gab es wohl eine Antwort, einen Grund. Oder auch nicht. Auf der Höhe von Plikta wurden seine Gedanken von Kindergeschrei abgelenkt. Der Spielplatz war voll, und Wide blieb lange stehen und schaute einem kleinen Mädchen beim Schaukeln zu. Auf einer Bank daneben saß eine Frau und musterte ihn eindringlich.

Betsy war ein feiner Hund. Sie lief gerne frei, schnüffelte herum, stürmte hierhin und dahin, und es kümmerte sie wenig, dass sie kein Welpe mehr war.

Von hier aus war sie herrlich anzusehen, und es war ein herrliches Gefühl, Frauchen zu sein und einen temperamentvollen Hund zu haben. Es war ein prachtvoller Tag, ein wenig kalt, fast ohne Regen. Sie liebte es, wenn die Farben sich für die Winterruhe gewissermaßen in sich selbst verkrochen. Wenn sie Augen und Ohren schloss, konnte sie das Brausen vom Götaplatsen nicht mehr hören, sah sie nicht mehr die Universitätsgebäude dort hinten. Sie rief: »Betsy« und dann noch einmal: »Betsy«, aber die kam nicht. Sie sah den Hund ein Stück oberhalb in der Schlucht stöbern.

Sie umrundete den Teich und rief weiter. Betsy sah auf und kam ein Stück auf sie zugestürmt, lief dann aber geschmeidig zurück zu dem Geröllhaufen. Jetzt hörte sie den Hund winseln, ein Winseln, das sie kannte, aber nicht von Spaziergängen. So klang es, wenn Betsy rauswollte oder wenn sie zu lange allein in der Wohnung gewesen war.

»Betsy! Hierher! HIERHER!«

Sie stand unten und schaute zu dem Hund hinauf, aber der wollte nicht kommen. Sie seufzte und kletterte den Hang hoch.

»Dummer Hund. Warum kommst du nicht? Was hast du da, he? Was hast du da?«

Jetzt war sie nur noch wenige Meter entfernt und sah einen grauen oder vielleicht auch braunen Zipfel Stoff aus der Felsspalte herausragen. Eine Decke. Der Hund hatte den Stoff ein Stück herausgezogen. Sie kam näher, beugte sich vor und sah eine Hand, ein Stück von einem Arm und etwas anderes, etwas, was unbeschreiblich war. Das passiert mir doch nicht, dachte sie, und sie packte den Hund viel zu fest am Halsband, verlor das Gleichgewicht und rutschte den Abhang hinunter; sie spürte einen Schmerz in der rechten Gesäßhälfte, landete auf allen vieren und erst jetzt schrie sie.

4

Die Scheinwerfer – er hatte sich nie an das blendend helle Licht gewöhnt. Der Tod wurde obszön grell beleuchtet ... Dies war eine Arbeit, die man am besten bei Tageslicht erledigte. An Abenden wie diesen fehlte ihm eine vernünftige Einstellung zu seinem Job, vor allen Dingen zu dem Opfer, das dem zudringlichen Licht ausgesetzt wurde. Sten Ard quälte sich unter dem Absperrband hervor, das die Schaulustigen auf Abstand hielt.

Er hatte sich einen Weg zwischen allen hindurchbahnen müssen. Am Abhang drängten sich ein paar Leute, die still dastanden. Waren das Bekannte und Angehörige? Es war wie bei einer Feuersbrunst, und Ard wusste, dass er hier heute Abend ungefähr ebenso wenig ausrichten würde wie die Gesichter, die ihn umgaben. Aber er musste hier erscheinen. Die Ermittlungen konnten nicht beginnen, wenn er nicht dabei war.

»Da bist du ja.«

Kriminalinspektor Ove Boursé wandte sich halb um, als Ard vorsichtig den Abhang hinaufstieg, der Linie entlang, die die Männer von der Spurensuche vor einer Stunde markiert hatten. Er sah den Matsch, den Schotter, die Grasbüschel unter sich: Das waren keine idealen Arbeitsbedingungen für jemanden, der nach Spuren suchen musste.

»Hast du schon mal versucht, aus einem voll besetzten Ullevi Stadion herauszukommen?«

»Würde mir nie einfallen.«

»Aha.«

»Würde mir nie einfallen, da hinzugehen.«

Ove Boursé war ein guter Fahnder. Er hasste Sport. Vielleicht ist das eine ganz gute Kombination, dachte Ard. Auf das Wesentliche konzentriert. Das könnte er jetzt brauchen.

Boursé wischte sich Regentropfen von der Stirn und aus dem Schnurrbart und machte eine Bewegung nach oben. Sie hatten eine Persenning aufgespannt; der Regen umgab das provisorische Zelt wie ein graues Gerüst.

»Sie liegt da oben. Frenkel ist mit seiner ersten Untersuchung fertig.«

Untersuchung, was für ein Scheißwort, dachte Ard, sagte aber nichts, sondern ging zum Rand des Felsens und kauerte sich hin.

»So ist sie gefunden worden?«

»Das hat die Zeugin ausgesagt.«

Ard hatte auf dem Weg hierher eine kurze Zusammenfassung der Ereignisse bekommen.

»Ist sie hier?«

»Im Carlanderska Krankenhaus. Schwerer Schock.«

»Im Carlanderska?«

»Sie ist Privatpatientin. Aber sie scheint eine ganz anständige Person zu sein. Die Klassenanalyse können wir uns ja vielleicht für später aufheben.«

Ard schätzte Boursés trockene Kommentare, besonders bei diesem Wetter. Sie arbeiteten schon lange zusammen, zwischen ihnen hatte sich eine Art Jargon entwickelt. Wenn sie in die Hölle hinabstiegen wie an diesem Abend, schärften sich ihre Sinne durch eine Sprache, die locker auf der groben Oberfläche zu fließen schien.

Er war vorbereitet gewesen, dennoch schoss ihm das Blut ins Gesicht, als er das sah, was vor vierundzwanzig Stunden noch ein lebendiger Mensch gewesen war. Übel wurde ihm trotzdem nicht. Wieso, wusste er nicht. Ein normaler Mensch würde sich die Därme aus dem Leib kotzen.

»Großer Gott.«

»So viel haben wir auch aus der Zeugin rausgekriegt.«

»Scheiße, reicht es denn nicht, jemanden einfach umzubringen?«

Boursé stand dicht neben ihm, eine Hand auf Ards Schulter. »Es ist eine Art Botschaft an uns, an das Opfer und die Welt, und du weißt, was so etwas bedeutet.«

»Ja.«

»Vielleicht hat es ja auch nichts zu bedeuten.«

»Nein.«

»Die Decke war da, als wir kamen.«

»Sie war in die Decke eingewickelt?«

»Genau.«

»Solche hatten wir beim Militär.«

»Wer hatte die nicht?«

»Dadurch wird es auch nicht leichter.«

Boursé kommentierte Ards Meinung nicht, sie wussten beide um die ungeheure Schwierigkeit der Arbeit, die vor ihnen lag, die tausend mühevollen Details der Ermittlung.

»Was glaubst du, ist das eine Mitteilung oder nicht?«

Was sollte er glauben? In diesem Augenblick war das unwesentlich, doch er wusste, dass selbst der sichere Ove Boursé ein Mann mit Gefühlen war. Niemanden ließ die Konfrontation mit dem Tod unbeeindruckt, niemals und auch nicht jetzt und hier, wo der Toten alle Würde genommen worden war.

»Wir können nur hoffen, dass es das richtige Wort in diesem Zusammenhang ist. Das werden wir später sehen. Hast du ihre Papiere?«

»Ja.«

»Das erspart uns ganze Tage.«

»Oder Stunden.«

Es war ein Anfang. Ihnen war die Identität der Frau bekannt, falls der Täter sie nicht absichtlich durch falsche Papiere in die Irre führen wollte.

»Sie scheint es zu sein.« Ove Boursé hielt eine kleine schwarze Ermittlungsmappe aus Plastik in der rechten Hand. »Aber bei ihrem jetzigen Aussehen können wir das nicht genau feststellen.«

Ard warf erneut einen Blick auf den Körper. Lieber Gott, ihr Gesicht. Er schaute auf die Mappe. Wenn es ihr Name war, den diese enthielt, dann konnten sie schneller anfangen. Aber die Situation beunruhigte ihn gleichzeitig: Mörder setzten gewöhnlich alles daran, um nicht entdeckt zu werden; sie entkleideten ihre Opfer, erkämpften sich mehr Zeit, wussten, dass ihnen das Verwischen von Spuren einen Aufschub verschaffte. Manche Mörder. Nicht alle ... Die, die jemanden aus ihrer Familie umbrachten, taten es fast nie; aber solche, die leblose Körper in eine Schlucht warfen ... Sie hatten ihre Gründe, warum sie nicht neben ihrem Opfer saßen und warteten. Sie wollten ihr Verbrechen so lange wie möglich vor der Welt geheim halten. Das bereitete Ard Sorgen, und richtige Angst machten ihm jene Mörder, die ihr Opfer nicht so beließen, wie es war; die groteske Botschaften hinterließen; die nach der Tat davongingen wie nach einem Essen oder einem Liebesakt. Die es wiederholen könnten. Dafür gab es hier Anzeichen, und als einer der Scheinwerfer scharf nach rechts schwenkte und das Licht sein Gesicht traf, fühlte sich Sten Ard plötzlich sehr elend.

Jonathan Wide informierte sich über Ulla Torstensson. Obwohl ihm eine detaillierte Beschreibung von ihr vorlag, beschlich ihn allmählich die Frage, warum sie so wenig enthielt. Ihr Mann, Anders, hatte ein Bild von ihr und ihrem gemeinsamen Leben entworfen, das leer wirkte, irgendwie ohne Substanz. In seinen Schilderungen gestern war etwas Ausweichendes gewesen. Man musste kein Genie sein, um das zu konstatieren.

Wonach suchte Wide? Nach einer Persönlichkeit? Vielleicht. Oder nach einer Stimme, die er nicht hören konnte. In seinem früheren Leben bei der Verbrechensfahndung der Kripo hatte er so etwas zu erahnen versucht; darin war er gut gewesen. Er hatte sich den Sinnen der Menschen genähert, die gesucht wurden. Das hatte ihn fast aufgesogen.

Es überraschte ihn, dass sie aus derselben kleinen Stadt in Småland stammte, in der auch er aufgewachsen war. Sie war drei Jahre jünger als er. Er war als Fünfzehnjähriger von dort fortgezogen. Aber trotzdem ... Die Stadt war nicht besonders groß. Lange betrachtete er das Gesicht, aber es sagte ihm nichts. Nach einer Weile wurden die Linien um den Mund der Frau schärfer, die Unruhe in ihren Augen tiefer. Er legte das Bild weg und erhob sich, ging zum Fenster und schaute auf die Häuser gegenüber, sah, wie der Regen gegen die Wände schlug; er kam in Böen, manchmal horizontal. Jemand hatte einen Kinderwagen draußen vergessen; er sah, wie die weißblauen kleinen Decken immer tiefer gegen das Sitzkissen gedrückt wurden. Ein Fenster stand offen; er sah, wie sich die kurze weiße Gardine bewegte. Auf der Straße waren keine Menschen unterwegs. Ein Auto fuhr in nördlicher Richtung, die Scheibenwischer glitten rhythmisch über die Windschutzscheibe. Wide musste die Augen zusammenkneifen, um die Wischer zu erkennen; die Dämmerung senkte sich rasch über die Stadt.

Er war müde. Wieder dachte er an das Gesicht der Frau. Als er sich umwandte, konnte er das Foto von seinem Platz aus sehen. Und wieder musste er an das Gesicht denken, das er im Botanischen Garten gesehen hatte. Die Züge der Frau schienen mit denen des Mannes, dem er begegnet war, zu verschmelzen, als ob er sie nicht richtig auseinander halten könnte. Wide musste in der Vergangenheit suchen.

Er nahm sein Adressbuch vom Schreibtisch, suchte eine Telefonnummer heraus, hob den Telefonhörer ab und gab die Ziffern ein.

Er musste eine Weile warten.

»*Göteborgs-Posten*, guten Tag.«

Wide wurde klar, dass die Durchwahlnummern geändert worden waren. Es war schon eine geraume Zeit her, seit er zuletzt hier angerufen hatte.

»Ich habe die Nummer von Peter Sjögren gewählt.«

»Peter Sjögren, einen Moment bitte.«

Er wartete.

»Sjögren.«

»Hallo, hier ist Wide.«

Am anderen Ende blieb es still. Wide sagte noch einmal »Hallo« und die Stimme war wieder da.

»Entschuldigung, aber Ihr Name kam mir irgendwie bekannt vor. Deshalb habe ich in meinem Computer nachgesehen und in den Dateien tatsächlich etwas gefunden ... Sieh einer an, da steht wahrhaftig, dass ein gewisser Jonathan Wide einmal einen gewissen Peter Sjögren gekannt hat.«

»Tja ... es ist vielleicht eine Weile her.«

»Das kann man wohl sagen.«

»Ich bitte um Entschuldigung, aber es ist wirklich ... einiges passiert.«

»Ich weiß, ich weiß.«

»Jetzt geht's mir wieder besser.«

»Hast du meine Grüße bekommen?«

»Ja. Aber ich hab's nicht geschafft zu antworten, ich brauchte Zeit.«

Was sollte er noch sagen? Manche suchten Gesellschaft, andere die Einsamkeit. Scheidungen bewirken unterschiedliches Verhalten.

»Aber jetzt bist du da.«

»Ja.«

»Was hältst du von einem Bier?«

»Warum nicht.«

»Heute Abend. Ich geh um sechs. Ich muss noch dieses eine Interview führen, dann habe ich eine kleine Besprechung, und danach nichts wie weg, weg, weg.«

»Heute Abend kann ich nicht. Ich hab einen kleinen Auftrag. Aber morgen Abend, um sieben vielleicht, oder halb sieben.«

»Auch gut. Ich hör um sechs auf, ein Interview, eine kleine Besprechung, und dann weg, weg, weg.«

»Du lebst in geordneten Verhältnissen.«

»Das ist die neue Ordnung, keine Überraschungen.«

Wide kam zum Thema, den Grund seines Anrufs. »Ich weiß, dass du nie was wegwirfst, Peter, und jetzt könnte ich einige deiner alten Schulunterlagen brauchen.«

»Ich nehme an, du redest von der Hochschule für Publizistik.«

»Nein.«

»Redest du von der Alten Östraschule?«

»Ja, und vielleicht auch von der Neuen Östra.«

»Da war ich nie, aber es kann sein, dass ich trotzdem was von der auf dem Speicher hab. Welches Jahr?«

»Mitte der sechziger Jahre.«

»Die schöne Kinderzeit.«

»Ja.«

»Sehnst du dich nie danach, wieder Äpfel zu klauen?«

»Manchmal schon.«

»Zeitungen zu sammeln?«

»Doch.«

»Diese verdammte Erwachsenenwelt für immer zu verlassen?«

Wide antwortete nicht, er langte über den Schreibtisch und knipste die Schreibtischlampe an. Dabei warf er wieder einen Blick auf das Foto vor sich.

»Meinst du, du findest was auf deinem Speicher?«

»Klar. Wie du gesagt hast, ich werfe nichts weg, nur die Zeitung von gestern – und manchmal auch die von heute.«

»Wo können wir uns treffen?«

»Was hältst du vom ›Bolaget‹?«

»Wenn es dort ruhig ist.«

»Bis wir kommen.«

»Und dann?«

Wide hörte, wie Peter Sjögren auf seine Tastatur hämmerte.

»Darf ich fragen, worum es eigentlich geht?«

»Kanntest du zu Hause eine Ulla?«

Aber deswegen wollte er ihn nicht treffen. Wide wusste nicht, ob er es ihm sagen sollte.

»In Sävsjö? Machst du Witze? Da hießen doch alle Ulla.«

»Ulla Bergsten.«

Wide lauschte auf das kurze Schweigen. Sjögrens Stimme kam wieder.

»Bergsten. Nein, nicht auf Anhieb. Suchst du sie? Fahndest nach ihr?«

»Warum fragst du das?«

»Es ist doch kein Geheimnis, womit du dich neuerdings beschäftigst. Und jetzt verstehe ich es. Ulla Bergsten. Jetzt werde ich neugierig.«

Wide saß im Halbdunkel außerhalb des Lampenlichts; er sah, dass es während ihrer Unterhaltung draußen grauschwarz geworden war. Die Lichter auf der Älvsborgsbrücke leuchteten matt durch den Regennebel, wie eine Vorankündigung des Weihnachtsfestes, das in zwei Monaten sein würde.

»Eigentlich geht es um etwas anderes. Vielleicht kannst du mir helfen.«

Die Pizzeria lag zwischen Göteborg und Mölndal, in dem Grenzbereich, wo die Kleinindustrie früherer Zeiten verdrängt worden war. Erst war sie innerhalb des Gebietes an andere Stellen verlegt und schließlich ganz vertrieben worden, in die Ebenen weiter im Süden. Oben am Mölndalsvägen gab es noch zwei Autowerkstätten und eine Klempnerei. Die Pizzeria war praktisch nicht mehr vorhanden: Kurz nach Einbruch der Dämmerung waren da plötzlich laute Schritte gewesen, dann flog eine Rauchhandgranate durch die Tür. Gäste waren keine da gewesen, nur ein Mann, der auf die Straße getorkelt war und jetzt vor ihr saß, mit einem dicken weißen Handtuch in der Hand, in das er jedes Mal hustete, nachdem er etwas gesagt hatte.

Muhammad Azad hatte Kajsa Lagergren zu einem iranischen Frühstück eingeladen: Wassermelone, Radieschen, milde Pfefferschoten, zarter Lauch, Schafskäse und frische grüne Kräuter. Sie erkannte Minze und Petersilie. Muhammad brach das flache, mit Sesam bestreute Brot, *nane barbari*, sagte etwas, was sie nicht verstand, und hustete dann wieder in das Handtuch.

»Wie bitte?«

»Ich habe gesagt, dass der Name unseres Brotes sehr treffend ist.«

»Das stimmt.«

»Aber vielleicht ist das Wort Barbaren zu einfach. Ich finde nicht immer den richtigen Ausdruck auf Schwedisch.«

»Ich auch nicht. Uns fehlen manchmal ebenfalls die Worte. Noch jedenfalls.«

Muhammad hatte nichts von seinem Background erzählen wollen. »Meine Geschichte gehört eigentlich mir, sie ist schon zu oft erzählt worden, und Sie haben ja alles in Ihren Unterlagen.« Eine halbe Stunde später wusste sie jedoch, dass er aus dem nördlichen Iran nach Schweden gekommen war, aus dem Gebiet des aserbaidschanischen Volkes um Täbris, auf der Flucht vor der Einberufung zu einem Krieg, den er mit Sicherheit nicht überlebt hätte; die Aserbaidschaner wurden an die vorderste Front geschickt und niemand kehrte je in sein Dorf zurück. Seine Verlobte war mit ihm geflohen. Das war ungewöhnlich. Elnas saß abseits, ging zwischen ihnen und der Küche hin und her. Kajsa Lagergren hörte weiche, fremde Melodienfetzen einer einsamen Bratsche und nahm auf dem Sofa eine aufrechtere Haltung ein.

»Sie haben erwähnt, dass Sie schon früher bedroht wurden.«

»Ja, das ist richtig. Aber das ist mehrere Jahre her. Und die Drohungen waren anders.«

Kajsa Lagergren sagte nichts.

»Sie kamen von meinen Landsleuten, wenn ich sie so nennen kann. Iraner – Fanatiker, Studenten, die nach uns aus dem Land geflohen sind …«

»Sind sie in Ihrem Restaurant aufgetaucht?«

»Nein, sie haben mich nur am Telefon bedroht. Mehrere Male. Ich hatte schon erwogen, mir eine Geheimnummer zuzulegen, aber das ging nicht. Und dann haben die Drohungen aufgehört. Vielleicht sind die Leute nach Hause zurückgekehrt, ich weiß es nicht, und ich habe auch nicht versucht, es herauszufinden.«

»Aber diesmal ist alles anders.«

»Ja. Die hier sind wirklich ins Restaurant gekommen.«

»Was haben Sie gesehen?«

»Das habe ich doch schon gesagt. Ich habe nichts weiter gesehen als die schwarze Kopfbedeckung und eine Hand, die etwas warf. Und dann hab ich vor lauter Rauch gar nichts mehr gesehen.«

Muhammad Azad nahm einen grünen Gewürzzweig aus der großen Zinnschale, die vor ihnen stand, und reichte ihn Kajsa. Er schmeckte säuerlich, aber auch ein wenig süß und nach noch etwas, das sie an eine fette gelbe Soße zu gegrilltem Fleisch denken ließ.

»Estragon«, erklärte Muhammad lächelnd, »wir ziehen ihn selber.«

Es war das erste und einzige Mal, dass sie ein Lächeln in dem dunklen Gesicht sah, das jetzt wieder zum Teil von dem weißen Handtuch verborgen war. Die Augen richteten sich auf sie; weiß und braun, mit roten Streifen in dem Weiß unter einer hohen Stirn; dünne, kurz geschnittene Haare.

Sie schwiegen. Elnas Azad nahm winzige braunweiße Tassen aus einem kleinen Glasschrank neben dem Sofa, und Muhammad deckte den Tisch, während seine Frau aus der Küche eine Kupferkanne holte; sie hatte einen langen Griff und eine lange Tülle und war geformt wie eine Sanduhr. Der Mann schenkte den Kaffee ein. Kajsa Lagergren nahm den Geschmack nach Ingwer und Zimt auf der Zunge wahr.

»Hawadge-Kaffee.«

Zum ersten Mal hörte Kajsa die Stimme der Ehefrau.

Muhammad Azad begann plötzlich heftig zu husten. Er erhob sich und ging einmal im Zimmer herum. Als der Husten nachließ, setzte er sich wieder aufs Sofa und wischte sich den Mund ab. Kajsa sah kleine Schweißperlen auf seinen Schläfen. Er beugte sich vor.

»Schweden ist jetzt ein anderes Land. Es ist ein anderes Land geworden, seit ich hergekommen bin.«

»Das spüren Sie?«

»Spüre es, sehe es.« Er breitete die Arme aus. »Als ich hierher kam, fühlte ich mich willkommen, obwohl es viele Probleme gab. Die Menschen waren freundlich.«

Muhammad Azad legte die Hände zusammen.

»Ich sage das nicht, weil mir das hier passiert ist. Früher war etwas anderes in der Luft.«

»In der Luft?«

»Es war eine andere Atmosphäre, ein anderes Gefühl ... Meine Freunde sagen das auch. Wir sind jetzt mehr Außenseiter als früher – fremder als damals vor vielen Jahren, als wir hergekommen sind. Die Behörden sind misstrauischer.«

Kajsa Lagergren schwieg, dachte an Reisen, von denen Kollegen erzählt hatten, die Reisende ohne Rückfahrticket zu einem zerstörten Dorf eskortiert hatten, Reisende, die sieben Jahre in Schweden gelebt hatten, einem großen Land, wo die Gesellschaft mangels Menschen zerfiel.

Muhammad Azad sagte etwas. Er sprach wie mit sich selber.

»Entschuldigung, ich habe gerade nicht zugehört.«

»Nicht nur die Behörden. Auch die Leute. Die Leute waren früher zuvorkommender.«

Kajsa Lagergren hatte noch den Geschmack von Zimt auf der Zunge, als sie das niedrige Mietshaus verließ, in dem die Familie wohnte. Es hatte aufgehört zu regnen; der blassblaue schwedische Himmel erinnerte sie an eine Vase, die auf dem Tisch vor ihr in der Wohnung der Familie Azad gestanden hatte: Weiß auf Blau, zerrissene Wolken wie zerfetzte Schleier, dachte sie, während sie gleichzeitig das Hochzeitsfoto vor sich sah, das im Flur gehangen hatte. Elnas ganz in

Weiß, Muhammad ohne dieses Handtuch, das er gegen sein Gesicht gepresst hatte.

Sie ging zum Auto, legte den Sicherheitsgurt an, startete und schwenkte auf die Toltorpsgatan ein, fuhr um das Rondell herum die Bifrostgatan hinauf und dann den Göteborgsvägen hinunter, der weiter nördlich Mölndalsvägen hieß. Hier fühlte sich Kajsa Lagergren heimisch. Genau an dieser Stelle, wo der Bifrostvägen mündete, kehrte sie immer in einer weichen Kurve um und lief zurück, manchmal zwei-, dreimal in der Woche, und sie schämte sich ein wenig für ihre phantasielose Auswahl der Laufstrecke. Außerdem war die Luft hier sehr schlecht. Wie viele Male hatte sie daran gedacht, in die Änggårdsberge hinaufzugehen? Ein paarmal war sie auf dem Mölndalsvägen gelaufen, aber sie hatte keine Lust, erst die ganze Stadt zu durchqueren, nur um zu joggen. Es war immer dasselbe: Sie wollte sofort nach der Arbeit hinaus, hatte nur eine Sehnsucht, raus aus dem Alltag und rein in die Trainingssachen und Schuhe und zur Tür hinaus, drei Minuten Stretchen an der Hausecke und dann geradewegs über Heden zum Södra Vägen und weiter nach Süden.

Sie schaltete das Radio ein; es war auf einen privaten Sender eingestellt, und sie fragte sich, warum wohl jedes Mal, wenn sie das Radio einschaltete, *Hotel California* gespielt wurde. Kajsa Lagergren drehte den Knopf nach rechts zu einem anderen Sender, klopfte den Takt zu *Pretty Woman*, passierte die ausgebrannte Lücke von Muhammad Azads ehemaliger Pizzeria und stellte die Musik mitten in Roy Orbisons sehnsuchtsvoller Suche nach Frauen *down the street* ab.

Rauchhandgranaten, schwarze Masken, Misshandlungen, Bedrohung. Über die ganze Stadt verstreut, innerhalb und außerhalb des Wallgrabens. Ein riesiges Gebiet. Sie hatte das Gefühl, sie müsse sich eine Weile freinehmen, um ihren Dienst besser in den Griff zu bekommen; Zeit haben, um das Muster zu erkennen. Es gab ein Muster, das Ganze wirkte organisiert, von einer widerlichen Professionalität.

Rauch und Staub. Sie wollte sich einreden, es seien immer noch Halsschmerzen nach dem Besuch im »King Creole« am Samstag. Es war ihr unbegreiflich, dass sie dort hingegangen war, unbegreiflich; widerstandslos war sie Janna und Betty gefolgt. So etwas konnte vorkommen nach Whisky und Wein und Zigaretten, die sie nicht gewohnt war.

Das war menschlich. Warum sollte sie sich nicht ein wenig betrinken, ins »King Creole« gehen, dort zum ersten Mal tanzen und ihre eigenen Frustrationen und Ängste und die anderer auf der Tanzfläche austoben? War sie ein Snob? War sie sich im Grunde zu fein für Tanzlokale? Nein. Oder?

Es lag ihr nicht. Das war der Grund, warum sie sich bis zu ihrem dreißigsten Lebensjahr nie nach solcher Art Gemeinschaft gesehnt hatte.

War sie deshalb einsam? Hatte sie es nötig, sich in den »King Creoles« der Stadt einen Mann zu suchen? Oder in etwas kultivierteren Bars? Verdammt. Sie hatte nicht die Energie, am Sonntag zu ihren Eltern zu fahren, all das Unausgesprochene zu spüren, wenn sie das Häuschen in Björkekärr betrat, die Mutter immer begierig, endlich den entscheidenden Mann in Kajsas Leben willkommen zu heißen. Einmal hatte sie erwogen, Calle Babington mitzunehmen, in einer Anwandlung von verzweifeltem Scherz, aber der Kollege wäre wohl nicht einmal ihrer Mutter glaubwürdig erschienen. Babington war ein Kind. Das war ihr Problem, dachte sie, als sie rechts in den Korsvägen abbog: Männer waren Kinder, und sie ertrug ihren jungenhaften Charme immer gerade einmal fünf Minuten lang, dann wollte sie etwas anderes.

Mist. Sie hätte am Samstag nicht rauchen sollen. Vielleicht lockte man dadurch auch besonders schleimige Typen an den Tisch, ihre Augen bohrten sich einem irgendwo in den Busen, sie hatten den Geruch nach Alkohol im Atem, nach billigem Rasierwasser im Gesicht, und ein Lächeln, für das sie keine fünf Öre geben würde und das sie noch weniger von nahem sehen wollte.

Kajsa Lagergren bog auf den Parkplatz des Polizeipräsidiums ein, schaltete den Motor aus, und als sie den linken Fuß auf den Asphalt setzte, merkte sie, dass es in den vergangenen Stunden in Göteborg kälter als in Mölndal geworden war. Vorsichtig schritt sie über die glatte Fläche, spürte die Kälte in der Luft und sah einige dünne weiße Flocken über sich schweben.

Er stand im Schatten und schaute erstaunt zu: dasselbe Ritual, Bewegungsmuster ohne Ende, ein Zupfen und Zerren, der Versuch, sich vor der Kälte zu schützen. Aber es wurde nie richtig warm. Er konnte sehen, wie sich die beiden Männer Seite an Seite abmühten, sich in das warme Erdinnere zu graben, durch das verwelkte Gras, das noch lange nach Einbruch der Dämmerung vor Feuchtigkeit dampfte. Jeder konnte es sehen, aber niemand wollte es wahrnehmen, alle schauten woanders hin.

Immer mehr Menschen lebten auf den Straßen und in den Parks, wanderten vorsichtig und ängstlich über neuen Boden, seit Krankenhäuser, psychiatrische Anstalten und Pflegeheime ihnen durch den Trend der neuen Zeit verschlossen waren. Ein Teil des Schlosswaldes wurde nach Einbruch der Dunkelheit zu einem grotesken Zeltlager. Kein besonders großer Teil, aber es reichte, um ihn Mitleid mit den Andersartigen empfinden zu lassen.

Er hatte immer Mitleid mit den Andersartigen gehabt. Er

stand auf der Seite der Schwachen. Er wusste: Die Einsamkeit war nur ein Aspekt von all diesem. Die Armut bedeutete nichts. Es war das andere. Dieses *Jetzt hab ich dich ... binde dich fest, binde das Seil fest, versuch ja nicht ...*, und er schüttelte heftig abwehrend den Kopf bei diesem Gedanken und trat aus dem Schatten heraus.

Der große Mann ging auf die beiden zu, die endlich zur Ruhe gekommen waren neben der Mauer. Zwei Meter von ihnen entfernt blieb er stehen und lauschte auf die schweren Atemzüge. Er ging näher, faltete eine Decke auseinander, die er bei sich hatte, und breitete sie vorsichtig über den einen. Er wartete, hörte, dass sich der Mann im Schlaf umdrehte, und sah, dass er die Decke um seinen Körper zog.

Dann breitete der Mann eine weitere Decke über den rechten Haufen von Zeitungen und Lumpen, unter denen der zweite Schlafende lag.

Jetzt erhob er sich mit einem leichten Sausen in den Ohren, wandte sich nach links und ging rasch davon, ohne sich umzusehen. Er war auf dem Weg, dem Weg, dem Weg ...

5

Sie hatten Ulla Torstenssons Leiche. Ard hatte Abzüge von den Fotos: Sie zeigten das, was diese Frau einmal gewesen war.

Kajsa Lagergren wandte den Blick ab. Es war nicht der Tod, der sie erschaudern ließ, nicht einmal das Verbrechen selbst. Es war der Hass, der in dem lag, was hinterher mit der Frau geschehen war. Sie wagte sich nicht vorzustellen, was sich vorher zugetragen haben mochte.

Im Raum war es still. Sten Ard saß ruhig auf dem seltsamen Drehstuhl, den die Verwaltung für die Konferenzzimmer bestellt hatte: einen Drehstuhl pro Zimmer, sonst die üblichen Modelle, eine Art Küchenstühle, die über den Boden scharrten, wenn sich schwere Körper während lebhafter Ermittlungsgespräche darauf bewegten. Eine Tortur für den, der sensible Ohren hatte.

Ein Drehstuhl, vorgesehen für den Kommissar, vielleicht mit der Absicht, ihn ständig in Bewegung zu halten, damit er so viele seiner ihm unterstellten Mitarbeiter wie möglich erreichte. Er betrachtete sie: Ove Boursé mit seinen kurz geschnittenen Haaren sah aus wie einer der Staranwälte im

Fernsehen: ein Schlips aus Seide und ein grauer Anzug, der sehr teuer wirkte. Calle Babington, die blauen Augen auf irgendetwas in der Ferne gerichtet – und Ard dachte zum hundertsten Mal, dass der Junge doch *irgendeine* Befähigung haben musste, die sich bei irgendeinem Fall zeigen würde, hoffentlich noch, bevor Ard in Pension ging. Er sah, dass Babingtons Jeans etwas ausgefranst waren, als er das rechte Bein über das linke schlug und leise etwas zu Kajsa Lagergren sagte, die neben ihm saß.

»Calle?«

Babington sah aus wie ein Schuljunge. Ard fühlte sich wie ein Studienrat.

»Calle, in diesem Raum sind wir auf jeden Gedanken angewiesen, sprich ihn laut aus.«

Babington hielt eins der Fotos hoch. Seine Hand zitterte leicht.

»Gibt es kein Bild vom ganzen Körper?«

Sten Ard sah die Abzüge auf dem Tisch vor sich durch.

»Nein.«

»Warum nicht?«

Das war eine gute Frage. Wirklich eine gute Frage.

»Das ist eine gute Frage. Es gibt bestimmt eins. Ich überprüfe das sofort.«

Ove Boursé legte die Bilder auf eine Bank an der nördlichen Wand und stellte sich in seine bevorzugte Ecke.

»Nicht der übliche Totschlag innerhalb der Familie.«

Ard warf einen Blick auf das Porträt von Ulla Torstensson, aufgenommen, als sie noch gelebt hatte.

»Nein.«

»Und ihr Mann hat ein astreines Alibi.«

»Ja. Bridgeclub im ›Haus der Kaufleute‹, drei Zeugen. Die hätten es gemerkt, wenn er den Tisch für eine Stunde verlassen hätte.«

»Bridge? Gibt's so was noch?«

Ard antwortete nicht; er wusste, dass Boursé zu solch altmodischen Dingen wie Bridgespielen keinen Zugang hatte.

»Den Zeitpunkt haben wir also festgestellt.«

»Insofern, als Anders Torstensson nicht als Täter in Frage kommt.«

»Dann müssen wir in der Vergangenheit suchen.«

»Du meinst in Ulla Torstenssons?«

Calle Babington wandte sich zu Boursé in der Ecke um. Der Stuhl schabte nervtötend über den Fußboden. Ove Boursé sah Babington an.

»Meine Vergangenheit meine ich jedenfalls nicht.«

»Nein, aber es braucht ja nichts ... äh, Persönliches zu sein.«

»Natürlich nicht, wir müssen nur irgendwo anfangen. Wir können ja nicht bloß auf die Ergebnisse der Gerichtsmedizin oder die DNA-Analyse warten oder darauf, dass das Telefon klingelt und jemand uns einen Hinweis gibt. Übrigens, was sagt denn unser famoser Medikus Frenkel? Sten?«

Unser famoser Medikus. Sten Ard beobachtete, wie Kajsa Lagergren missbilligend die Augenbrauen zusammenzog. Er musste mit Ove reden, so ging das nicht.

»Morgen wird er seinen Bericht abgeben, aber bisher wird als Todesursache ein gewaltsamer Schlag gegen die Nackenwirbel angenommen.«

»Und die anderen ... Verletzungen?«

Das war Kajsas Stimme; sie klang, als hätte sie eine schwere Erkältung. Ard überflog das Blatt Papier, das vor ihm lag.

»Kann er noch nicht sagen, aber alles deutet darauf hin, dass sie nach dem tödlichen Schlag verursacht wurden.«

War das eine beruhigende Nachricht? Ihn beruhigte sie jedenfalls.

»Eins steht heute schon fest: Der Täter wurde von einer

Art Hass angetrieben, und diesen Hass müssen wir zu ergründen versuchen. Die Ursache dafür finden.«

Er wusste, dass er daherredete wie einer dieser Seelenexperten, die sie beauftragt hatten, Täterprofile zu erstellen. Aber es war das Beste, so etwas sofort anzusprechen, die Gedanken unverzüglich auf verschiedene Fährten zu lenken.

»Wie gesagt, wir müssen in der Vergangenheit suchen«, sagte Ove Boursé.

Babington schaute in seinen Notizblock und sah dann auf.

»Wir haben begonnen, die bekannten Gewalttäter der Stadt, die in Betracht kommen könnten, wenn ... wenn ... sozusagen alle Umstände übereinstimmen, zu überprüfen. Sowohl die, die einsitzen, als auch die, die frei herumlaufen.«

»Ha. Ich schlage vor, wir beginnen mit denen draußen, und die sind aufgrund des neuen Zeitgeists vermutlich ziemlich zahlreich.«

Boursé war ein Mann der neuen Zeit. Wieder dachte Ard das, während er die Bilder vom Tatort betrachtete.

»Natürlich besteht die Möglichkeit, dass wir es hier mit einem Mörder zu tun haben, der noch nie zuvor irgendeinen Kontakt zu seinem Opfer hatte. Wir alle wissen, was das heißt.«

Kajsa Lagergren schaute auf.

»Sie ist nicht ausgeraubt worden?«

»Nein, Geld und Papiere waren noch da. Ihr Trauring steckte noch am Finger und sie trug eine schmale Goldkette um den Hals. Eine Aktentasche mit zwei Büchern und einigen Dokumenten lag neben der Leiche, als wir sie gefunden haben. Wir haben versucht, von ihrem Mann etwas darüber zu erfahren, aber er wusste nicht, ob sie noch mehr bei sich hatte, als sie am Morgen das Haus verließ.«

»Das kann alles Mögliche bedeuten.«

»Ja, leider.«

»Aber eins wissen wir, nämlich, dass wir noch nie etwas Derartiges in unserer biederen, heiteren Stadt Göteborg erlebt haben.«

Ard überlegte, ob Boursé einen Witz machen wollte, aber der Mann meinte es ernst.

»Dessen bist du dir sicher?«

»Ja, ich hab ein wenig recherchiert. Das, was da geschehen ist, hinterher, ist neu. Die Tat als solche ist natürlich entsetzlich. Andererseits ist es für uns von Vorteil, dass eine derartige Handlungsweise so wenig alltäglich ist.«

Sie redeten um den heißen Brei herum; es war wie eine Konzentrationsübung vor der eigentlichen mühseligen Arbeit.

»Wir müssen noch andere Fälle untersuchen. In diesem Distrikt. In allen Distrikten.«

»Natürlich.«

»Im ganzen Land.«

»Ja, sicher.«

Kajsa Lagergren erhob sich und stellte sich ans Fenster, ohne hinauszusehen. Sie drehte sich zum Raum um, kratzte mit dem linken Daumen am Nagelbett ihres Mittelfingers, schaute auf.

»Es gab keine Spuren sexueller Gewalt?«

»Keine sichtbaren zumindest. Die Kleidung war ordentlich. Aber genau wissen wir es noch nicht. Morgen.« Ard hatte wieder einen Blick auf das Papier geworfen, obwohl er die Antwort schon kannte. Er hatte die Stimme gesenkt, als das Thema zur Sprache kam. Aus Respekt?

»Aber das, was er ihr hinterher angetan hat … Könnte das nicht einen sexuellen Hintergrund haben, ein perverses sexuelles Motiv? Ich weiß, das sind Spekulationen, aber ich möchte keine Möglichkeit auslassen.«

»Wir unterhalten uns mit den Experten, wenn wir ein wenig mehr wissen.«

»Ja.«

Ove Boursé machte ein paar Schritte, hängte sein Jackett über die Stuhllehne und ließ sich dann schwer auf seinen Stuhl fallen, der über den Boden schabte.

»Wenn wir wieder mit einem zu tun haben, der in der Kindheit von perversen Eltern oder Stiefeltern sexuell missbraucht worden ist und sich jetzt rächt, dann kann ich nicht mehr.«

Sten Ard warf ihm einen scharfen Blick zu. Kajsa Lagergren erhob die Stimme:

»Was zum Teufel meinst du damit?«

Boursé sah sie mit einem Anflug von Scham an.

»Entschuldigung, das war blöd ausgedrückt. Ich hab nur so ein Gefühl, dass das die erste mögliche Ursache sein könnte, auf die sich alle stürzen.«

Sten Ard wurde laut.

»Jetzt reicht es. Wir fangen mit dem an, was wir wissen. Diese Diskussion führen wir erst später.«

Es wurde still im Raum. Calle Babington war der Erste, der wieder das Wort ergriff.

»Ich sollte die Decke untersuchen. Aber die stammt aus einer Massenproduktion, das heißt, solche gibt es wie Sand am Meer. Das sind Militärdecken oder Krankenhausdecken.«

»Aha.«

Ove Boursé stand auf und legte sich das Jackett über die Schultern.

»Etwas anderes war wohl nicht zu erwarten.«

Ard stand ebenfalls auf.

»Was unsere Decke verbirgt, erfahren wir bald, und jeder weiß, was er jetzt zu tun hat.«

Er spürte eine unangenehme Steifheit in der rechten Halsseite; er hatte sie schon seit dem Morgen gespürt, und er hegte den Verdacht, dass eine Genickstarre im Anzug war und er den Kopf bald nicht mehr würde drehen können. Vielleicht brauchte er in Kürze einen Drehstuhl.

Im »Bolaget« war es still, ein milder Hauch von Tabak schwebte im Raum, und Jonathan nahm einen schwachen, angenehmen Duft nach der frischen gelben Rose wahr, die in einer hohen, schmalen Vase vor ihm stand. Der Mann hinter der Theke war an seinen Tisch gekommen. Wide hatte zuerst erklärt, dass er auf jemanden warte, dann aber doch hinzugefügt: »Ein kleines Bier, bitte.«

Er brauchte es, oder? Es war schwerer gewesen, als er geglaubt hatte, der Gedanke an das Gespräch beim NK. Er wollte ganz entspannt hingehen, so entspannt, dass er nicht für den Job in Frage kommen würde.

»Hab mich ein wenig verspätet.«

Plötzlich stand Peter Sjögren hinter ihm. Wide saß mit dem Rücken zur Tür. Er drehte sich um.

»Ist mir noch gar nicht aufgefallen.«

»Die Besprechung hat etwas länger gedauert.«

»Zu viele Besprechungen.«

»Es werden immer mehr Chefs.«

Peter Sjögren warf einen Blick auf Wides leeres Glas und gab dem Barkeeper, der zwanzig Meter entfernt stand, mit zwei Fingern ein Zeichen.

»Das kann alles bedeuten, von zwei Vichy bis zwei Whisky.«

Sjögren schüttelte den Kopf und zog seinen hellgrauen Regenmantel aus.

»Wenn ich in diesem Lokal zwei Finger hebe, wissen sie, was es bedeutet.«

Es bedeutete zwei große Bier, die Gläser wurden vor sie hingestellt und Sjögren trank wie ein Verdurstender.

»Was für ein Scheißtag.«

»Viele Besprechungen?«

»Du sagst es.«

»Warum arbeitest du nicht freiberuflich? Du hast doch öfter davon geredet.«

»Darüber zu reden ist leichter, als es in die Tat umzusetzen. Ich bin wahrscheinlich nicht gut genug. Habe nicht genügend Ideen.«

»Das weiß man doch erst, wenn man es ausprobiert.«

»Ja. Aber ich bin zu feige, um es auszuprobieren.«

Wide hörte einen Anflug von Frustration in der Stimme, verborgen hinter dem scherzhaften Ton, hinter dem Mund, der schmaler war als in seiner Erinnerung. Peter Sjögren hatte Ringe unter den Augen, die aussahen wie Brillenfassungen, ein kleines Netzwerk aus feinen geplatzten Äderchen über dem Nasenrücken und über den Wangen; ein Gesicht, das von Willenskraft zusammengehalten zu werden schien. Wide fragte sich, warum der Journalist nicht sein Leben änderte, wenn Sicherheit *dies* bedeutete: dass ein Mensch sogar noch übler aussah als er, Jonathan Wide. Aber Peter Sjögrens Hand zitterte nicht, als er sich die Zigarette anzündete.

»Und wie geht's dir bei deinem Abstecher in die Freiberuflichkeit?«

»Ziemlich mies.«

»Da hast du's.«

»Aber ich schreibe nicht.«

»Vielleicht scheue ich davor zurück. Vor den Sachen, die ich als Freiberufler zwangsläufig schreiben müsste.«

»Die du jetzt nicht schreiben musst.«

»Genau.«

»Muss es denn so kommen?«

Sjögren schnippte die Asche ab, nahm einen großen

Schluck Bier, öffnete die ausgebeulte Schultertasche, die er bei sich hatte, und nahm ein dickes, großes Kuvert heraus.

»Nein, lassen wir das Thema. Hier sind die Jahrbücher.«

Wide nahm die vier Hefte, ein Grau, das langsam vergilbte, das alte Schulgebäude auf dem Umschlag: nirgends Leben, keine Bewegung auf dem Bild. Wide verweilte mit dem Blick auf dem kleinen Streifen Schulhof, der auf dem Bild zu sehen war, sah das Geländer an der Treppe, an dem er sich immer mit der linken Hand festgehalten hatte.

Er schob die Erinnerungen beiseite.

»Willst du nicht hineinschauen?«

»Später.«

»Wenn du nach deiner Ulla Bergström suchen willst, dann ist es sinnlos. Sie ist nicht dabei.«

»Bergsten, Ulla Bergsten.«

»Genau. *Whatever*. Sie war nicht an unserer Schule. Und ich kann mich auch nicht an sie erinnern. Bist du sicher, dass sie aus Sävsjö stammt?«

»Ja.«

»Ich erinnere mich nicht an sie.«

»Nein. Sävsjö ist eine große Stadt.«

»Aber sicher.«

Wide trank von seinem Bier. Er spürte eine schwache Wirkung des Alkohols dieses Glases und des Glases davor. Er schaute auf und sah, dass der Barkeeper mit zwei großen Gläsern zu ihnen auf dem Weg war. Er sah Sjögren an.

»Hast du mehr bestellt?«

»Ja, das geheime Zeichen.«

»Ich habe genug.«

Peter Sjögren antwortete nicht, wartete, während die Gläser auf dem Tisch abgesetzt wurden, trank und wischte sich mit der grünweiß karierten Papierserviette den Mund ab.

»Du hast angedeutet, dass es noch um was anderes ging.«

»Was hast du gesagt?«

»Die Sache mit den Klassenfotos vom Schuljahresende. Dass du Hilfe brauchst. Dass da noch was ist.«

Jonathan Wide sah, dass seine Hand das Glas berührte, es anhob, es zum Mund führte und den Inhalt in seinen Körper kippte. Er war wie losgelöst davon.

Das Glas wurde wieder abgestellt.

»Das ist wie ein flüchtiger Gedanke, eine verwischte Erinnerung. Ich hab vor ein paar Tagen jemanden gesehen und der Name oder die Zusammenhänge werden mir einfach nicht klar.«

»Ist es so wichtig?«

»Nein, das glaub ich nicht. Aber es irritiert mich, als ob ich mich unbedingt erinnern müsste.«

»Weil es wichtig ist.«

»Keine Ahnung. Ich glaube nicht, wie gesagt. Aber es lässt mir einfach keine Ruhe.«

»Und die Antwort findet sich vielleicht in einem Jahrbuch aus den sechziger Jahren«, sagte Peter Sjögren.

»Vielleicht finde ich das Gesicht, und das könnte ein Teil der Antwort sein.«

Sjögren zündete sich eine weitere Zigarette an und stieß den Rauch durch die Nase aus. Wide empfand kein Verlangen, den Tabak hatte er überwunden.

»Ist es jemand von zu Hause?«

»Ich weiß es nicht genau. Aber irgendwann ist etwas passiert, was immer es auch war, und wenn ich dieses Gesicht deutlicher sehe, fällt mir vielleicht alles wieder ein. Da war etwas. Ich sollte mich erinnern.«

»Du solltest dich erinnern?«

»Das ist mein Job. War mein ... ist mein Job.«

Sjögren lachte ein zischendes Lachen, kurz und heiser, als hätte sich in seiner Brust eine Schlange entrollt und für zwei Sekunden ihre Zunge aus seinem Mund flattern lassen.

»Du wirkst etwas verwirrt, Jonathan. Niemand verlässt den Polizeidienst und macht dann weiter, als wäre nichts passiert.«

»So was kennst du doch.«

»Ich kann mich in dich hineinversetzen.«

»Aha.«

»Im Präsidium hat es viel Gerede gegeben, als du aufgehört hast.«

»Aha.«

»Du willst nichts davon hören?«

»Nein.«

Der Abend war mild und still, als Jonathan Wide das »Bolaget« verließ. Peter Sjögren saß jetzt an einem anderen Tisch dort drinnen, um den sich eben entfernte Bekannte von ihm geschart hatten. Wide sah ihn von der Tür aus, zwei Finger in Richtung Bar. Jetzt ging es um die großen Dinge, um die großen Reportagen.

Die Avenyn schimmerte indigofarben und golden, er sah zum tiefblauen Himmel hinauf, der hinter den grauen Schleiern des Nachmittags aufgetaucht war. Es war wärmer geworden. Plötzlich lag etwas wie ein Hauch von Spätsommer in der Luft, so etwas kam Anfang November manchmal vor.

Er begann in südliche Richtung zu gehen. Die wenigen Menschen, denen er begegnete, empfanden offenbar genau wie er, das sah er ihnen an: den Kopf einen halben Grad gehoben, gelockerte Schals um die Hälse, Hände ohne Handschuhe, wie um die Sanftheit des Abends direkt mit der Haut aufnehmen zu können. Zwei Radfahrer kamen an ihm vorbei; lange hörte er ihre Stimmen und verfolgte sie mit den Augen, bis sie weit entfernt nach rechts auf den Götaplatsen abbogen. Vor dem Kino »Royal« hatte sich eine kleine Schlange gebildet. Er sah Leute die Speisekarten vor den Restaurants lesen. Vier Jungen schlenderten in einem vielschichtigen Bewegungsmuster heran, XL-Shirts und XL-Hosen, Mützen, XL-Schuhe; die Gruppe teilte sich, ließ ihn in der Mitte hindurch und schloss sich wieder hinter ihm.

Wide nahm die Gerüche der Stadt wahr, er sog sie tief ein und dachte über sie nach, bis er rechts in die Vasagatan einbog. Dort wurden alle Gerüche in Höhe der Würstchenbude sehr deutlich und konkret. Es war ein Abend zum Wandern. Er beschloss nach Hause zu gehen. Er spürte die Wärme der Stadt. Göteborg umarmte sich.

Sie waren immer tiefer hineingegangen. »Nein, nicht hier«, hatte sie gesagt, und er war ihr gefolgt, sein Körper war mit Gänsehaut überzogen, als hätte er Fieber. »Nein, nicht hier«, und schließlich hatte er sich entschieden und gesagt: »Hier ist es ruhig«, und sie hatte sich entspannt.

Sie hatte geglaubt, sie würde frieren, aber plötzlich war der Abend warm geworden. Trotzdem war es gut, dass sie eine Jacke anhatte; die schützte sie vor der groben Rinde, als sie sich mit dem Rücken gegen den Baumstamm lehnte. Sie zuckte zusammen, als seine Hand ihre linke Brust berührte, die Hand war ein wenig kalt.

Er küsste sie, ihr Lippenstift schmeckte wie süßer Klebstoff; seine rechte Hand klemmte zwischen ihrem Rücken und dem Baumstamm, und er schaffte es nicht, die verflixte Öse zu öffnen, die den Büstenhalter zusammenhielt. Er zog die Hand weg und schob stattdessen die Körbchen über den Brüsten zu ihrem Hals hoch.

Sie spürte, dass sie erstarrte, und merkte, wie er mit der einen Hand an ihrem Gürtel zu fingern begann und dann versuchte, den Reißverschluss der Jeans herunterzuziehen, und sie sagte: »Nein« und gleich noch einmal etwas schärfer: »Nein!«, weil sie es so meinte. Er zog seine Hand rasch zurück und legte sie wieder auf eine ihrer Brüste. Die Bewegung war so heftig und plötzlich, dass seine Füße auf dem nassen Laub den Halt verloren. Er rutschte zur Seite, zog sie mit sich und beide glitten langsam am Baumstamm entlang. Als sie einen Schritt machte, um die Bewegung zu bremsen, hatte er genau dasselbe getan, und das hatte zur Folge, dass sie die Richtung änderten und hinter dem Baum niederstürzten, ein Stück fast rollten. Seine Hand, die unter dem BH oberhalb der Brust geblieben war, schmerzte. Dort, wo sie lagen, war es weicher als vorher, trocken. Jetzt spürte er Stoff an seiner Wange, es roch feucht und säuerlich, und er zog die schmerzende Hand von ihrem Körper. Sie lachte auf, sagte, wie dämlich sie sich doch verhalten hätten, aber er antwortete nicht. Er hatte das Gefühl, als wären seine Augen größer geworden im Kopf, immer größer fühlten sie sich an, als er das Gesicht zu dem Hellen neigte, das dort schimmerte, wo er eben seine Hand hingelegt hatte, was er mit der Hand erfühlt hatte. Es hatte sich haarig und sehr kalt angefühlt, und jetzt sah er, dass es der Arm eines Menschen war, und es war nicht ihr Arm.

6

Wide war am Abend lange aufgeblieben, hatte die Gesichter der Kindheit in den Jahrbüchern betrachtet, aber die Züge, die er suchte, hatte er nicht gefunden. Vielleicht waren sie da irgendwo, aber darauf schwören konnte man nicht, er fand jedenfalls kein Gesicht, an dem sein Blick lange hängen blieb. Vielleicht Peter Sjögrens, ein wenig angespannt, als ob er in die Mathematikstunde müsste, sobald der Fotograf gegangen war. Oder sein eigenes, unter der Haartolle. Er sah, dass Peter Sjögren und er die Einzigen auf dem Foto waren, die sich das Lächeln verkniffen. Warum lächelten sie nicht?

Wide war mit guter Laune nach Hause gekommen und war ein Weilchen vor dem CD-Stapel stehen geblieben. Er schaltete die Stehlampe hinter dem Ledersessel ein. Beides hatte er in einem Antiquitätenladen auf der Andra Långgatan gefunden und zu einem guten Preis erworben, da der Lampenschirm ein wenig verzogen war und der Sessel an Schuppenflechte zu leiden schien. Aber er war bequem, er war sehr bequem, und Wide stellte das rechte Bein auf die abgerundete Lehne und schloss die Augen bei der *Saraban-*

de – Bachs zweite Partita in d-Moll von 1632, gespielt von Christiane Edingers Amati, füllte das Zimmer mit ihren unübertroffenen Tönen. Ein solches Instrument zu besitzen! Er hatte die Augen geöffnet und die Gesichter noch einmal betrachtet, bis alle Züge zu einem einzigen Gesicht verschmolzen und er merkte, dass er müde wurde.

Er hatte traumlos geschlafen, daran erinnerte er sich jetzt im Morgenlicht, das durch die halb geöffneten Jalousien drang. Es hatte die Farbe von Zinn. Das Wetter hatte sein Versprechen von gestern, Bläue und klare Schärfe in der Luft, nicht gehalten. Als er hinaus und in den Himmel schaute, sah er, dass sich die Alufolie wieder über die Stadt gebreitet hatte.

So war es nicht immer; selbst wenn der Himmel bedeckt war, konnte er ihn sehen, so weit das Auge reichte. Es gab immer einen Spalt in der grauen und scheinbar geschlossenen Decke. Wenn er weit genug hinaufschaute oder weit genug nach Westen, sah er diesen Spalt, den blendenden Streifen am Horizont, der nie ganz bedeckt war und Licht zu versprechen schien. Sehr bald, nachdem Jonathan Wide nach Göteborg gezogen war, hatte er gemerkt, wie sehr er sich von dem Horizont angezogen fühlte. Das war gewesen, noch bevor er ein Mann geworden war. Seine Familie stammte aus Jütland. Dort hatte er nie gelebt, aber als er fünf Jahre alt gewesen war, hatte er den Sarg seines Vaters zurück zu der alten Erde begleitet, und er erinnerte sich noch heute an diese Reise und das Meer.

Schon frühzeitig hatte er begriffen, dass er nicht auf dem Land leben konnte, unter einem Himmel, der hundert Meter entfernt hinter den Tannenwipfeln endete. Er brauchte das Meer und den Horizont und vielleicht ganz besonders die glänzenden Lichtstreifen dazwischen. Wenn er das Gewölbe sah und das Licht, war es ein Gefühl, als würde all das

Schwere in seinem Kopf schrumpfen und vernichtet werden, und stattdessen wuchs etwas wie Hoffnung. Wenigstens für einen kurzen Moment. Er wusste, dass er die offene Stadt nicht verlassen konnte. Dann wäre er verloren.

Wide ging zum Herd und nahm eine Kasserolle aus einem Schrank daneben. Während das Wasser kochte, gab er Pulverkaffee direkt aus dem Glas in eine Tasse, mischte ihn mit Milch und schüttelte die Tasse, um das Kaffeepulver in der Milch aufzulösen. Dann goss er kochendes Wasser darüber, nahm die Tasse mit an den Tisch und stellte sie auf einen Untersatz, den er einmal aus einer Bar mitgenommen hatte. Eigentlich hatte er ihn längst wegwerfen wollen. Vielleicht würde das heute geschehen.

Er toastete sich zwei Vollkornbrotscheiben, bestrich sie mit Margarine, legte dicke Scheiben Käse darauf und löffelte Apfelsinenmarmelade darüber. Dann schlug er die Zeitung auf, den Hauptteil, und forschte unter den Artikeln nach Namen, fand jedoch keinen von Peter Sjögren. Auf Seite sechs gab es eine kleinere Notiz über eine Frau, die mitten in Göteborg tot aufgefunden worden war. Es handelte sich offenbar um Mord, auch wenn das Wort nicht benutzt wurde. Keine Namen, keine Bilder. So sollten derartige Fälle behandelt werden. Gestern passiert. Falsch. Gestern entdeckt. Er dachte an Kriminalkommissar Sten Ard. Er dachte an das Gespräch mit Anders Torstensson. Er dachte an Ulla Bergsten-Torstensson. Das Telefon klingelte.

Er erhob sich, ging zum Schreibtisch im Schlafzimmer und hob nach dem dritten Klingeln ab. Er meldete sich mit seinem Namen und wartete.

»Hier ist Torstensson, Anders Torstensson. Es ist etwas Furchtbares passiert.«

Wide antwortete nicht, wartete, er hörte, dass dem Mann am anderen Ende der Leitung das Sprechen schwer fiel.

»Es geht um Ulla. Sie ist tot.«

Wide dachte an den kleinen, zurückhaltenden Artikel, den er in der *Göteborgs-Posten* gelesen hatte. Sie war es. Die Abendzeitungen hatte er nicht gelesen. Er vermutete, dass der Name dort erwähnt worden wäre, wenn die Leute von der Fahndung ihn nicht zurückgehalten hätten. Das konnten sie tun, er selbst hatte es früher auch so gehandhabt.

Torstensson sprach wieder; es klang, als müsse er in seinem Kopf nach Worten suchen, aber Wide hatte nicht den Eindruck, dass sie von Tränen unterbrochen wurden.

»Erschlagen. Sie ist erschlagen worden.«

»Sind Sie sicher, dass sie es ist?«

»Ich weiß es. Ich habe gestern die Nachricht bekommen, die Polizei war hier. Sie hatten alle Papiere dabei.«

»Sie haben sie gesehen, die Frau gesehen?«

»Sagen Sie verdammt noch mal nicht ›die Frau‹. Es ist meine Frau! Und ich soll sie heute in der Leichenhalle wiedersehen. Und ich weiß, dass sie es ist.«

»Sie sollen sie identifizieren?«

»Wenn ich die Kraft habe. Es ist unbeschreiblich, was sie mit meiner Ulla gemacht haben.«

Wide wartete wieder, aber Torstensson sagte nichts mehr.

»Hatten Sie nicht den Wunsch, mich gleich anzurufen, nachdem Sie es erfahren haben?«

»Zuerst schon, aber dann wollte ich nur allein sein. Die ... die Polizei hatte jemanden dabei, der mit mir reden wollte, aber ich hab sie alle rausgeworfen. Und heute Nacht bin ich hier durch die Wohnung gewandert.«

»Sie haben mit niemand anders geredet?«

»Es gibt niemand anders.«

Wide dachte an Anders Tortenssons Reaktion, als sie sich bei ihrer Verabredung über eventuelle Freunde des Paares unterhalten hatten.

»Nur mich.« Torstensson sprach wieder. »Ich weiß, dass Sie sagen werden, wir sollten die Identifizierung abwarten, aber sie ist tot. Ich weiß nicht, was ich machen soll. Sie müssen mir helfen.«

Der Auftrag war abgeschlossen, bevor er angefangen hatte. Jemand anders hatte Ulla Torstensson vor Wide gefunden, und mehrere andere hatten sie gesehen, hinterher – wenn sie es war. Während des Gesprächs wirkte ihr Mann zunehmend verstört.

»Sie brauchen jemanden, mit dem Sie reden können, professionelle Hilfe. Menschen, die Ihnen wirklich beistehen können.«

»Darum geht es jetzt nicht. Sie sollen mir helfen, den Dreckskerl zu finden, der das getan hat, Wide. Das müssen Sie!«

»Ich bin kein Polizist mehr.«

»Aber Sie sind doch Detektiv.«

»Das ist etwas anderes. Das ist eine andere Wirklichkeit.«

»Ich weiß sehr wohl, dass dies ... die Wirklichkeit ist. Die richtige Wirklichkeit. Aber Sie sind Polizist gewesen, Sie wissen, was man tun muss, wo man suchen muss.«

Wide wusste nicht, ob er es Torstensson in diesem Augenblick erklären sollte, in dem Zustand, in dem sich der Mann befand. Nein. Das würde nicht gehen. Das Beste wäre, ihn zu treffen, ihn zu beruhigen, ihn der richtigen Hilfe zuzuführen.

»Sind Sie in einer halben Stunde noch zu Hause?«

»Ja ... ja, aber ...«

»Bleiben Sie dort. Ich komme zu Ihnen, dann reden wir weiter.«

Hastig trank er seinen Kaffee aus, biss in eins der Butterbrote, kaute oberflächlich, erhob sich und holte ein Stück

Plastikfolie, in die er sein Frühstück einwickelte. Er legte es in den Kühlschrank. Dann ging er ins Bad und putzte sich die Zähne mit einem winzigen Klacks Zahnpasta, den er nur mit Mühe aus der fast leeren Tube quetschte. Er duschte zwei Minuten und nahm den Rest aus der Shampooflasche, die er schon gestern auf den Kopf gestellt hatte. Zum Rasieren hatte er keine Zeit.

Wide ging ins Schlafzimmer, warf seinen abgetragenen Morgenmantel aufs Bett, öffnete eine Kommodenschublade und holte die Boxershorts hervor, die er von seiner Tochter zu Weihnachten bekommen hatte, hellblaue Jeanssocken, die er von seinem Sohn zu Weihnachten bekommen hatte, ein graues T-Shirt, das er aus dem Haus in Fredrikstal mitgebracht hatte, ein braunes weiches Hemd und schwarze Jeans. Das dunkelblaue Jackett ließ er über der Stuhllehne vorm Schreibtisch hängen. Im Flur zog er die schwarzen Boots zum ersten Mal seit einem Monat an, begann, sich darin wohl zu fühlen, warf sich die braune Lederjacke mit einer einzigen Bewegung über und kontrollierte, ob seine Brieftasche in der Innentasche steckte und der Schlüsselbund in einer der Seitentaschen. Er öffnete die Tür, kehrte aber auf der Schwelle noch einmal um und ging in die Küche, um nachzusehen, ob er die Herdplatte abgeschaltet hatte.

Draußen auf der Såggatan ging er nach rechts zu seinem Auto. Die Feuchtigkeit hatte den Volvo 242 fest im Griff; Wide kümmerte sich nicht mehr um den Rost, aber er hasste es, sich in ein feuchtkaltes Auto setzen zu müssen und zu wissen, dass es nicht ein einziges Mal während des ganzen Winterhalbjahres richtig warm werden würde. Er öffnete die linke Tür und stieg ein. Es war ein Gefühl, als käme er in eine Sauna. Er steckte den Zündschlüssel ins Schloss und zwang sich, daran zu denken, welche herausragenden Qualitäten dem Modell 242 immer in der Statistik zugeschrieben wurden, drehte den Zündschlüssel um und empfand Staunen und Glück, als der Motor nach dem dritten Versuch aufröhrte und das Auto mit Leben erfüllte.

Kajsa Lagergren hatte nasse Haare, als sie den Ermittlungsraum betrat; sie hatte die Stärke des Regens unterschätzt und ihren Schal im Auto liegen lassen. Die anderen waren vernünftiger gewesen. Wohin sie auch sah, alle waren ordentlich und trocken, bis ihr Blick auf Sten fiel, der ganz hinten bei dem Drehstuhl stand und ihn misstrauisch betrachtete. Sie sah sein Profil und das feuchte dünne Haar, das er nie nach vorn oder zur Seite kämmte, wahrscheinlich, weil er es so für männlicher hielt. Das spricht für ihn, dachte sie und setzte sich neben Boursé. Die Luft war erfüllt von nervöser Rastlosigkeit. Sie sah ein paar Kriminalbeamte, mit denen sie noch nicht näher zusammengearbeitet hatte. Himmel, wenn diese Sache in die Zeitung kam und auf allen Fernsehkanälen lief. In Göteborg! Endlich einmal ein Serienmörder in Göteborg!

»Wir haben die Jugendlichen eben noch einmal verhört.«

Sten Ard kam sofort zur Sache; sie war ihm dankbar, dass er ihnen lange Einleitungen ersparte.

Ein Fahnder, dessen Name Beyer war, wenn sie sich recht erinnerte, hustete, räusperte sich und ergriff das Wort:

»Sie haben nichts gesehen, auf dem Weg dorthin ist ihnen nichts aufgefallen. Ein Stück von den Laternen entfernt war es dunkel. Sie sind auch niemandem begegnet.«

Ard schaute auf den Stadtplan hinter sich.

»Sie hätten mitten hineingeraten können.«

Beyer hustete wieder. »Möglich.«

»Der Aufgefundene war erst einige wenige Stunden tot. Vermutlich ist er an Ort und Stelle umgebracht worden. Es erscheint ziemlich unwahrscheinlich, dass die Leiche dorthin transportiert wurde.«

Keiner der Anwesenden sagte etwas. Ard fuhr fort:

»Natürlich war es dunkel und natürlich ist kein anständiger Mensch an so einem Abend unterwegs …«

»… nur sehr junge Leute, die gerade scharf aufeinander sind«, flüsterte Ove Boursé Kajsa Lagergren zu.

Ards Stimme wurde lauter:

»… aber es ist schier unvorstellbar, einen toten oder bewusstlosen Körper, der ein Lebendgewicht von neunzig Kilo hat, weiter ins Nedre Torbjörnsmossen zu schleppen. Dazu wäre eine übermenschliche Anstrengung erforderlich.«

»Muss die Strecke denn so lang gewesen sein?«, fragte Boursé.

Ard antwortete nicht, wartete.

»Täter und Opfer können ja zusammen zum Tatort gegangen sein.«

»Ja.«

»Vielleicht kannten sie sich gut.«

»Ja. Oder es kam ein Auto zum Einsatz.«

»Ist das denkbar?«

»Durchaus.«

Dann hatten sie sich wieder Fotos angesehen. Kajsa hatte wieder den Blick abgewandt. Natürlich war es kein Zufall. Ein tödlicher Schlag gegen den dritten Nackenwirbel, war der erste Eindruck des Gerichtsmediziners gewesen; sie warteten noch auf den endgültigen Bericht. Und das andere. Derselbe Hass, genau derselbe Hass, soweit sie verstand oder eher nicht verstand. Rasch fand sie das Foto von dem Opfer, wie es einmal lebendig gewesen war und – unbeschädigt. Sie hörte Sten Ards Stimme.

»Kein Sexualverbrechen. Wir haben alle Angaben über den Mord an Ulla Torstensson bekommen. Keine Spuren, die darauf hindeuten.«

»Nur ein brutales Abschlachten.«

Das war Boursé.

»Ein kaltblütiger Mord.«

»Und jetzt ein weiterer, an einem Mann mittleren Alters. Und wieder haben wir eine Decke.«

Erneut Boursé.

Sten Ard setzte sich auf den Stuhl, Kajsa Lagergren sah, wie er gequält das Gesicht verzog; es fiel ihm schwer, den Kopf zu drehen, und er schwenkte immer mit dem ganzen Stuhl herum, wenn er jemanden ansprach.

»Ich wage zu behaupten, dass es sich hier möglicherweise um denselben Täter handelt. Wir wissen, was das bedeutet. Er hat nichts dagegen, dass seine Opfer identifiziert werden. Wir wissen auch, was das bedeutet.«

»Wir müssen einen Zusammenhang suchen.«

Es war Kajsas Stimme, zum ersten Mal an diesem Vormittag.

»Ja.«

»Zwischen den Opfern.«

»Ja.«

»Den Details der Verbrechen.«

»Ja.«

Es war wie ein Mantra, eine Beschwörungsformel für die Ermittlungsarbeit. Ja, ja, ja, dem Tausende von Nein, Nein, Nein folgen würden.

Sten Ard gab die Direktive, die Polizisten notierten sich ihre Aufträge: die Decke, die Todesursache, die Waffe und noch einmal die Tatorte untersuchen; erneuter Kontakt zur Spurensicherung, Kontakt zu jenen, die Boursé »Seelenspezialisten« nannte, um so schnell wie möglich ein Täterprofil zu bekommen, das sie mit Sicherheit verwerfen würden, um dann wieder von vorn anzufangen. Die Verbindung zwischen beiden Morden herstellen: die zeitaufwendige, undankbare und heikle Aufgabe, jedes »Blatt« im Leben zweier Menschen »umzuschlagen«. Insofern war es von Vorteil, dass der Mörder ihnen die Identitäten mitgeliefert hatte. Ard fragte sich, warum. Er war sicher, dass zwischen beiden Taten ein Zusammenhang bestand, und der Mörder hatte ganz offenbar billigend in Kauf genommen, dass der von der Polizei erkannt wurde. Mehr konnten sie im Augenblick also nicht tun. Und wenn es ein Soziopath war, dem die Identität des Opfers nichts bedeutete? Wenn nur der *Akt* zählte, die Tat, und was sich in dem Moment im Gehirn des Mörders abspielte? Aber dagegen sprach das Ritual, das dann durchgeführt worden war. Oder nicht?

»Es könnte sich ja auch um einen richtigen Soziopathen handeln, dem es völlig egal ist, wen er umbringt«, meinte ein jüngerer Kriminalbeamter, mit dem Kajsa Lagergren sich einmal auf einem Betriebsfest unterhalten und den sie sofort nach dem Gespräch vergessen hatte. »Dann besteht doch kein Zusammenhang.«

Ard drehte sich mit seinem Stuhl zu dem Beamten um.

»Das ist möglich. Aber im Augenblick arbeiten wir mit dieser Hypothese, gehen von ihr aus.«

Ard erhob sich, schob den Stuhl mit der Hand beiseite und sah, dass er noch eine Vierteldrehung machte. Er sah, dass sich auch die anderen erhoben. Er dachte an die nächsten Stunden, die Fahrt durch die Stadt, das Gespräch mit der Frau, die ihren Mann verloren hatte. Die Welt war nicht immer schön. Er versuchte daran zu denken, wann die Welt eigentlich je schön war. Als er zurück in sein Zimmer ging, dachte er über seine Berufswahl nach. Wieder einmal kamen diese bitteren Gedanken. Er hätte es weiter bringen können im Leben, hätte sich eher entscheiden, besser vorbereiten können auf das, was er jetzt tun musste. Er hätte Bestattungsunternehmer werden können.

7

Torstenssons Wohnung stank. Sie stank nach Angst, Entsetzen, Rauch, Schnaps – Luft, die durch den Körper des Mannes gewandert war, hinein und hinaus. Der Sauerstoff war verbraucht. In den Zimmern hing eine Botschaft von Tod, als ob der Geist der Frau heimgekehrt wäre und sich weigerte, loszulassen. Anders Torstensson war ein wenig angetrunken, hatte eine aggressive Körperhaltung. Wide war darauf gefasst, dass Torstensson ihn angreifen würde; er sah, wie furchtbar einsam der Mann war. Wide wollte hier weg, schnell. Obwohl er wusste, dass es eine Lüge war, sagte er:

»Ich verspreche Ihnen, dass ich tun werde, was ich kann.«

»Sie sollen den Scheißkerl schnappen.«

Sie waren in die Küche gegangen. Wide empfand Trauer über den raschen Verfall des Mannes: Ohne seine Frau war er ein Fremder in seinem eigenen Heim; die Geschirrspülmaschine konnte er offenbar nicht bedienen, und er hatte wohl keine Kraft gehabt, das Geschirr mit der Hand abzuwaschen. Hier stank es noch mehr. Wide öffnete ein Fenster, Regen schlug ihm ins Gesicht, er hörte das Zischen und Brausen des Verkehrs auf der Landstraße unten. Reisende auf dem

Weg in die Sonne, mit einem glücklichen, erwartungsvollen Lächeln hinter dem Steuer.

Ein säuerlicher Geruch nach nassem Kohl und Rüben streifte ihn von den Großmarkthallen neben dem Haus. Als er sich ein wenig hinausbeugte, sah er die kleinen Gabelstapler mit Holzkisten beladen dort unten herumfahren.

Wide hatte nicht geahnt, dass es Menschen gab, die so nah bei den Großmarkthallen wohnten.

»Der Scheißkerl, Sie müssen ihn finden.«

Wide drehte sich um. Torstensson saß auf einem Küchenstuhl, sein Körper bewegte sich vor und zurück.

»Ja. Aber zuerst müssen Sie mit jemandem sprechen. Ziehen Sie sich an, dann fahren wir.«

Sten Ard hielt bei Rot vor der Jubiläumsklinik, dachte daran, wie glücklich er sich schätzen sollte, als er durch den verdammten Regen einen dieser Unglücklichen, vielleicht einen Krebspatienten, hinter einem der Fenster ausmachen konnte. Die Ampel sprang auf Grün um, und Ard fuhr weiter, bog nach rechts in die Ehrenströmsgatan ab, fuhr den Hügel hinauf und zur Toltorpsgatan hinunter. Im Tal bog er vor der Post nach rechts ab, ließ den Blick suchend über die Hausnummern gleiten und hielt vor einem Holzhaus auf der Lyckogatan.

Die Frau war blond, groß, um die vierzig. Sie hatte das breite Gesicht und die offenen, forschenden Augen, die Ard bei Frauen gefielen; aber jetzt waren diese Augen rot und matt, die Züge zerbrechlich. Sie trug Jeans und ein kariertes Hemd und ging barfuß über einen Fußboden, von dem Ard Kühle aufsteigen spürte, als er seine Schuhe auszog und ihr in ein halbdunkles Zimmer folgte. Die Frau zog die Jalousien hoch, aber es wurde nicht merkbar heller. Zuerst lehnte er einen Kaffee dankend ab, dann sagte er doch ja.

Er stellte die gewöhnlichen Fragen in einer ungewöhnlichen Situation; eine solche Situation war immer ungewöhnlich, aber das war kein Trost für Berit Melinder, die jetzt mit verschränkten Fingern vor ihm saß. Sie knipste eine große, schmale Stehlampe neben der ledernen Sofagruppe an.

Viel sagte sie nicht, nicht »Entsetzlich« oder »Ich versteh das alles nicht« oder »Wer kann so etwas getan haben« oder »Ich will es nicht hören«. Stattdessen sagte sie, sie habe ihren Mann in den letzten fünf Tagen nicht gesehen. Das bedeutete, dass er zwei oder mehr Tage vor seinem Ableben nicht zu Hause gewesen war. Wo war er gewesen?

»Ich weiß es nicht.«

Sie hob den Blick, sah Ard geradeheraus an. Er bemerkte darin eine Art Trotz, den er nicht verstand.

»Er hat sich nicht gemeldet?«

»Nein.«

»Mehrere Tage lang nicht?«

»Seit Samstag nicht.«

Sten Ard wartete, während sie in die Küche ging. Sie kam mit dem Kaffee und einer Milchpackung zurück.

»Haben Sie sich Sorgen gemacht?«

»Nein.«

Mit sicherer Hand schenkte sie Kaffee ein. Es war, als ob sie in seiner Gegenwart zur Ruhe käme. Auch das verstand er nicht.

»Rickard dachte vermutlich, dass ich mir keine Sorgen machen würde.«

Ard sah einen Glanz in den Augen und einen Zug um den Mund, den er als eine Art Sarkasmus deutete.

»Aber das stimmt nicht?«

»Nein.«

»Sie haben sich also Sorgen gemacht, als er sich nicht meldete. Diesmal.«

»Ich hab mich gefragt, was er wohl treiben mochte. Diesmal.«

»Das müssen Sie mir erklären.«

Er wartete. Sie suchte nach Worten, aber nicht lange.

»Rickard ist ein Mann, der seine eigenen Wege geht. Nicht oft, aber es kam vor, dass er seine eigenen Wege ging.«

Sten Ard registrierte den Zeitenwechsel in ihrem Kommentar, als ob sie unbewusst der Chronologie der Ereignisse folgte.

»Ich verstehe es trotzdem nicht.«

Sie atmete ein, dann aus. Ard hörte Kinderstimmen von der kleinen Straße vorm Haus. Sie wurden schwächer und als Letztes hörte er ein klares, kurzes Lachen.

»Rickard war kein glücklicher Mensch. Manchmal war er noch unglücklicher als sonst, dann verschwand er und blieb ein paar Tage weg. Wenn er zurückkam, war es besser. Dann schien es ihm besser zu gehen.«

»Sie haben darüber gesprochen?«

»Er sagte, er fühle sich besser.«

»Ich meine, ob Sie darüber gesprochen haben, wo er gewesen ist.«

»Ich hab ihn natürlich gefragt, aber er wollte es mir nicht sagen.«

»Irgendwas müssen Sie doch erfahren haben.«

»Er wollte nicht darüber reden.«

»Ob er sich zum Beispiel in der Stadt aufgehalten hat.«

»Das Auto hat er nicht genommen, aber es gibt ja Züge und Busse.«

»Hat er einen Koffer gepackt?«

»Nein.«

»Keine Reisetasche?«

»Wie ich schon sagte ... Aber er hat angerufen, bevor er verschwand. Jedes Mal, nur diesmal nicht. Das letzte Mal.«

Ard versuchte ihren Gesichtsausdruck zu ergründen, als sie »das letzte Mal« sagte, aber sie hatte den Kopf gesenkt. Ihren Kaffee hatte sie nicht angerührt, auf der Untertasse waren ein paar Tropfen. Sie schaute auf.

»Es klingt sicher merkwürdig, dass er manchmal verschwand. Aber Rickard ist nur ein paarmal weggeblieben im Lauf der Jahre, die wir uns kennen.«

»Drei Jahre.«

»Ja.«

»Und Sie haben die ganze Zeit hier zusammengelebt.«

»Ja, fast. Das Haus gehört mir.«

Ard schwieg.

»Es war nicht etwa so, dass wir überhaupt nicht harmonierten.«

»Erzählen Sie noch einmal. Wie war er, wenn er wieder nach Hause kam?«

»Wie ich schon sagte, es ging ihm dann besser, er war irgendwie ruhiger.«

»Glauben Sie, dass er allein unterwegs war?«

»Ich weiß es nicht, aber ich glaube es. Jedenfalls war da keine andere Frau. Vielleicht ist das Wunschdenken. Nein. Keine Frau.«

»Und auch kein Mann?«

Sie schaute hastig auf, und Ard wurde klar, dass er ins Schwarze getroffen hatte. Sie wollte etwas sagen, behielt es aber für sich. Ard versuchte es auf dem Umweg:

»Vielleicht ein Kumpel, ein alter Freund. Eine Angeltour, eine Fahrt mit dem Paddelboot in Gråbo.«

»Im November?«

»Warum nicht?«

»Er hat mir nie etwas von alten Freunden erzählt«, sagte sie.

»Und von neuen Freunden?«

»Auch nicht.«

»Von gemeinsamen Freunden?«

Er hörte draußen wieder die Kinder; sie gingen jetzt in der anderen Richtung vorüber, diesmal war auch das Kläffen eines Hundes dabei.

»Rickard hatte keine Freunde.«

Ard wartete, schwieg, nahm einen Schluck vom Kaffee, der kalt geworden war.

»Er hat mir jedenfalls nie einen Freund vorgestellt.«

»Arbeitskollegen?«

»Nein.«

»Familie?«

»Er stammte aus einer kleinen Stadt in Småland, das weiß die Polizei ja schon. Dort sind wir nie gewesen. Er wollte nie dahin. ›Dort gibt es nichts‹, hat er gesagt, und ich, tja, es hat mich wohl auch nicht so interessiert, zumindest hab ich nicht darauf bestanden.«

Ard spürte, dass sein Nacken steif wurde. Er versuchte seine Stimme weich klingen zu lassen.

»Und Sie?«

»Wie bitte?«

»Und Sie – waren Sie sein Freund?«

Sten Ard stand neben dem Auto. Am südwestlichen Ende der Lyckogatan begann die Natur mit dem Västerberget, Trindemossen und Nedre Torbjörnsmossen, wo Rickard Melinder von zwei Jugendlichen entdeckt worden war. Die Vogelfluglinie konnte von hier aus nicht weit sein, aber Vogelfluglinien sind selten weit, und Ard war klar, dass er den ganzen langen Weg von der Stelle, wo er stand, bis hinunter auf den Grund des Toltorpsdalen durch Mölndals Dschungel bis zum Fundort absuchen musste. Was für ein Fund, zum Weinen, und danach war ihm wirklich zumute. Er schaute nach oben, der

Himmel weinte. *The sky is crying*, dachte er, Elmore James, dachte er, und wenn er jemals nach Hause käme am Ende dieses Tages, dann würde er *Got to move* auflegen. Elmore James, am 24. Mai 1963 einem Herzinfarkt erlegen, in Chicago, Illinois, im reifen Alter von fünfundvierzig Jahren. Das war alt, wenn man die Umstände bedachte, und er schämte sich fast, dass er älter geworden war als Elmore James.

Jetzt sah er die Kinder, drei, um die zehn Jahre, die sich mit einem kleinen schmutzig grauen Hund am Rand des Dschungels aufhielten. Der Hund tobte ausgelassen zwischen ihnen hin und her. Mit zehn hatte er sich einen Hund gewünscht, aber ein Hund war in seiner ganzen Kindheit unmöglich gewesen, und er hatte sich geschworen, einen Hund zu haben, wenn er erwachsen war. Jetzt war er einszweiundneunzig groß und fast fünfzig, aber wo zum Teufel war der Hund?

Sten Ard fuhr die Toltorpsgatan nach links zurück zum Sahlgrenska-Krankenhaus, die Per Dubbsgatan hinunter. In der großen Kurve zur Dag-Hammarskjölds-Umgehung fiel es ihm schwer, den Nacken zu recken; es tat weh, als er den Kopf nach links drehte, um sich in den Verkehr einzufädeln, der hier nach der Kriecherei über den Linnéplatsen so richtig in Fahrt kam. Ard hielt sich in der rechten Spur, bog nach einem Kilometer bei Margretebergsmotet ab und fuhr am Slottsskogsvallen vorbei. Noch sieben Monate, und in diesem Gebiet würde es von Zehntausenden von Menschen wimmeln, die sich am größten Stadtlauf der Welt beteiligten. Ard sah sich selbst den Schotterweg unterhalb des Walls angeschwankt kommen, Blut zwischen den Zähnen; als ihm das vor sechs Jahren passiert war, hatte er auf den Lauf verzichtet. Es gab andere. Kajsa zum Beispiel, die war jung und verdiente es, bei vollem Bewusstsein durchs Ziel zu gehen, und wenn diese verdammte Genickstarre im Mai vorbei war, würde er oben auf der Älvborgsbrücke stehen und Kajsa anfeuern.

Er parkte auf der Såggatan, sah Wides Auto auf der anderen Straßenseite, stieg aus, schloss ab, schlug den Kragen hoch und ging hastig auf die zehn Meter entfernte Haustür zu. Im Treppenhaus roch es nach Feuchtigkeit, neben einer Tür im zweiten Stock stand ein Kinderfahrrad. Im dritten Stock klingelte er, wartete, klingelte noch einmal und hörte Schritte in der Wohnung. Die Tür wurde geöffnet, er sah Wides blonden Kopf und sein plattnasiges Gesicht im trüben Licht der Leuchtröhren des Treppenhauses.

»Mr Ard. Schon eine ganze Weile her, dass wir uns gesehen haben.«

»Ja. Hallo.«

Wide öffnete die Tür ein wenig.

»Willst du reinkommen?«

»Ja, gern.«

»Hast du dir das gut überlegt?«

»Nein.«

»Na dann, komm rein.«

Als Ard das letzte Mal in Wides Wohnung gewesen war, waren sie nicht allein gewesen. Er hatte das Gefühl, als wäre es ein Jahrhundert her, aber es konnte nicht länger als ein halbes Jahr zurückliegen. Die Frau, die auf der Couch gesessen hatte, war des Mordes verdächtigt worden, und Ard war zuerst fast durchgedreht vor Wut und, hinterher, sehr erstaunt über diesen *outlaw* gewesen, der selbst dann, wenn er falsch handelte, doch alles richtig machte.

Jonathan Wide war der beste Kriminalbeamte gewesen, mit dem Sten Ard jemals zusammengearbeitet hatte, dessen Vorgesetzter er rein formell gewesen war. Wide hatte das gewisse Etwas. Manchmal lächelten sie anerkennend darüber: Wide hatte die Intuition, die Fähigkeit, Momente, die voller

Gewalt gewesen waren, festzuhalten und während der Ermittlung in seinem Kopf neu zu erschaffen. Das war eine Art grob gehobelte und gleichzeitig wahnsinnsscharfe Intelligenz, die Pfade mit Abdrücken wahrnahm, die niemand sonst sehen konnte.

Kriminalinspektor Wide hätte geradewegs an die Spitze marschieren können, und Kommissar Ard hätte nur den Luftzug gespürt, wenn Wide an ihm vorbeigezogen wäre, aber dazu war es nicht gekommen. Vor zwei Jahren hatte Wide den Polizeidienst quittiert, leise, ohne große Abschiedsgesten. Er hatte »Adieu« gesagt, und das war kein *»Au revoir«* gewesen, das hatte Ard begriffen. Zumindest glaubte er das. Der Alkohol spielte wohl auch eine gewisse Rolle, doch Ard hatte nie angenommen, dass er wirklich von Bedeutung gewesen war. Es war eher Wides Methode ... Wenn sie einen Fall gelöst hatten, aber auch wenn es ihnen nicht gelungen war, war Wide lange Zeit hinterher erschöpft gewesen.

Er hatte nie zu den Kollegen gepasst. Er war kein »alter Kamerad«, er hasste den Geist, der die brutalen Mitglieder des Polizeidienstwesens schützte, Polizisten, die erst prügelten und dann niemals zur Rechenschaft gezogen wurden. Ard hasste diesen Geist. Sie hatten einander frühzeitig gefunden; manchmal hatten sie über den abgenutzten Konservatismus diskutiert, der sich im Polizeidienst ausbreitete. Ein Polizist konnte verbittern und verzweifeln. Aber es gab immer ein eigenes Verhaltensmuster, eine Würde.

Da war plötzlich etwas, alte Dämonen, die mit einem Mal ihre Fratzen zeigten, über die Ard aber nicht reden wollte, und Wide wollte auch nicht darüber reden.

Sten Ard roch frische Farbe und bemerkte die Renovierung der Wohnung. Wide war auf dem Weg der Besserung. Er wusste es. Es war richtig gewesen, herzukommen.

Nach seinem Ausscheiden waren sie in lockerem Kontakt

geblieben. Ihr früheres enges Verhältnis war unterbrochen worden, als Elisabeth Wide verließ, aber gelegentlich traf sich Ard mit seinem jüngeren Exkollegen, nicht oft, weil Wide es nicht wollte. Ard hatte es selbst überrascht, dass er das Bedürfnis hatte, Wide um Rat zu fragen, wenn ein Fall nicht vorankam. Das war zwar gegen alle Regeln, aber Ard hatte diese Gespräche gebraucht, und Wide hatte – wenn auch widerwillig, aber mit widerwilliger Zielstrebigkeit – den Fall von verschiedenen Seiten unter die Lupe genommen, vom Standpunkt eines Außenseiters.

Diesmal suchte Ard nicht den Experten. Es gab einen anderen Grund.

Sie standen in der Küche. Ard wollte keinen Kaffee, sagte zu Tee jedoch nicht nein, der seinem Magen besser bekam. Wide sah müde aus, aber auf eine irgendwie muntere Weise: eine Müdigkeit, die nicht von übermäßigem Alkoholgenuss herrührte, sondern von mangelndem Schlaf.

»Hast du heute die *Göteborg Tidningen* gesehen?«

»Nein, ich lese sie nicht so oft, wie ich es eigentlich sollte.«

»Da bin ich drin.«

»Gratuliere.«

»Aber nicht als Hauptperson.«

Wide nahm den Topf mit kochendem Wasser von der Herdplatte, gab zwei Esslöffel Teeblätter hinein, wartete, bis das Wasser die Farbe von dunklem Bernstein annahm, und goss den Tee in zwei Tassen.

»Milch?«

»Warum fragst du, wenn du schon Milch reingetan hast?«

»Aus Höflichkeit.«

Ard nahm die Tasse, wartete. Wide trank, wischte sich den Mund ab und sah zu dem größeren Mann auf.

»Jemand ist gestorben und du hast darüber mit der Presse gesprochen.«

»Ja. Zweimal.«

»Zwei Pressekonferenzen.«

»Ja, aber es geht darum, dass zwei Leute gestorben sind. Gewaltsam.«

»Ich hab was in der *Göteborg-Posten* über einen Mord im Zentrum gelesen. Ein Name wurde nicht erwähnt.«

»Das ist die Vorsicht der Morgenzeitung und die ehrt sie. Aber in diesem Fall brauchen wir die Hilfe der Bevölkerung, deshalb nennt die *Göteborg Tidningen* Namen. Obwohl wir sie ja sowieso nicht daran hätten hindern können. Und die *Göteborg Tidningen* verhält sich in diesem Fall richtig.«

Wide wartete. Ard war nicht gekommen, um mit ihm über die Ethik der Presse zu diskutieren. Er sah, dass der ältere Mann die Tasse absetzte und seinen Nacken mit beiden Händen massierte.

»Ich will dir sagen, was geschehen ist: Zwei Menschen sind umgebracht worden und diesmal geht es nicht um die übliche Abrechnung unter Betrunkenen. Hier besteht ein Zusammenhang, und einer dieser Zusammenhänge ist der, dass beide Opfer in derselben kleinen Stadt aufgewachsen sind wie du.«

»Jetzt werde ich also verdächtigt.«

»Du weißt, was ich meine.«

»Ja.«

»Und was meine ich?«

»Du musst mir noch einen Namen nennen.«

»Einen Namen?«

»Den ersten hab ich schon, Ulla Torstensson oder Bergsten, wie sie als Mädchen hieß.«

Wide berichtete. Ard hatte sich auf einen der Küchenstühle gesetzt.

»Eine Frau, ein Mann. Auf dieselbe Art zugerichtet, soweit wir sehen können. Und zugerichtet ist nicht die falsche Bezeichnung in diesem Fall.«

Ard berichtete. Wide setzte sich.

»Wie heißt er?«

»Rickard Melinder.«

Im Gegensatz zu der ermordeten Frau war da etwas ... Wide dachte nach, Ard schaute zu. Es dauerte eine Weile, ehe Wide seinen Erinnerungen zurück in die Vergangenheit gefolgt war.

»Du weißt, dass ich nicht viele Jahre in Sävsjö gewohnt habe.«

»Nein, aber du hast dort gewohnt.«

»Melinder. Vielleicht. Warte mal.«

Wide erhob sich und ging ins Schlafzimmer, sein Arbeitszimmer. Auf dem Schreibtisch lagen die Jahrbücher. Er kehrte zurück, setzte sich an den Tisch, die Hefte auf dem Schoß, und begann langsam darin zu blättern. Ard stand auf, kippte die nassen und aufgequollenen Teeblätter aus dem Topf in den Abfalleimer unter der Spüle und ließ neues Wasser einlaufen. Wide drehte den Kopf.

»Hier ist er.«

Das vierte Gesicht von links in der mittleren Reihe, offen und voller Vertrauen und Hoffnung.

»Ein richtiger Scheißkerl, wenn ich mich richtig erinnere.«

»Aha.«

»Wohl gemerkt, wenn ich mich richtig erinnere. Rickard Melinder. Doch. Er wohnte gar nicht weit von mir entfernt, auf der Sturegatan, glaub ich.«

»Also ein Scheißkerl.«

»Wie so ein Kind sein kann, das eine besondere Bösartigkeit mit sich herumträgt. Ich glaube, er gehörte zu einer Clique.«

»Die üblichen Radaubrüder.«

»Ja, das Ganze hat sich mehr an meiner Peripherie abgespielt. Aber ich glaube, die Clique hat sich Opfer ausgesucht, die sie terrorisierten. Mobbten. Das war ja nichts Ungewöhnliches. So war es wohl.«

»Bist du auch Opfer geworden?«

»Ob ich gemobbt worden bin? Ich weiß nicht recht. Als wir noch neu im Ort waren, wollte mir einer eins aufs Maul geben, aber ich hab zurückgeschlagen. Das klingt zwar sehr taff, aber ich hatte ziemlich Schiss; danach ist es jedenfalls nicht wieder passiert. Ich glaube, Melinder war so eine Art Anführer der Clique. Es waren nur ein paar und die waren häufig zusammen. Wahrscheinlich kamen sie allein nicht besonders gut zurecht.«

»Und sie waren fies.«

»Ja. Haben einem Auserwählten nach der Schule aufgelauert.«

»Hast du mal mit Melinder geredet?«

»Er war etwas jünger; kann schon sein, dass wir mal ein Wort gewechselt haben. Aber ich kann mich nicht erinnern.«

Wide fand keine klare Erinnerung in seinem Gedächtnis an ein Gespräch mit diesem Jungen, dessen Leben so gewaltsam in Göteborg geendet hatte. Er suchte nach Bildern vom Schulhof, in Korridoren, um die kleine Stadt herum.

»Wenn ich ihn vor mir sehe, an ihn denke, sehe ich fast immer diese Clique.«

»Würdest du die Mitglieder wiedererkennen?«

»Tja, da sie sozusagen hinter ihrem Anführer standen, werden sie noch undeutlicher. Aber irgendwo hier muss es sie ja geben.« Wide zeigte auf die Gesichter auf dem Tisch.

»Kannst du sie dir noch mal anschauen?«

Keine Frage.

»Ja, aber es kann ein bisschen dauern.«

»Nicht zu lange, wir brauchen mehr Namen.«

Wide ging zum Herd und schaltete die Platte an, auf die Ard den Topf mit Wasser gestellt hatte.

»Wenn ich jetzt anfange nachzudenken ... Da ist etwas, was mir gerade nicht einfällt, aber es ist da. Irgendwas ist passiert. Irgendwas, ich glaube, darüber hat es Gerede gegeben. Oder es war an einem anderen Ort. Ich weiß nicht mehr.«

Jonathan Wide kehrte mit frischem Tee zurück, setzte die Tassen ab und öffnete dann das Fenster einen Spaltbreit.

»An die andere, die Frau kann ich mich nicht erinnern.«

»Sie ist wahrscheinlich auch dabei.«

Sten Ard zeigte auf die Seiten, die vor ihm auf dem Küchentisch ausgebreitet lagen.

»Nein, das ist sie nicht, sie ist auf keine der beiden Schulen gegangen.«

»Das ist doch unmöglich.«

»Es gibt noch eine Schule in der kleinen Stadt. Vielleicht war sie auf der. Oder es stimmt nicht, dass sie in der Stadt aufgewachsen ist.«

»Selbstverständlich stimmt das.«

»Ich kann mich jedenfalls nicht an sie erinnern.«

»Es gab also noch eine Schule.«

»Ja, Västra heißt die, glaube ich, aber das müsst ihr überprüfen.«

»Wir sind natürlich längst dabei.«

»Natürlich. Aber ich frage mich, ob es sie überhaupt noch gibt. Ich glaube es nicht.«

Ard erhob sich, selbst der Tee brannte in seinem Magen. Sollte er mit fünfzig Magengeschwüre bekommen, zum ersten Mal? War es noch ein Zeichen der Zeit? Wide folgte ihm in den Flur.

»Leuten, die aus unserer kleinen Stadt kommen, passiert

so einiges. Schulen verschwinden, Menschen sterben mit großem Aufsehen.«

»Darauf kann man ja nicht gerade neidisch sein.«

»Nein. Aber das mit Torstensson und Melinder ist wahrscheinlich ein Zufall. Dass sie aus Sävsjö stammen. Wahrscheinlich, aber es muss nicht so sein. Ihr werdet es herausbekommen.«

»Der andere Zusammenhang ist kein Zufall.«

»Nein, wirklich nicht.«

»Vielleicht komme ich wieder. Vielleicht möchte ich, dass du dir die Bilder anschaust.«

»Nee, vielen Dank.«

»Das ist ein Fall für Jonathan Wide. Komm zurück.«

»Zu den Bullen? Du wärst pensioniert, bevor mich die Bürokraten wieder reinlassen.«

»Ich denke nicht an mich selber.«

»Ha, ha.«

»Es gibt schnelle Wege.«

»Nein. Ich hab andere Pläne.«

»Du hasst deinen Job. Du bist bei Gott kein Privatdetektiv.«

»Ich hab doch gesagt, andere Pläne. Sicherheit. Sicherheitsberater in einem großen Warenhaus.«

»Sicherheitsberater!«

Wide hörte den Zweifel in Ards Stimme, sah die Skepsis, die sich wie ein Damenstrumpf über das Gesicht des Kommissars zog. Ard gefiel das Wort nicht. Er hielt das nur für einen Witz.

»Du musst sehr verzweifelt sein, Jonathan. Das ist nichts für dich.« Ard, schon dabei, die Wohnung zu verlassen, hielt mitten in der Bewegung inne und legte Wide eine Hand auf die Schulter. »Wenn du Geld brauchst, sag es mir. Ich kann dir was leihen, du brauchst dich nicht zu genieren.«

»Beleidige mich nicht.«

»Das kannst du ganz gut allein. Sicherheitsberater!«

»Ich versteh nicht, warum du dich so darüber aufregst.«

»Deine Intelligenz, das, was noch davon übrig ist, wird andernorts gebraucht.«

Wide hielt ihm die Tür auf, spürte die Kühle, die von der Haustür hier heraufgezogen war.

»Was verlangst du? Ich hab doch gesagt, ich werde über diesen Fall nachdenken.«

Ard ging, Wide blieb an der offenen Tür stehen, bis er die Haustür unten zuschlagen hörte.

8

Diesmal war sie nah herangekommen. Sie war am Lebensmittelladen des Viertels vorbeigegangen, hatte erwogen, hineinzugehen und sich eine Frauenzeitschrift zu kaufen, um eine Weile vor der Wirklichkeit zu fliehen. Kaum drei Minuten später hatten drei Männer mit schwarzen Masken den langen, schmalen Laden betreten, und einer von ihnen hatte ein Eisenrohr erhoben und Dinos Zavallis einen Mittelhandknochen zerschmettert.

Nur das. Ein Schlag auf die Hand und auf dem Weg hinaus mit einer einzigen Armbewegung das Schokoladenregal umgefegt; Schokolade auf dem Fußboden, ein Dreierpack für einen Zehner. Kajsa Lagergren ging vorsichtig zwischen den verstreuten Packungen umher, während die Männer der Spurensicherung sich mit dem umgeworfenen Gestell beschäftigten. Dass wir das aushalten, dachte sie. Auf dem Weg hierher, genau unter dem Ladenschild, hatte ein Mann ihr mit erhobenem Daumen ein Zeichen gegeben. Es war kaum zu glauben: Immer mehr Mitbürger zeigten offen ihre Unterstützung des immer härteren Vorgehens der Behörden gegen Menschen nichtschwedischer Herkunft. Eine Wechselwirkung war entstanden. Es ist eine Selbstverständlichkeit, dass es sich so entwickelt hat, dachte sie, als sie vor dem Tresen stand. Sie sah ein paar Tropfen Blut griechisch-zypriotischer Abstammung, von einem Eisensplitter, der eine Wunde verursacht hatte.

Die Behörden handelten unter immer lauterem Beifall und immer mehr gereckten Daumen. Die Stimmen jener, die Fremde früher mit offenen Armen empfangen hatten, wurden schwächer. Gleichzeitig wurde der Blick jener, die nichts sehen und nichts wissen wollten, immer schärfer und gleichzeitig immer blinder. Schließlich war es still geworden. Dann ertönten neue Stimmen, derbere. Eine Verfolgung war eingeleitet worden. Ihr fiel kein anderes Wort ein: Verfolgung.

Dinos Zavallis in seinem Bett im Östra-Krankenhaus hatte nicht viel gesagt; sein Gesicht hatte einen blauen Schimmer von dem Bartwuchs eines Tages, und Kajsa Lagergren sah, wie ausgeliefert er war. Hass, Schläge und Gesetze verschmolzen immer mehr miteinander, bis es schließlich nur noch eine einzige Art Schuld gab, und die lag hier vor ihr, den Arm in sauberem, weißem Gips: eine Verantwortung nicht nur für die Lahmen und Gebrechlichen, sondern auch für die Geschundenen und Todmüden.

Ich muss diese Gedanken abstellen, dachte sie. Eine Weile blieb sie still am Bett sitzen, dann verließ sie das Krankenzimmer und das Gebäude.

Krankenhäuser betreten, Krankenhäuser verlassen. Wie viel Zeit verbrachte die Polizei damit? Kajsa Lagergren sog die feuchte Luft tief ein, zog ihre grauen gestrickten Handschuhe an und wandte sich nach rechts zur Smörslottsgatan und hinunter zum Stabbetorget. Mitten am Tag war es in Björkekärr ganz still; vielleicht holte sich der Stadtteil seine Ruhe vom Härlanda-Teich, der ein Stück südlich vom Reihenhaus ihrer Eltern lag, eine Ruhe, die vom Wasser herüberstrich. Als sie klein gewesen war, hatte sie sich Phantasiebilder von der großen Stadt gemacht, die beim Redbergsplatsen begann. Wenn sie die Augenlider zusammenpresste und aufmerksam lauschte, konnte sie die Laute von Göteborg wie eine brummende Hummel hören, dort unten, weit entfernt. Sie war erregt gewesen, wie nur ein Kind sein kann, und hatte sich davor gefürchtet, was passieren würde, wenn die Hummel hier heraufkäme.

Jetzt lebte sie in Heden, mitten im Brummen der Hummel, hatte sich für einen Job entschieden, der oft mit Entsetzen und Erniedrigung verbunden war. Sie war nicht mehr erregt. Aber manchmal hatte sie Angst, als ob die Ängste der Kindheit sie eingeholt hätten.

Eine schnelle Tasse. Warum nicht. Sie ging den vertrauten Weg entlang. Eine Überraschung. Wie viele Male war sie nur aus Pflichtbewusstsein hierher gefahren, zum Sonntagsessen, meist Rinderbraten, untermalt von Fußball, den ihr Vater sich im Fernsehen anschaute: Sie hatte den Apparat für sein persönliches Eigentum gehalten. Sonntage.

Aber jetzt: Lass den Berg kommen und all das, und sie öffnete die Tür, ohne zu klingeln. Im Wohnzimmer mit all den Fenstern, die ins Grüne schauten, saßen Tina und ihre Mutter.

»Kajsa! Du bist aber groß geworden.«

Sie mochte den Humor ihrer Schwester. Ja, es war eine Weile her, seit sie von sich hatte hören lassen.

»Tina.«

»Was für eine Überraschung, Kajsa! Lange nicht gesehn.«

»Nein, Mama, aber war es nicht vorgestern?«

»Was redest du da, im Oktober war das.«

»Ach, wirklich. Wo ist Papa?«

»Das fragst du?«, sagte die Mutter und zeigte zum Fenster

hinaus. »Er macht einen seiner ewigen Spaziergänge. Aber jetzt ist er ja nicht allein.«

Die kleine, mollige, dunkelhaarige und manchmal wunderbare Frau, die ihre Mutter war, verließ das Zimmer, um noch ein Gedeck zu holen, und Kajsa setzte sich ihrer Schwester gegenüber.

»Deine Kinder sind bei Papa?«

»Ja, zum Glück macht ihm das Spaß.«

Tina gähnte, Kajsa sah schwache dunkle Ringe unter ihren Augen.

»Sind sie anstrengend?«

»Nicht so schlimm.«

»Hast du Hilfe?«

Tina lachte. Gähnte wieder. Lachte.

»Kajsa Lagergren aus dem Orbit ruft die Welt. Hallo? Hallo? Hat sich in den letzten dreißig Jahren etwas auf dem Gebiet der Gleichberechtigung geändert? Hallo?«

»Dann hilft dir Peder also hin und wieder?«

»In deiner Stimme ist irgendwas.«

»Vielleicht Zweifel?«

»Nein. Enttäuschung.«

»Oje, wollen wir so früh am Tag ans Eingemachte gehen?«

»Entschuldige, Kajsa, entschuldige. Aber es gibt tatsächlich Männer, die begriffen haben, dass es nicht nur einen angeht, wenn mehr als zwei zur Familie gehören.«

»Die also ihren Einsatz leisten.«

»Das ist ein Ausdruck, den wir beide nicht mögen.«

»Aber er wird benutzt.«

»Heute weniger. Er ist ungerecht gegen die Männer, finde ich.«

Tina Lagergren nahm ein Nikotinkaugummi aus ihrer Tasche und steckte es in den Mund. Kajsa hatte nie verstanden, warum ihre Schwester als Erwachsene zum Staunen und Abscheu der Mutter mit dem Rauchen angefangen hatte. Vielleicht hatte sie es genau aus dem Grund getan: Ausgerechnet das Goldkind der beiden Töchter revoltierte. Kajsa hatte keine Sekunde geglaubt, dass sie ernsthaft weiterrauchen wollte. Und jetzt: Das Nikotinkaugummi war auch nur ein Scherz. Aber es war gut, dass sie ihren Mädchennamen behalten hatte, wie gewöhnlich er auch klingen mochte. Dafür hatte sie sich bewusst entschieden. Auch das hatte sie erstaunt. Tina war eigentlich nicht der Typ gewesen. Plötzlich spürte sie wieder den Druck im Magen, diese kleine Traurigkeit, die sie streifen konnte wie die Berührung einer Feder: Sie war mit ihrer Schwester zusammen aufgewachsen, sie sollte sie besser kennen und nicht ständig erstaunt sein.

»Ja, so ist es wohl.«

»Was?«

»Ungerecht gegen die Männer. Ich hab vermutlich nur Pech gehabt.«

»Vielleicht auch Glück? Die Erwartung, dass der Richtige noch angeritten kommt.«

»Klar.«

»Vielleicht ein berittener Polizist?«

Kajsa lachte, laut und klar, froh darüber, dass sie hergekommen war. Warum trafen sie sich nicht öfter? Kungälv war ja kaum einen halben Tagesritt entfernt.

»Wir haben nicht mehr viele Pferde. Und die, die sie reiten, haben wahrscheinlich nicht mehr als die Pferdestärke zwischen ihren Beinen.«

»Oh, oh, oh, da liegt also dein Problem. Die großen Erwartungen. Niemals zufrieden. Wird das jemals geschehen?«

»Tina, für mich ist das kein so großes Problem, wie du zu glauben scheinst. Ich renne nicht herum und sehne mich.

Ich hab wirklich was anderes zu tun. Außerdem ist es schön, selbst über sein Leben entscheiden zu können. Da kommt Mama mit meiner Tasse, und jetzt reden wir über was anderes.«

»Etwas anderes? Worüber redet ihr denn?«

Die Mutter setzte sich, schob sich eine dicke graue Haarsträhne aus der Stirn, und Kajsa Lagergren fragte sie, was man so fragt, wenn man seinem Elternhaus einen Besuch abstattet.

Jonathan Wide hatte in einem der Büros hoch oben im NK gesessen. Als er aus dem Fenster geschaut hatte, war es ein Gefühl gewesen, als schwebe er frei über all den Menschen dort unten. Er hatte zugehört und genickt, war aber nicht richtig präsent gewesen; er brauchte diesen Job, doch sein Herz war nicht dabei, als er zusammen mit dem Chef des Sicherheitsdienstes auf den Rolltreppen im Kaufhaus herumfuhr.

Sie begannen im Erdgeschoss: dem Restaurantbereich mit sechs internationalen Küchen und voller Menschen, der Brasserie, die hundertzwanzig verschiedene Biersorten anbot. Das ist vielleicht nicht gerade ein idealer Ort für mich, um einen neuen Dienst anzutreten, dachte er. Doch fürs Herz gab es etwas hier unten, *Heart Art* mit Literatur für denjenigen, den es hier herein verschlagen hatte – eine kleine Kunstausstellung und zwei schöne Frauen hinter dem Tresen. Nach der Führung durchs Haus war es Wide etwas schwindlig von all den schönen Verkäuferinnen und den Düften, die ihm den ganzen Weg von Haar & Schönheit im Erdgeschoss gefolgt waren.

Dies war eine eigene Welt. Er sollte ein Teil von ihr werden. Er sah die Blicke der Frauen und Männer, als er an den angebotenen Accessoires vorbeiging, Unter- und Oberbekleidung für Männer und Frauen, Schuhe und Taschen, Glas und Porzellan. Sie hielten sich eine Weile in der Geschenkeabteilung, *The Very Swedish Shop*, auf. Das klang wie ein Sketch von Monty Python.

»Haben Sie *Das Kaufhaus* gesehen?«, fragte der Chef vom Sicherheitsdienst, Erik Kollding.

»Wie bitte?«

»*Das Kaufhaus*, diese Fernsehserie, die früher schon mal gelaufen ist. Jetzt bringen sie neue Folgen. Haben Sie eine davon gesehen?«

»*Das Kaufhaus.*« Wide erinnerte sich an eine Ankündigung, die er kürzlich gesehen hatte. War das eine Fernsehserie?

»Nein, aber ich hab die Ankündigung gesehen.«

»Die Ankündigung? Ha, ha. Das ist gut. Die Ankündigung.«

»Ist das eine der Bedingungen?«

»Um hier zu arbeiten? Ha, ha. Es ist eine Scheißserie, aber trotzdem ganz lustig.«

Scheißserie, aber trotzdem ganz lustig. Das drückte recht gut die Meinung der Leute darüber aus, was heute angeboten wurde. Die Meinung des Publikums. Wide hatte den Eindruck, nicht mit der Meinung jener übereinzustimmen, die das Programm machten. Oder war es eine entgegengesetzte Anpassung? Er wusste es nicht, es war ihm egal; aber manchmal hasste er den Mist, der über ihm ausgegossen wurde, und diese Sekunden, in denen er sich erregte, verblüfften ihn.

»Ich kann mir ja mal eine Folge ansehen. Gibt es irgendwelche Übereinstimmungen? Irgendwas, was mir hier von Nutzen sein könnte?«

Kollding sah ihn schräg von oben an. Nahm dieser vierschrötige Kerl ihn wieder auf den Arm?

»Gucken Sie sich eine Folge an und ziehen Sie Vergleiche. Manchmal verdrehen die die Sicherheitslage dermaßen, dass man sich nur an den Kopf fassen kann. Die Leute gehen rein und raus mit Sachen, ohne dass der Alarm losgeht. Dann wieder rennen alle raus und versuchen den Dieb zu schnappen. Total bekloppt. Trotzdem ganz lustig, wie gesagt.«

»Aber ist das denn nicht auch Ihr Problem hier?«

»Ja und nein. Wir pflegen nicht auf die Hamngatan oder Fredsgatan rauszustürmen. Es kommt allerdings vor, dass jemand es schafft, den Alarm auszuschalten und Sachen wegzuschleppen. Manche stürmen auch wie verrückt davon, nur mit einer Flasche Haarwasser.«

»Vielleicht steckt eine überraschende Einladung zu einem Fest dahinter.«

»Ha, ha. Göteborg im Festrausch. Die ganze Woche Samstag.«

Sie waren in Kolldings Büro über all den Düften und der Schönheit zurückgekehrt.

»Was wäre meine Aufgabe? Sie sprachen von ›Beobachtung‹, davon, mit offenen Augen herumzugehen.«

»Wir haben es noch nicht geschafft, uns genaue Gedanken zu machen. Wir brauchen jemanden, der sich im Haus bewegt und über Sicherheit nachdenkt, die ›Fluchtwege‹, wenn ich es so nennen darf. Mich hält dieses neue Computersystem in Atem, der Himmel mag wissen, wann wir die Installation in den Griff bekommen. Und die Klauerei.«

Kollding erzählte, Wide hörte zu und schaute auf die Köpfe der Leute hinunter. Seine Kehle war trocken, die Luft hier drinnen war trocken. Er hörte wieder zu, aber auch jetzt war sein Herz nicht richtig dabei. In Gedanken sah er einen Kreis von Kindern, in der Mitte eine Bewegung, ein Schrei und noch ein Schrei und ein offenes und dann verschlossenes Gesicht, das sich ihm zuwandte; und er wusste, dass er dieses Gesicht irgendwo gesehen hatte. Auch als er mit der Rolltreppe nach unten fuhr und den Boulevard betrat, wurde er das Bild nicht los.

9

Ihn fror. So sollte es sein. Noch hatte niemand gefragt, warum sollten sie auch, offene Fenster waren nichts Ungewöhnliches. Und wer wusste schon, dass sein Fenster *immer* offen stand, dass er auf diese Weise seine Zimmer mit der Natur, der Weite füllte. Er konnte ja noch eine Decke nehmen, er besaß mehrere. Er hatte immerhin eine Wohnung. Andere wohnten auf der Straße, nicht wahr?

An manchem Abend stand er oben am Waldrand – wenn man es so nennen konnte, aber er fand keine passendere Bezeichnung. Dort stand er und sah die Lichter des Hauses, in dem er wohnte. Er hatte die Lampen in seiner Wohnung brennen lassen, er stand gern hier und sah sein eigenes Licht. Er wollte zu der Zeit hier sein, wenn die Menschen am Abend heimkehrten, wollte zusehen, wie immer mehr Lichter in den Löchern der Fassade aufflammten. Auf diese Weise fühlte er sich hier zu Hause; er kannte die Menschen nicht, mit denen er Wände und Fassade teilte, aber er liebte sie: Er war ein Teil von ihnen und sie waren ein Teil von ihm.

Niemand jagte ihn die Treppen hinauf bis zur Tür unterm Dach, die sich nicht öffnen ließ. Er lag nicht mehr auf der

Schwelle und hörte die Schritte von unten. *Er kommt nicht weiter, niemand kann den Speicher betreten, hast du dir etwa den Schlüssel besorgt, hä!* Und er konnte sich in diesem Haus so oft bewegen, wie er wollte, ohne sich umzusehen. Trotzdem tat er es: Er sah sich jedes Mal um.

Nachdem er still dagestanden und zugeschaut hatte, wie das Haus am Abend immer mehr Augen öffnete, ging er wieder hinunter und stieg die Treppen zu der Tür unterm Dach hinauf. Den Aufzug benutzte er selten. Der hätte ja stehen bleiben können.

Auf den letzten Stufen hatte er es immer eilig, als ob die Tür zu seiner Wohnung in der Zwischenzeit verschwinden könnte. Erst drinnen wurde er wieder ruhig.

Jetzt war er drinnen. Hier war er ruhig, aber er wusste, die Ruhe würde nicht lange anhalten; er war mehr denn je *bei sich* und doch war er immer noch unterwegs. Er wollte warten und andererseits auch nicht.

Er würde es wieder tun, aber was passierte dann? Was geschah mit der Unruhe in seinem Körper? Er ging zu dem Foto, das in einem ovalen Rahmen auf einem gebeizten braunen Schrank von seiner Mutter stand. Lange blieb er vor dem Bild stehen, und als er einen Schmerz spürte, wurde ihm bewusst, dass er wieder seine Nagelhaut abgekaut hatte. Er betrachtete seinen rechten Zeigefinger, der angefangen hatte, am Rand des weißen Nagelhalbmondes zu bluten.

Er setzte sich direkt vor dem Fenster auf den Fußboden. Ihn fror. So sollte es sein. Er erhob sich und ging zu dem Haufen Decken am anderen Ende des Zimmers, trug eine zum Fenster und hüllte sich darin ein. Lange saß er so: dachte, plante, ging in Gedanken noch einmal das Telefongespräch durch, übte. Würde es leicht sein? Ja. Es konnte auch schief gehen. Nein. Niemals richtig schief.

Hier konnte er nicht sitzen bleiben. Er stand auf und sog

an seinem Zeigefinger, nahm den Geschmack von metallenem, erdigem Blut wahr. Warum finden die Menschen es widerlich, ihr eigenes Blut zu trinken, dachte er und ging in die winzige Küche, um Wasser über die rechte Hand laufen zu lassen.

Er hatte Hunger. Er wollte nicht kochen, das wollte er nie. Wenn er das täte, würde er sich einsam fühlen, aber er war nicht einsam, er war von Menschen, die er liebte, im Haus umgeben, oder etwa nicht?

Er setzte sich auf einen dreibeinigen Hocker in dem kleinen Vorraum, zog die schwarzen derben Schuhe an und schnürte sie zu, stand auf und riss den braunen Dufflecoat vom Bügel, zog sich im Gehen an und schloss die Tür hinter sich.

Draußen regnete es stärker, als er beim Blick aus dem halb geöffneten Fenster in der Wohnung vermutet hatte. Das Wasser im Gesicht tat ihm gut; ihm war merkwürdig warm geworden, als er dort oben gesessen hatte, und darüber musste er nachdenken. Er ging zwischen den Häusern den Abhang zur Pizzeria an der Straße hinunter. Hierher ging er oft; manchmal holte er sich Pizza und Salat, aber häufig blieb er auch und setzte sich an einen der Tische ganz hinten im Lokal. Er mochte Pizza, er nahm fast immer die mit Champignons, Tomaten und Schinken.

Er hatte auch den Mann gern, der das Restaurant allein führte, ein dunkler Mann, der aus einem ihm unbekannten Land kam. Er mochte ihn nicht fragen, auch nicht nach seinem Namen, das ging ihn nichts an. Der Dunkle arbeitete schwer, er sah dem Mann gern zu, wie er Teigklumpen zu runden, dünnen Fladen formte.

Vielleicht saß er hier, weil er sich bei diesem fremden Mann heimisch fühlte. Der Mann war allein, aber *er* war nicht allein, denn er hatte ja seine Freunde in dem Haus, nicht wahr? Wie lange war dieser Mann schon hier? Vielleicht würde er abgeschoben werden. Wie lange würde er … Was würden *sie* machen? Sie könnten hierher kommen, *sie waren überall*, auf jede erdenkliche Weise gekleidet, nicht nur in Uniform. Und als er daran dachte, wurde er wieder unruhig und zögerte zehn Sekunden vor der Pizzeria, bevor er hineinging, grüßte und sich an seinen gewohnten Tisch setzte, da niemand anders im Raum war.

Jonathan Wide schloss die Augen. Er hatte Placido Domingo so leise wie möglich gestellt und die Lautstärke dann langsam wieder höher gedreht. *Se quel guerrier io fossi*, und Verdis Musik füllte das Zimmer, »Aida« mit dem Orchester der Scala, und Wide schloss die Augen, erhob sich dann, ging zu der kleinen Musikanlage und drehte die Lautstärke wieder herunter.

Die Bilder. Die Beleuchtung des Polizeifotografen ist wie einem Brian-de-Palma-Film abgeguckt, dachte er, nackte, klinische Beleuchtung. Er erkannte den Stil und sah den Fotografen vor sich: Regenmantel, Strickmütze, das rechte Auge kleiner als das linke nach all den Jahren hinter der Kamera, in denen er ein Auge geschlossen oder zusammengekniffen hatte vor gemarterten Körpern. Johnson, der stillste unter allen Kollegen, nie ein Wort über *the real thing*, nichts aus dem Mundwinkel über die Gewaltpornos der Unterhaltungsbranche.

Die Bilder waren die richtige Wirklichkeit. Ard hatte sie geliefert, Wide hatte sich sechs Zentiliter J&B eingeschenkt, bevor er das Kuvert geöffnet hatte. Der Alkohol brannte in seinem Zwerchfell, als er die Fotos der Frau betrachtete. Sie waren direkt von vorn aufgenommen, von oben, von links und rechts. Die meisten Bilder zeigten das Gesicht von nahem, oder das, was von ihm übrig geblieben war. Die Augen waren weg, die Ohren waren abgeschnitten, der Mund war ein dunkles Loch. Wide konnte es nicht sehen, aber er wusste, dass auch die Zunge nicht mehr da war. Es war ganz offenbar eine Botschaft und eine signifikante Tat: Das Opfer sollte das Jenseits in totaler Finsternis erreichen, ihm sollten keine Sinne für die Welt danach bleiben.

Die Bilder des Mannes haben denselben Charakter, dachte er. Über der Szene lag etwas unbeschreiblich Trauriges, abgesehen von der entsetzlichen Tat – es war die absolute Leere eines Gesichts, das seiner Identität beraubt worden war. Die Nase, dachte Wide, die Nase durften sie behalten. Warum? Das alte, vertraute Bild von den drei Affen: Hände vor den Augen, dem Mund, den Ohren, nichts sehen, nicht sprechen, nichts hören. Wo war der Sinn? Was bedeutete es? Sollten sie oder *die Polizei* es sehen? Oder war es die wilde, aber kalte Tat einer Bestie: weg mit allem, was vom Kopf abstand, fast allem?

Wide hob das schwere, dicke Glas und sah, dass es leer war. Er erhob sich, ging in die Küche, holte die Whisky-Flasche aus einem Schrank rechts vom Kühlschrank und schenkte sich erneut ein, aber diesmal nicht so viel. Er schraubte die Flasche fest zu, stellte sie hinter einige leere Flaschen und schloss die Schranktür.

Er war zwölf Jahre lang Polizist gewesen, die meiste Zeit beim Gewaltdezernat. Dort hatten sie viel gesehen, fast alles, was ein Mensch seinem Nächsten antun kann. Abgeschnittene Ohren waren nichts Neues. Es war auch nicht das erste Mal, dass er von abgeschnittenen Zungen hörte. Es gab Fälle, da hatten arme Kerle ihre Augen verloren: ein wild geschwungenes Messer, ein Stuhlbein, kaputte Flaschen. Aber genau so war es immer gewesen, fast immer: Auseinandersetzungen unter Betrunkenen oder Abrechnungen in allgemein berüchtigten Kreisen, der Täter oder die Täterin apathisch zusammengesunken, wenn die Polizei kam.

Aber er hatte all das nie auf einmal gesehen, erst auf einem Bild, dann auf zweien: Hier war es fast gleichzeitig geschehen, das Verbrechen war nicht von einem Nachahmungstäter ausgeführt worden, da nichts davon, wie die Opfer zugerichtet waren, an die Presse gegangen war. Ard hatte es gesagt. Er hatte noch mehr gesagt und Wide dachte über die Haupttheorien nach. Ein Modus Operandi verband die Vergangenheit des Mörders mit der Vergangenheit der Opfer. Die Verbindung zur Stadt in Småland war mehr als ein Zufall. Es brauchte auch nichts zu bedeuten: Mörder und Opfer mochten sich später im Leben begegnet sein, eine irgendwie geartete Beziehung gehabt haben. Oder: Es gab keine Gemeinsamkeit zwischen Mörder und Opfer, außer ihrer ersten und einzigen Begegnung.

Jemand, der auf Fremde wartete, seine Zeichen bei ihnen hinterließ.

Zwei hintereinander, dort draußen in der Stadt des Königs lief ein Serienmörder frei herum. Es könnte wieder geschehen, wie eine furchtbare Bestätigung. Wenn es wieder passierte, auf dieselbe Art, konnte es mehrere Dinge bedeuten, je nach Hintergrund des Opfers. Himmel, dachte Wide, ich setze schon fast voraus, dass es wieder passieren wird. *Wenn* es wieder passiert: Die Polizei, nicht er, sie war es, die sehr sorgfältig jedes Blatt im Leben der Opfer umschlagen musste. Sie mussten es jetzt tun, bei Ulla Torstensson und Rickard Melinder. Er wusste, dass sie es taten, mit all den phantastischen Mitteln, die der Polizei zur Verfügung standen. Alle drei Fahnder würden hart arbeiten. Jetzt war er ungerecht, er trank und fühlte sich milder. Vier. Vier Fahnder vielleicht sogar.

Er hatte das Telefon leise gestellt, aber das Klingeln brach trotzdem brutal in seine Gedanken ein. Er starrte es eine Sekunde an, ohne zu begreifen. Nahm ab.

»Wide.«

»Jonathan. Hier ist Sjögren.«

»Hallo.«

»Was machst du gerade?«

»Nichts.«

»Hörst du dir eine Oper an?«

»Ja.«

»Trinkst einen Whisky dazu?«

»Ja.«

»Liest?«

»Ja.«

»Hast du was gefunden?«

»Was meinst du damit?«

»Mensch, Wide, jetzt tu doch nicht so. Die Jahrbücher – jetzt ist ja klar, warum du reinschauen wolltest. Bist du wieder bei der Polizei?«

»Nein.«

»Privatfahndung also. Das ist ausgezeichnet, dann kann ich dich ja direkt zu unserem Gerichtsreporter durchstellen. Du bist ja an nichts gebunden.«

»Du machst wohl Witze.«

»Ja. Aber es ist wirklich eine unheimliche Geschichte. Was für eine Nacharbeit! Die Namen haben wir. Melinder, dieser Scheißkerl, den vergisst man nicht. Er war ein Schrecken. Ich erinnere mich daran, wie gemein er war, obwohl wir ja auch nicht gerade Engel waren.«

»Stimmt.«

»Wenn diese Ulla, von der du sprachst, wirklich von zu Hause stammt, dann ist das ja wirklich lustig.«

»Lustig?«

»Komisch, ein Zufall oder ein unheimlicher Zusammenhang. Wahrscheinlich ist es jetzt an der Zeit, diese Hefte noch mal genau durchzusehen, auch für mich. Wer ist als Nächster dran? Du oder ich?«

»Ich bin dankbar für jeden Tipp.«

»Dann bist du also mit dem Fall beschäftigt?«

»Nein. Aber er hat natürlich was Gewisses ... Ich glaube, es ist ein Zufall.«

»Das glaub ich auch. Aus Småland sind viele weggegangen, auch nach Göteborg. Aber es interessiert mich natürlich. So einer wie Melinder. Was aus ihm geworden ist. Was zu diesem Ende geführt hat.«

»Eben haben wir gesagt, dass es ein Zufall ist. Nichts Bestimmtes hat zu diesem Ende geführt.«

»Aber wenn es nun doch anders wäre?«

Wide schloss die Augen, hörte die Stille in der Wohnung; er hatte den CD-Spieler nicht auf *Repeat* gestellt. Er hob das Glas. Leer.

»Wir befinden uns jetzt in der zweiten Runde. Aber ich möchte gern, dass du ein bisschen über Melinder nachdenkst. Wie er war. Wer zu seiner Clique gehörte. Damals in der bösen alten Zeit.«

»Der schönen Kinderzeit. Warum?«

»Es interessiert mich einfach.«

»Das ist doch gar nicht dein Fall.«

»Nein. Es interessiert mich trotzdem.«

»Aha. Über Melinder nachdenken. Nicht gerade eine angenehme Beschäftigung. Aber ich bin schon selbst drauf gekommen. Schließlich bin ich nicht von ungefähr Reporter geworden. Es könnte eine gute Story werden.«

»Könntest du erst ein bisschen nachdenken, bevor du mit Schreiben loslegst?«

»Wie meinst du das?«

»Denk an mich, an meine Worte. Dass wir über Melinder reden, bevor er in deiner Story landet.«

»Ich weiß nicht mal, ob's eine Story wird. Auf jeden Fall müsste sie wasserdicht sein. Wir haben einen neuen stellvertretenden Nachrichtenchef und Herausgeber, der echt taff ist, es mit Ethik und Moral aber ziemlich genau nimmt.«

»Das klingt nach einer sonderbaren Mischung.«

»Ist aber nicht so. Er hat die harte Schule der Abendzeitungen durchgemacht. Als er zu uns kam, kriegte er die Ethik und die Moral.«

Jonathan Wide spülte das Glas, trocknete es gründlich ab und stellte es in den Schrank. Dann ging er zurück an den Schreibtisch und betrachtete die Bilder von Ard und das Foto von Ulla Torstensson, das er von ihrem Mann bekommen hatte. Das Bild von Rickard Melinder, zusammen mit neunundzwanzig anderen Kindern um die zehn, er hatte sie gezählt. Sie saßen und standen vor der Tafel, er musste selbst einmal in diesem Raum gewesen sein. Alle sahen gleich aus, alles war gleich.

Wide sah, wie das Licht vom Fenster in einem Winkel über der Kinderschar gebrochen wurde. Es verlieh denen in der mittleren Reihe eine Art Glorienschein, ein Extra-Licht genau über den Köpfen. Natürlich war das niemandem von den Abgebildeten in jenem Moment aufgefallen. Es musste eine kleine Sensation gewesen sein, es nachträglich zu entdecken, als die Bilder vom Fotografen kamen. Rickard Melinder. Wide zählte die Köpfe. Das vierte Gesicht von links in der mittleren Reihe. Ein grausames Kind mit Glorienschein. War er nicht auf dem Holzweg? Kinder können manchmal ekelhaft sein, aber wieso maßte er sich an, das zu beurteilen, wie er es vor Sten getan hatte? Scheißkerl. Wer war ohne Schuld?

Er erinnerte sich nicht an alles, er dachte so selten an die Kindheit. Eine Schwäche, zugegeben. Er würde es mit seinen eigenen Kindern nachholen, neu lernen, ein guter Vorsatz. Da gab es nur ein Problem: dass er nicht mit seinen Kindern zusammenlebte. Wie in Teufels Namen hatte er so versagen können. Ein Missverständnis. Ein riesiges Missverständnis, das nur einmal im Leben möglich war: Er war zum richtigen Zeitpunkt am richtigen Ort gewesen und hatte das getan, was dazu führte, dass sich einem der Boden unter den Füßen öffnete und nie wieder schloss. Hör jetzt auf, dachte er, hör auf, verdammt noch mal. Und er ging in die Küche, nahm ein dickes, kleines Glas, öffnete die Schranktür, holte die Flasche heraus und füllte es. Eine schwache Leistung, dachte Wide pathetisch in seinem schnapsstinkenden Selbstmitleid und trank gierig. Der Schnaps geriet ihm in die falsche Kehle und er hustete heftig. Er beugte sich über das Spülbecken und spürte einen schwachen Brechreiz, einmal stärker, dann wieder schwächer, und er warf das Glas ins Becken – es blieb ganz, stellte er durch einen Tränenschleier fest. Er nahm den intensiven Whiskygeruch nach Rauch und Pfeffer wahr und ihm wurde wieder übel. Hinterher legte er sich aufs Bett, schloss die Augen, öffnete sie wieder, als er meinte, es gehe ihm ein wenig besser. Dann stand er auf, ging in die Küche, öffnete die Schranktür und holte die Flasche hervor. Er hielt sie hoch, meinte, nicht mehr berauscht zu sein, nur müde. Er schraubte den Verschluss auf, warf ihn weg, drehte die Flasche um und kippte den Inhalt in den Abfluss. So was hatte er noch nie getan. Sollte er jetzt froh oder traurig sein? Wen führte er damit an der Nase herum? War diese Tat nicht genauso lächerlich, wie nach Alkohol zu greifen, wenn die Gedanken scharfe Kanten bekamen, wenn er in sich hineinschaute? Ja. Was würde er nun machen? Kontakt zu den Anonymen Alkoholikern aufnehmen? Oder abwechselnd trinken und wegkippen? Und dann?

Wide rief seine Kinder in ihrem Zuhause an. Am Samstag würden sie ihn besuchen. Es meldete sich niemand.

10

Für Janne-Janne war das Leben ein kalter Wind und ein Tanz ohne Musik. »Was für 'n Tanz?«, hatte Sixten einmal philosophisch gefragt, und dann hatten sie nicht mehr viel gesagt. Sie waren der Frigångsgatan in westlicher Richtung gefolgt. Es war sinnlos, mit Sixten zu reden, denn er war müde und wollte schlafen.

Sie schlurften an der Schule vorbei, die jetzt ein Kino war. Vor unzähligen Jahren war Janne-Janne in diese Schule gegangen. Hier war er rausgekommen und war die Linnégatan runtergehüpft, kein Schlurfen, und er hatte eine Mutter gehabt, die auf ihn wartete. Damals.

Sie schlurften weiter, mit einem Einkaufswagen, der Wohn- und zwei Schlafzimmer enthielt, Küche und Garderobe, ihr mobiles Heim. Janne-Janne schob ihn, Sixten, eine Hand auf dem Wagen, hatte sozusagen die Führung übernommen. Sixten war sehr betrunken, aber er hielt sich aufrecht; er konnte immer gehen. Janne-Janne nahm an, dass er beim Militär gewesen war. Da lernte man gehen. Janne-Janne war nüchtern – wenn er das von sich selbst behaupten durfte.

Sie überquerten den Linnéplatsen bei Rot, weil niemand mehr nach Askim, Hovås und in die anderen Paradiese nach Hause fuhr, gingen direkt auf den Schlosswald zu und tauchten in ein Waldstück, wo sich der Weg teilte. Dank der Straßenlaternen über den Straßenbahngleisen konnte er die Enten im Teich auf der anderen Seite des Weges sehen. Sie wurden von Dunst eingehüllt, der wie dünnes Silber war, und es war merkwürdig, dass sie trotz ihres Federkleides nicht froren; ihn fror jedenfalls, nicht mal die Sachen, die er in seiner »Garderobe« hatte, würden an diesem Abend reichen. Janne-Janne besaß kein Thermometer, aber er war schon lange genug dabei, um sicher zu sein, dass es nicht viel über dem Gefrierpunkt war. Null Grad waren es. Sie hatten ihr Ziel für diesen Abend erreicht und er befreite Sixten vom Wagen. Sixten wich zur Seite, Janne-Janne zerrte ein Stück Teppich vom Wagen und legte ihn Sixten um die Schultern. »Der Flickenteppich für Sie, mein Baron«, sagte er, »auf einen groben Klotz gehört ein grober Keil.« Er pinkelte zehn Meter entfernt, wo ihr Klo und ihr Bad waren, aber heute badete er nicht.

Er breitete einen Teppichfetzen auf der Erde aus, zog sich eine weitere Jacke an und deckte sich mit einem Bettbezug zu, den er mit Zeitungen voll gestopft hatte. »Gute Idee«, hatte Sixten am Abend zuvor gesagt, was aber nicht dazu führte, dass er jetzt dasselbe tat. So war es oft, er war für die Ideen zuständig und Sixten für nichts.

Er vermutete, dass es fünf oder sechs Uhr war, vielleicht noch etwas früh, aber sie arbeiteten hart und standen früh auf, und er machte es sich bequem. Als er sich auf die Seite drehte, sah er, dass sich etwas beim Klo in den Büschen bewegte. Er war alt, aber seine Augen waren in Ordnung, hier lag keine Brillenschlange. Jetzt bewegte es sich wieder. War es ein Bulle? Nee. Von denen störte sie keiner mehr, die hatten genug mit den Glatz- und Schwarzköpfen zu tun. Hatten sie irgendjemandem den Platz geklaut? Nee, hier gab es keine Pfähle; nach einigen Jahren wusste man, wenn man in das Revier eines anderen geraten war. »No trespassing«, wie dieser verrückte Schwedisch-Amerikaner in der Höhle beim Zoo immer gerufen hatte, wenn man sich ihm auf fünf Meter näherte.

Jetzt bewegte sich wieder etwas. Sollte er Sixten wecken? Nein, das war sinnlos, Sixten konnte man nicht wecken. Janne-Janne wurde es ein wenig flau im Magen. Er hatte zwar nichts davon gehört, dass im Augenblick einer in der Stadt herumlief, der Leute erschlug, aber es gab ja überall welche, die sonderbare Ideen hatten. Hin und wieder passierte was. Er hatte schon ziemlich oft Prügel bezogen, aber immer war ein ehrlicher Zoff Anlass gewesen.

Er lag still, vielleicht würde es verschwinden. Jemand stand dort. Ein Mensch. Schaute er zu ihnen, zu ihm? Janne-Janne schloss die Augen, lange. Als er sie wieder aufschlug, war nichts mehr zu sehen. Der da gestanden hatte, war verschwunden. Er überlegte, ob er aufstehen und nachsehen sollte, aber das war wohl nicht nötig.

Er wühlte ein bisschen herum, fand endlich eine bequeme Rückenlage und blinzelte zum Himmel hinauf, der grau, schwarz und blau war; vielleicht war es der Große Bär, den er dort oben sah. Plötzlich hörte er direkt neben sich ein Geräusch. Janne-Janne erschauerte, ihm wurde eiskalt und Angst packte ihn, als er jetzt zwei Hände und irgendwas Großes sah, was sich von oben herabsenkte. Eine schwere Pferdedecke landete auf ihm. Er hatte nicht einmal die Augen bewegt, blinzelte wie erstarrt; dabei musste er aussehen, als ob er schliefe, denn jetzt beugte sich jemand über ihn. Er nahm ein Gesicht wahr wie einen hellen Ball, und das musste bedeuten, dass der andere nicht viele Haare hatte. Er hörte ihn schwer atmen. So klang das bei mir auch, bevor sie mir die Polypen rausgenommen haben, dachte er, und da fühlte er sich nicht mehr so erstarrt. Als er dem anderen die Faust gerade ins Gesicht hauen wollte, zog es sich zurück, rasch, und er hörte Schritte, die sich entfernten. Er richtete sich auf. Jemand ging nach links zu den Hütten hinauf und verschwand hinter den Bäumen. Er warf einen Blick zu Sixten. Auch er war mit einer Decke zugedeckt. Die hatte er, Janne-Janne, ihm nicht gegeben, soweit er sich erinnern konnte. Er besaß eine Decke. Die war ziemlich trocken. Komisch das alles. Er legte sich wieder hin. Wirklich komisch. War das einer von der Heilsarmee? Na, die taten nicht viel ohne volle Orchesterbegleitung. Doch, sie taten auch viel in aller Stille, doch. Er musste sie fragen, aber für heute Abend reichte es, und er legte sich wieder zurecht.

Er war auf dem Weg, auf dem Weg, auf dem Weg. Jetzt war es anders, eine Begegnung und ein Gespräch. Sie gingen nebeneinanderher und der andere keuchte ein bisschen auf dem steilen Abhang.

»Kaum zu glauben, ein richtiger kleiner Wald mitten zwischen den Häusern.«

»So ist es an vielen Stellen in dieser Stadt.«

»Richtig grün.«

»Ja.«

Sie hatten ein kleines Plateau erreicht und sahen die Mietshäuser auf der anderen Seite des Friedhofs. Überall flammten Lichter auf, das war seine Lieblingszeit des Tages: die Dämmerung. Schade, dass die Häuser so hässlich waren.

»Schön sind die Schuppen dahinten ja nicht gerade.«

»Findest du? Ich finde, die sehen wie alle Häuser aus.«

Sie gingen weiter in westlicher Richtung, das Gebüsch wurde dichter.

»Das ist also dein Nachhauseweg.«

»Immer. Viel gute, frische Luft.«

»Genügend Bewegung.«

»Ja.«

»Du kleidest dich dem Wetter angemessen, muss ich sagen. Schöner Dufflecoat. Handschuhe.«

»Ja.«

Der andere sah ihn an.

»Ich war wirklich erstaunt, als du dich gemeldet hast. Wie viele Jahre ist es jetzt her? Dreißig?«

»Neunundzwanzig, glaube ich.«

»So lange. Gut, dass du dich gemeldet hast. Irgendwann hab ich auch mal dran gedacht.«

»Irgendwann.«

»Man kann ja nicht behaupten, dass es schön war. Aber wir waren Kinder. Du weißt, wie ...« Aber *er* hatte genug von dem Gefasel und war zwei Schritte zurückgeblieben. Er sah sich um. Wie immer war es um diese Zeit still und leer, aber im Augenblick verschwendete er keinen Gedanken daran. Genau hier sollte es sein. Er bückte sich hinter einen Stein und zog die Eisenstange hervor, holte aus und schlug zu. Er spürte die starke Vibration in den Armen, als sie mit Wucht den Nacken des anderen mit dem weichen und gleichzeitig schweren Laut traf, den er so gut kannte. Wie stark er sich fühlte, *zu Hause*. Als der Kerl in die Knie ging, schlug er wieder zu, tschock, und als der Körper fiel und zur Seite rollte, wusste er, dass kein Leben mehr darin war. Er zog ihn nach links, wo er schon früher einen guten Platz gefunden hatte. Er holte das Messer hervor.

»Bengt Arvidsson. Tot und verstümmelt auf eine Art, wie wir es schon mal gesehen haben.«

Ove Boursé erstattete Bericht vor den im Raum Versammelten. Alle waren sehr ernst. Ard drückte seine Hand fest in die Seite seines Halses.

»Die Verletzungen sind uns bekannt, der Winkel, die ganze Art.«

»Der Winkel?«

Kajsa Lagergren hob den Blick.

»Der Schlag erfolgte etwa aus gleicher Höhe. Wir haben herausgefunden, dass es sich um denselben Täter handeln könnte und dass er oder sie etwa einsachtzig groß ist.«

»Wie etwa neunzig Prozent der schwedischen Bevölkerung.«

»Ja, vielleicht Ard und Kajsa ausgenommen. Du bist doch einssiebzig oder so?«

Sie antwortete nicht, betrachtete die Bilder, die sich durch die unheimliche Wiederholung immer ähnlicher wurden. Die Gesichter wurden austauschbar mit allen Verletzungen und Löchern. War das die Absicht des Mörders?

Ove Boursé fuhr fort:

»Wie bei den anderen beiden Fällen war es auch diesmal nicht schwer, die Identität festzustellen. Das Opfer hatte alle Papiere bei sich. Alles stimmte.«

»Und?«

Kajsa Lagergren spielte auf das an, was alle schon wussten, wofür sie aber eine Bestätigung brauchten.

»Nein. So ist es diesmal nicht. Vermutlich werden sich euch deswegen jetzt erst recht alle Härchen aufrichten, außer bei Sten. Nein, Bengt Arvidsson stammt nicht aus derselben kleinen Stadt wie die beiden anderen, die wahrscheinlich demselben Mörder begegnet sind. Wir haben noch keinen anderen Zusammenhang festgestellt. Na ja, es ist *early days*.«

»Aber die Ähnlichkeiten des Verbrechens selber sind groß.« Sten Ard erhob sich und strich sich mit einem Blick auf Boursé über die Glatze. »Und wir geben noch keine Hypothesen heraus.«

»Eine Botschaft.«

Kajsa Lagergren sprach mit sich selbst, leise.

»Kajsa?«

»Mitten in dieser Raserei ist eine Botschaft, eine Mitteilung an die Welt enthalten, wie wir ja schon vorher vermutet haben. Wir müssen sie entschlüsseln. Dort finden wir die Antwort darauf, ob es sich hier um einen Racheakt handelt oder etwas ganz anderes.«

Boursé nickte.

»Wir werden alle Ähnlichkeiten überprüfen und es muss schnell gehen.«

»Ja. Gott sei Dank leben wir im Computerzeitalter.«

»Und wir müssen mit größerem Druck arbeiten.«

»Mit größerem Druck.«

Boursé wandte sich an Sten Ard.

»Apropos Presse, was machen wir mit unseren Freunden, den Journalisten?«

»Wie – machen?«

Ards Stimme klang gereizt, er sah sich schon von den starken Scheinwerfern angestrahlt, die die Leute vom Fernsehen mit sich rumschleppten. Er sah den Schweiß auf seiner eigenen Stirn.

»Was wollen wir sagen?«

»Du meinst, was ich sagen soll.«

»Ja.«

»Eine Linie ist schon vorbestimmt. Die Leute haben ein gewisses Bewusstsein. Mit anderen Worten: Sie hatten schon vorher Angst, aber jetzt kriegen sie vielleicht richtig Schiss.«

»Gefasst und ruhig also.«

»Ja. Die Botschaften, von denen Kajsa sprach, behalten wir für uns.«

»Wie lange?«

»So lange es geht, was vermutlich nicht sehr lange sein wird, da die Gerichtsreporter Informationen liefern müssen und hier drinnen immer extra Druck machen.«

»Hier drinnen?«

Calle Babington hatte etwas gesagt.

Ard bewegte den Kopf vorsichtig von einer Seite zur anderen.

»Nicht in diesem Raum, das hoffe ich bei Gott. Aber es gibt andere Geister in unserem Gestrüpp, vielleicht übereifrige Spurensucher oder Fotografen. Oder Krankenwagenfahrer, Obduzenten, Ärzte, Gerichtsmediziner. Die haben sogar den Titel mit den Reportern gemeinsam.«

11

Jonathan Wide war eine Runde durchs Viertel gewandert, hatte fünf Minuten einem Match auf dem Karl Johanstorg zugeschaut, der kein Marktplatz war, sondern ein Schotterplatz, auf dem zweiundzwanzig Männer sich konzentriert dem Spiel in der verspäteten Division VIII der Göteborgliga hingaben. Wide sah das Engagement in den Gesichtern der Männer: alles, was nicht wichtig war, hintangestellt, jedenfalls für den Moment. Den Ball verfolgen, ihn um jeden Preis verteidigen. Sich dem Feind in den Weg stellen, sich das Recht nehmen, gegen die Obrigkeit zu protestieren. Der Schiedsrichter urteilt, wie er will, aber im Kopf steht alles still, dachte Wide und sah sich selbst bei der Fußballmannschaft der Polizei: Die Haare standen ihm zu Berge, wild starrende Augen auf den inkompetenten Schiedsrichter, verletzte Gegenspieler in seinem Weg, in die ungepflegten »Schützengräben« der Schotterplätze gefallen. Wide ließ nicht gern jemanden an sich vorbei, verstand nie, warum seine Rempeleien immer zu einer Verwarnung führten, manchmal zum Platzverweis. Er wollte doch nur den Ball haben.

Er ging weg, die Såggatan in südlicher Richtung, nach

Hause, und als er sich im Flur die Schuhe auszog, fiel ihm auf, dass der Geruch nach dem frisch tapezierten Mädchenzimmer nachgelassen hatte, und wieder rief er in seinem ehemaligen Zuhause an.

»Elisabeth.«

»Hier ist Jonathan.«

»Hallo.«

»Hallo.«

Ein Schweigen wie auf Zehenspitzen, Vorsicht im Umgang miteinander nach alldem, was geschehen, gesagt worden war. Schließlich ergriff seine Exfrau das Wort.

»Wie geht's mit dem Job, dem Sicherheitsjob?«

»Ich hab mich umgesehen.«

»Dich umgesehen? Bist du die Rolltreppen rauf- und runtergefahren?«

»So ist es.«

»Hast dich vertraut gemacht.«

»Nein.«

Was sollte er ihr darauf antworten. Wide glaubte nicht, dass er der Mann war, der sich mit einem Kaufhaus vertraut machen könnte, egal, was für einer Art Kaufhaus.

»Hast du diese Serie *Das Kaufhaus* im Fernsehen gesehen?«

Er hörte sie kichern, schwach, fast unbewusst.

»*Das Kaufhaus*?! Nein, danke, aber Elsa guckt es sich an.«

»Ist das denn schon für sie geeignet?«

»Diese Soaps schauen sich meistens Kinder an. Das gehört sozusagen zu ihrer Entwicklung, so wie wir früher bestimmte Mädchenbücher gelesen haben.«

»Indianerbücher.«

»Du hast Indianerbücher gelesen?«

»Nein.«

»Aha.«

Das gefiel ihm nicht. Er hatte die Serie nicht gesehen, aber er hatte genügend Phantasie, um sie sich vorzustellen. Er mochte kein Fernsehen, jedenfalls nicht das, wofür das Fernsehen häufig stand: viel Menschenverachtung und gerissene Idiotie.

»Mir gefällt nicht, dass sie sich so was anguckt.«

»Jonathan ...«

»Das ist nichts für sie. Schaut sie sich stundenlang solchen Mist an? Und Jon sitzt womöglich daneben?«

»Jonathan ...«

»Ein Glück, dass sie mich manchmal besuchen. Gut, dass ich das jetzt weiß. Jetzt wird mir klar, wie wichtig es ist, ihnen hin und wieder ein Buch in die Hand zu geben.«

So schafft man eine Missstimmung wegen nichts. Wie in den meisten Fällen stand er neben sich und hörte dem kleinlichen Genörgel zu, den kleinen Sticheleien. So verteidigte sich jemand, der keine Vernunft annehmen will. Das Kaufhaus? Ihm doch egal, als Film oder in Wirklichkeit. Was er eigentlich sagen wollte, war, dass er mit jemandem sprechen wollte, es ihm aber schwer fiel, es auszusprechen, und er deswegen zum Angriff überging. Aber er glaubte, dass sie ihn verstand. Sie war eine Frau. Sie verstand ihn.

»Entschuldige, lassen wir das Kaufhaus. Ich hab nur davon angefangen, weil ich es mir heute Abend ansehen werde, als eine Art Vorbereitung.«

Sie antwortete nicht. Er konnte sie vor sich sehen, die Falte zwischen den Augenbrauen, die sich erst eine halbe Stunde nach dem Gespräch glätten würde, die Vorderzähne in die Unterlippe gepresst und der Körper eingehüllt in einen Duft nach Frühlingssonne. Seine Frau, als sie noch seine Frau gewesen war, hatte nach den ersten Apriltagen geduftet, wenn die Menschen sich auf die Parkbänke setzen und das Gesicht dem Himmel zuwenden. Nach zehn Minuten merken sie, dass ihr Körper auftaut; sie müssen die Jacke aufknöpfen. Dieser Augenblick war ihm immer fast heilig gewesen: das erste Mal im Jahr, an dem man die Kleidung lockerte.

»Also, was diesen Job im Kaufhaus angeht, da bin ich nicht sicher, ob ich der Richtige bin.«

»Passt dir die Schirmmütze nicht?«

»Es geht eher um die Box am Eingang.«

»Zu eng.«

»Ja.«

Die Stimmung kehrte zurück, ein wenig jedenfalls. Er entspannte sich.

»Aber mal ehrlich, Jonathan, es geht doch nicht an, dass du ständig zögerst.«

»Nein.«

»Ich war der Meinung, dass du ihn angenommen und schon angefangen hättest.«

»Angefangen hab ich gewissermaßen, ich sitz hier und schau mir die Profile von Ladendiebstählen an.«

»Profile von Ladendiebstählen. Bald wird ja wohl alles mit dem Wort ›Profil‹ verbunden, das ist doch verrückt.«

»Siehst du, ich bin schon deformiert, schon nach dem ersten Besuch dort.«

»Trotzdem kannst du ja wohl wie ein normaler Mensch reden.«

»Du hast Recht. Profile. Als ob man immer alles von der Seite betrachten müsste und am Ende sieht alles ungefähr aus wie ägyptische Figuren.«

»So ist es. Alles soll gleich aussehen.«

Es geschah wieder, genau wie vor wie vielen Tagen ... Er konnte sich nicht erinnern, erinnerte sich aber an den Ton jenes Gesprächs, als ob all die Schärfe und die Staubwolken sich endlich gelegt hätten. Manchmal wurde noch etwas aufgewirbelt, wie eben, aber nur ein wenig. Dann legte es sich wieder.

Jetzt und diesmal war ihm klar geworden, wie sehr er jemanden in seiner Nähe vermisste, mit dem er über die alltäglichen Kleinigkeiten und auch über die größeren Dinge reden konnte. Unvorbereitet, nicht geplant und nicht während einer begrenzten Zeitspanne an einem Kneipentisch. Oder in Gesprächen mit den Erregten und Verzweifelten. Nur mit seinen Kindern hatte er sich früher auf diese Weise unterhalten können. Wide war nicht besonders redselig; von Natur aus war er eher wortkarg, aber selbst ein Mensch mit dieser Veranlagung wollte manchmal etwas sagen, wenn nur jemand bereit war zuzuhören.

Er hatte es erst begriffen, als es zu spät war. Jetzt hüpften seine Gedanken zwischen den Wänden seiner Zweizimmerwohnung in Majorna hin und her, jagten sich in seinem Kopf im Kreis, immer schneller und verrückter, je mehr er trank. Er hatte auch früher getrunken, aber damals hatte er sich eingebildet, er trinke, weil es ihm Spaß mache. Als seine Ehe scheiterte, wurde ihm klar, dass keiner seiner Nächsten dieses Wohlbefinden nachvollziehen konnte, das er empfand, wenn er Alkohol getrunken hatte.

»Du, ich ruf Samstag noch mal an.«

»Bist du sicher, dass du Zeit hast?«

»Klar. Alles ist vorbereitet. Jetzt reden wir nicht mehr darüber, ja?«

»Nein, nein. Kommst du sie abholen?«

Sollte er das tun, sich ins Auto setzen und die Kinder aus Fredriksdal abholen?

»Gut, gegen elf. Ist Elsa da?«

»Nei... doch, warte mal, da kommt je... Elsa? Els... ja, sie ist es, warte, sie muss sich nur erst die Stiefel ausziehen. Da ist sie. Tschüs.«

Er hörte die Geräusche aus dem Haus am anderen Ende der Stadt, das Scheppern, als der Hörer zu Boden fiel, ein »Oje!« und eine Stimme:

»Papa!«

»Hallo, mein Schatz.«

»Wir kommen dich Samstag besuchen.«

»Ich weiß.«

»Machst du uns was Gutes zu essen?«

»Klar.«

»Und was?«

»Das verrat ich nicht.«

»Ich bin Vegetarierin geworden. Die vegetarischen Gerichte in der Schule schmecken mir besser als die anderen.«

»Das ist klug von dir. Es ist gesund, wenn man nicht so viel Fleisch isst.«

»Aber ich mag Hühnchen sehr gern – dein Spezialgericht. Kann man das essen, obwohl man Vegetarier ist?«

Er hörte ihre bekümmerte kleine Stimme.

»Das entscheidet man selber. Man kann mein Spezialgericht essen und gleichzeitig Vegetarier sein.«

»Bestimmt?«

»Klar.«

»Dann will ich das.«

»Was willst du?«

»Vegetarierin sein und dein Spezialgericht essen.«

»Gut, also gibt es Hühnchen.«

Er hörte ein kleines Lachen.

»Freust du dich auf die Ferien?«

»Jaaa, wir hatten so viele Hausaufgaben. Was wollen wir machen?«

»Pläne hab ich noch nicht. Vielleicht zum Südpol fliegen.«

»Oder nach Amerika. Wir haben was über Amerika gelernt.«

»Vielleicht Amerika. Aber Samstag, hab ich gedacht, fahren wir erst mal nach Lilleby.«

»Können wir nicht Feuerholz mitnehmen und Würstchen grillen?«

»Genau das hatte ich eigentlich vor.«

»Hurr...«

Er hörte, wie die Freude mittendrin abbrach.

»... aber das geht ja nicht.«

»Warum nicht?«

»Ich bin doch Vegetarierin!«

»Ich glaube, anfangs darf man ruhig mal gegrillte Würstchen essen, auch wenn man beschlossen hat, Vegetarier zu werden – besonders, wenn die Würstchen auf einem Felsen am Meer gegrillt wurden.«

»Wirklich?«

»Doch, bei einer solchen Gelegenheit.«

»Dann machen wir das! Aber ich weiß noch nicht, ob ich sie essen werde.«

»Ist schon in Ordnung.«

»Falls du noch mit Jon reden wolltest, das geht nicht. Er ist bei seinem Freund.«

»Wer ist das?«

»Niklas. Er wohnt oben auf dem Hügel.«

»An den kann ich mich gar nicht erinnern. Ist er da neu eingezogen?«

»Ja, zusammen mit seinen Eltern und seinem großen Bruder.«

»Also ist Niklas noch nicht von zu Hause ausgezogen.«

»Nee, du Dummi.«

Aber er hörte, dass ihre Stimme nicht mehr so stark klang. Er hätte sich in den Hintern beißen mögen und wünschte, er hätte den Mund gehalten. Der Scherz wurde auf der Stelle flau, daran hatte er nicht gedacht: Es war zwar nicht seine

Idee gewesen, aber er hatte sich von seiner Familie getrennt, und Kinder sind die Letzten, die so etwas vergessen. Wie hatte *er* das vergessen können? Er war ein Idiot.

»Elsa?«

»Ja?«

»Ich freu mich auf euch.«

»Ja.«

»Wir sollten uns ein bisschen öfter sehen.«

»Ja. Können wir uns nicht auch in dieser Woche treffen?«

»Das wäre prima.«

»Nach der Schule.«

»Gut.«

»Falls du nicht arbeitest.«

»Nee, ich sorg dafür, dass ich nach der Schule nicht arbeiten muss.«

Bengt Arvidsson war seinem Tod im Svaleboskogen begegnet. Jonathan Wide und Sten Ard standen dort, wo das Wäldchen an einem Feld endete.

»Svalebo. Sozusagen mitten zwischen den Häusern. Diese Abgebrühtheit jagt mir wirklich einen Schrecken ein.«

Jonathan Wide schaute zum Västra Kyrkogård, zur Högsbohöjd, und nahm ein Stück Meer dahinter wahr. In der Luft lag eine Ruhe, die von den stillen Gräbern dort unten auszugehen schien, wo Göteborger in die Erde zurückgekehrt waren.

Der Mann, den sie hier oben gefunden hatten, war am falschen Platz gelandet. Dort unten sollte er liegen, unter einem Stein, in den seine Lebensjahre für die Augen der Welt gemeißelt waren. Wer würde sich über den Stein beugen und die Daten lesen und sich in Trauer versenken? Sie wussten es nicht, sie hatten keine Angehörigen von Bengt Arvidsson gefunden. Er hatte allein gelebt. Seine Eltern waren tot, so viel hatten sie herausgefunden. Keine Geschwister.

»Oder Wahnsinn.«

»Was?«

Sten Ard wischte sich ein paar Wassertropfen vom Mantelärmel.

»Abgebrühtheit oder Wahnsinn oder eine Kombination aus beidem. Wir haben es mit einem Mann zu tun, der Pläne verfolgt, sich aber in dem Moment, wo er sie ausgeführt hat, um nichts mehr kümmert.«

»Ein Mann. Ein einziger.«

»Das glaube ich.«

Sie schauten zur Absperrung hinüber, die Farben der Bänder standen in brutalem Kontrast zur vermodernden Natur, der Stille. Zwischen den Zweigen sah Wide die kleinen Villen dahinter. Wie nah sie waren.

»Wer hat ihn gefunden?«

»Wieder ein Hund. Bald müssen wir Hunde wohl auf unsere Gehaltsliste setzen.«

»Nichts, was sich von den vorherigen Morden unterscheidet?«

»Nicht im weiteren Sinne. Die Verletzungen, die Todesursache. Die Decke.«

»Da haben wir den verdammten Zusammenhang. Noch keine Analyse der Faser?«

»Nein. Und was die Herkunft der Decke angeht, ist es ganz unmöglich, eine Suche zu organisieren. Wenn wir nichts in oder an ihr finden.«

»Massenproduktion.«

»Ja.«

»Aber er muss irgendwie Zugang zu dieser Art Decken haben.«

»Oder er hat früher Zugang dazu gehabt.«

»Es muss doch Arbeitsplätze in der Stadt geben, wo es mehr Decken gibt als andernorts.«

Sten Ard antwortete nicht, er drehte den Hals von einer Seite zur anderen.

»Was hast du?«

»Genickstarre. Es ist wahrscheinlich das Wetter.«

»Dann hast du allerdings eine lange Zeit Genickstarre vor dir.«

»Vielen Dank.«

Jonathan Wide spürte die Feuchtigkeit durch seine Schuhe; er hatte die Boots gegen kräftigere Lederstiefel eingetauscht, aber das half nichts. Er musste sich in Acht nehmen: Er diskutierte Ermittlungsdetails mit Ard. Das wollte er nicht, das heißt, eigentlich wollte er sehr gern, aber es war vorbei.

»Seine Opfer in Decken einzuwickeln, die Decken zum Tatort mitzuschleppen, darin muss doch eine Art Symbol enthalten sein!«

»Etwas Religiöses.«

»Da bin ich nicht so sicher. Aber es ist ein Ritual, es scheint ein Ritual zu sein.«

»Vielleicht.«

»Gar nicht so ungewöhnlich.«

»Irgendein Sinn muss doch darin stecken.«

Wide sah einen gelb gekleideten Radfahrer über den Friedhof fahren. Er folgte dem gelben Fleck in westlicher Richtung, die Högsbohöjd hinauf. Es war wie ein Wollknäuel oder eine Kugel und die einzige lebendige Farbe in Wides Gesichtsfeld.

»Vielleicht wollte er, dass sie nicht frieren müssen in der Hölle.«

»Im Himmel. In der Hölle braucht man keine Decken.«

»Ich glaube nicht, dass er der Meinung war, die Opfer

kämen in den Himmel. Er hat sie hinunter ins Inferno geschickt.«

»Dante.«

»Ja.«

»Corytus.«

»Ja.«

»Aber wenn er sie so sehr gehasst hat – warum dann diese Fürsorge? Und alles schon im Voraus geplant.«

»Das ist eine gute Frage. Sie wird deine Ermittlungen etwas komplizierter gestalten, oder?«

Ard antwortete nicht. Er streckte den Handrücken aus und stellte fest, dass es nicht mehr regnete. Jetzt wurde Feuchtigkeit vom Meer herangetragen, aber in schwächeren Böen. Er fröstelte, hätte einen Pullover anziehen sollen. Auf dem Weg hierher und während sie hier standen, war es kälter geworden. So war es in dieser Stadt: morgens mild und lind, gegen Mittag kalt und rau. Oder umgekehrt.

Sie gingen zurück, spannten die Wadenmuskeln an auf dem steilen Abhang hinunter zu den kleinen Reihenhäusern in der Fågelfängaregatan.

Wide spürte, dass sein Puls schneller ging.

»Ich glaube, ich hab ein paar Namen. Und Gesichter.«

»Wovon sprichst du?«

»Diese Clique, von der ich dir schon mal erzählt habe, um Melinder herum. Einige von denen hab ich auf den Fotos gefunden. Ein Freund von zu Hause hat mir geholfen, vielleicht haben wir zwei Namen.«

»Gut, sehr gut.«

»Vielleicht kannst du jetzt direkter zur Sache gehen.«

»Scheißgefühl, im Leben eines anderen rückwärts zu blättern. Fast so ein Gefühl, als lese man heimlich ein Tagebuch. Das ist fast immer so, in all diesen Fällen, auch wenn wir mit Arvidsson gerade erst angefangen haben. Aber diesmal ...

Er scheint keine Menschenseele gekannt zu haben, bei ihm gibt's also keine Tagebücher, in denen was stehen könnte.«

»Herausgerissene Blätter?«

»Ja, das könnte sein, aber ich glaube es nicht.«

»Es sind alles irgendwie leere Leben.«

»Ihre Leben sind jedenfalls von einer merkwürdigen Stille umgeben.«

»Na, jetzt hast du erst mal zwei Namen. Glaube ich.«

»Gut.«

»Glaubst du, sie sind in Gefahr? Die aus dieser Kinderbande, wenn man sie so nennen kann?«

»Das ist schon möglich. Vielleicht haben sie etwas mit den Fällen zu tun. Oder einer von ihnen.«

»Könnte sein.«

»Wir müssen schnell arbeiten.«

»Wie immer.«

»Danke, Jonathan.«

»Bedanken kannst du dich später.«

Ard hatte das Auto vor der Bank am Mariaplan geparkt. Sie blieben noch eine Weile stehen. Ard öffnete die Tür, sah die Wassertropfen wie ein dichtes Netz vom Rahmen fallen und im Sitz versickern. Da soll ich gleich sitzen, dachte er.

»Was machst du Mittwochabend, Jonathan?«

»*Stakeout.*«

»Was?«

»Ich hab ein kleines *Stakeout*, wie wir in der Branche sagen. Kleiner Spionierauftrag.«

»Scheidung?«

»Noch nicht.«

»Ist das nötig?«

»Eheratschläge gehören normalerweise nicht zu meinen Aufträgen.«

»Ist es nötig, das ausgerechnet am Mittwoch zu tun?«

»Vermutlich nicht. Wenn ich ehrlich sein soll, kommt mir das Ganze überhaupt nicht nötig vor.«

»Du willst eigentlich nicht.«

»Darum geht es nicht. Wer nicht arbeitet, soll auch nicht essen.«

»Aber du hast doch schon gearbeitet. Für mich. Und ich hab einen besseren Vorschlag. Nächsten Mittwoch spielt IFK gegen Newcastle, Champions League. Ich hab zwei Karten.«

»Hast du nicht eine Ermittlung, um die du dich kümmern musst?«

»Vorausgesetzt, das Match kommt der Ermittlung nicht in die Quere, ist Fußball angesagt.«

Jonathan Wide sah sich schon im Auto, Mittwochabend vor dem Haus in der Vasagatan. Die Adresse stand in seinem Notizbuch: Das Paar würde das Haus verlassen, in Richtung Avenyn gehen, er selber fünfundzwanzig Schritte dahinter, mit angestrengten Augen. Stunden später: ein schlüpfriger Bericht, aufgeweicht wie der Herbstabend, an dem er entstanden war. Ein herzzerreißendes Dokument. Hinterher: Zerrüttung, das Resultat seiner Arbeit.

»Okay, ich komm mit. Unter einer Bedingung.«

»Und die wäre?«

»Dass du am Samstag darauf mit mir in *Madame Butterfly* gehst. Denn auch ich habe zwei Karten. Eigentlich wollte ich mit Elsa gehen, aber es passt nicht. Mit ihr gehe ich in eine andere Vorstellung.«

»Die neue Oper? Ich dachte, die wolltest du nie betreten!«

»Wirklich?«

»Das hast du selber gesagt: ›eine Kathedrale ohne Seele‹, gilt das nicht mehr?«

»Das war, als sie gebaut wurde. Wir *aficionados* lösen uns

langsam von der alten Oper. Aber jetzt muss ich hin und sie mit eigenen Augen sehen.«

»Ist sie gut?«

»Wer?«

»Die *Butterfly*.«

»Du wirst zwar finden, dass sie nicht an deinen Chuck ranreicht, aber eine gute Inszenierung der *Butterfly* ist mehr als ›gut‹. Es hängt natürlich von den Stimmen ab. Bei dieser Aufführung glaub ich an die Stimmen, jedenfalls an einige.«

»Na gut, abgemacht. Fußball gegen Oper, ein anständiger Deal. Und jetzt nenn mir die Namen.«

Er fand das Gebäude schön. Darüber konnte er stundenlang reden, aber niemand war seiner Meinung. »Mensch, Janne-Janne«, sagten sie, »die Butze können die abreißen und bei der Heilsarmee unterbringen.« »Das ist nicht dasselbe«, hatte er entgegnet, »das kann man nicht vergleichen, es gehört Kultuuuur dazu, aber das kapiert ihr Idioten nicht.« »Dann geh doch hin und kauf dir eine Eintrittskarte«, hatten sie gegrölt.

Aber Janne-Janne war nicht hingegangen. Er war keinen Schritt weitergekommen als bis zu der Stelle, wo er jetzt stand, vor dem Tagesheim der Heilsarmee auf der Sankt Eriksgatan gegenüber der neuen Oper, auf der anderen Seite der Göta-Umgehung. Als ob ein Raumschiff mitten unter uns im Schlamm des Grundes gelandet wäre, dachte er. Die Engel sind gelandet, und bald kommen sie herüber mit Fünf-Korn-Brot und zwei Fischen und einem guten spanischen Landwein – Wein, so viel wir wollen. Und er merkte, dass er Hunger hatte, und kehrte zum Frühstück »nach Hause« zurück: Butter, Brot, Aufschnitt, Kaffee, Saft.

»Hast du den Kerl gesehen?«, hatte er Sixten gefragt, als die Morgensonne in ihre Wohnung im Schlosswald schien, am Morgen nach dem, was vielleicht vorgestern gewesen war.

»Was?«, hatte Sixten zurückgefragt, aber er sagte oft ›was‹, und Janne-Janne begriff, dass es sinnlos war, weiterzureden. Sixten war jetzt am Morgen wie ein eben entdeckter Krater auf der Rückseite des Mondes, auf *the dark side of the moon*, wie eine von Janne-Jannes Platten hieß, die er besessen hatte, als er noch ein richtiges Zuhause hatte.

Aber es waren andere da, mit denen er reden konnte. Das hatte er getan. Er hatte eine Entdeckung gemacht. Verdammt komisch, was er da gehört hatte: Snuven und Åkarn Andersson erzählten, sie hätten von welchen gehört, die morgens unter einer Decke aufgewacht waren. Sie konnten sich nicht daran erinnern, sich zugedeckt zu haben, als sie in die Falle krochen. Und als er gestern in aller Ruhe einen Halben mit Freund Lelle im Hagaparken teilte, da hatte Lelle gesagt: »Also, ich hab hier im Hagaparken gelegen, und plötzlich merk ich was, und dann bin ich plötzlich zugedeckt«.

»Unter uns gibt's einen barmherzigen Samariter«, sagten sie, und darauf tranken sie einen. Aber Janne-Janne gefiel das nicht so recht, und er hatte mit Sven geredet, dem Hausmeister im Tagesheim, und sie waren sich einig gewesen, dass an der Sache irgendwas faul war.

»Janne!«

Noch kein Happen im Bauch und schon schrien sie nach einem. Er sah auf, sah Sven am Tresen zusammen mit einem Stutzer, der sich weiß Gott wieso hierher verirrt hatte. Firma im Eimer, ha, ha, willkommen, Bruder. Er ging dahin, wohin er sowieso schon unterwegs war. Sven sah verdächtig freundlich aus.

»Janne, hast du mal einen Augenblick Zeit?«

»Nee, ich frühstück doch grade.«

»Hier ist jemand, der sich mit dir unterhalten möchte.«

Janne-Janne warf dem »Jemand« einen Blick zu. So hatte er früher vielleicht auch mal ausgesehen, abgesehen vom Schnurrbart. Er roch förmlich den Bullen.

»Ich hab nichts verbrochen«, erklärte er.

»Aber nein«, sagte Ove Boursé und zeigte ihm diskret seinen Ausweis, »ich möchte Ihnen nur ein paar Fragen stellen. Könnten Sie mir in das Hinterzimmer folgen?«

Er folgte ihm, er hatte ja keine andere Wahl. Er wusste, um was es ging. Er sollte es besser wissen, hätte lernen sollen, sein Maul zu halten. Er wurde gefragt, was er erwartet hatte. Er antwortete, erzählte und merkte nach einer Weile, dass ein bisschen Abwechslung gar nicht so schlecht war. Ein Gespräch mit einem gebildeten Mann.

»Würden Sie diesen Mann wiedererkennen?«

»Schon möglich, wenn ich ihm mal begegne.«

»Wir werden nach Ihrer Beschreibung ein Phantombild anfertigen.«

»Ist das nötig? Es ist doch kein Verbrechen, Decken an Leute zu verschenken, die ein bisschen frieren.«

»Nein, nein, aber etwas merkwürdig ist das doch.«

Janne-Janne strich sich übers Kinn.

»So was hab ich noch nie gehört. Andererseits, ich bin zwar unrasiert, aber so viel kapier ich doch, dass die Polizei nicht kommen und nach einem fragen würde, der Decken in der Stadt verteilt, wenn nicht was anderes dahinter steckte.«

Boursé tat so, als hätte er nichts gehört, fragte weiter, nach anderen Sachen.

»Wie viele Male? Da müssen Sie die Jungs schon selber fragen, ich kann nur für mich allein antworten. Wen? Ich werd's Ihnen sagen, aber wo sie sind, weiß ich nicht. Lelle frühstückt gerade, aber sagen Sie ihm nicht, dass Sie es von mir wissen.«

Hinterher sprach Ove Boursé mit Freund Lelle, er musste

ihm die Worte einzeln aus dem Mund ziehen, wie ein Zahnarzt Zähne zog.

Der Morgen war in den Vormittag übergegangen, als Boursé herauskam, und es war später Abend, als er die Stadt auf der Suche nach den Abgebrannten und Obdachlosen abgegrast hatte. Er blieb lange in seinem Büro sitzen. Nur die Schreibtischlampe beleuchtete den Raum, während seine Schuhe neben der Tür und die Strümpfe auf der Heizung trockneten. Boursé legte ein Puzzle, und gegen Mitternacht hatte er einige Teile zusammengefügt – nicht alle, aber genug, dass ihm abwechselnd heiß und kalt wurde. Es gab ein Muster, die Daten stimmten überein. Jemand breitete Decken über lebendige, aber heruntergekommene Körper, während gleichzeitig jemand über tote und grausam zugerichtete Körper Decken breitete. Was zum Teufel hatte das zu bedeuten?

Mussten sie diesen Punkt überhaupt beachten? Fingen sie an, zu viele Zusammenhänge in diesem Fall zu sehen?

Aber etwas war da. Es war seltsam. Sie mussten mit dem vorlieb nehmen, was sie hatten; dieser Janne-Janne, wie er genannt wurde, könnte nützlich sein. Wenigstens von dem barmherzigen Samariter könnten sie ein Bild oder eine ungefähre Beschreibung bekommen. Das war ein Anfang. Er befühlte die Strümpfe, immer noch feucht, er zog sie an, stieg mit einer Grimasse in die Schuhe und ging durch den Korridor, der von seinen Schritten widerhallte.

12

Kajsa Lagergren überquerte den Fattighusån, der Odinsplatsen lag in ihrem Rücken. Ein überfallener Laden, die Einrichtung in Trümmern. Kein Stein wäre auf dem anderen geblieben, wenn es Steine gegeben hätte. Odinsplatsen. Heute ein passender Name für Gewalt gegen Abweichende, gegen die Nicht-Blonden.

Die Arroganz war das Schlimmste. Tageslicht, Abend oder Morgen, das spielte keine Rolle – die Kerle gingen einfach rein mit ihren schwarzen Masken. Keine Zeugen, niemals Zeugen. Nur Trümmer, dachte sie, wie der da oben, dachte sie und schaute zum zerrissenen Himmel hinauf. Rußige Wolken wie Brocken von Koks auf einer novembergrauen Fläche. Unter einem solchen Himmel arbeiten zu müssen. In einer Stunde würde es dunkel sein. Dann brauchte sie ihn wenigstens nicht mehr zu sehen.

Im Zimmer hängte sie die Jacke an einen Haken an der Innenseite der Tür und fasste einen Entschluss, holte den Stadtplan von Göteborg und pinnte ihn an die Wand. Das hätte sie schon eher machen sollen, aber sie hatte versucht, die Bilder direkt am Tatort einzufangen, war durch die Stadt gefahren und hatte sich Zeit für die Opfer genommen. Es gab ja auch noch etwas anderes. Sie dachte an die Fotos, die Sten gezeigt hatte: Wie lange noch musste sie ihre Zeit für diese Überfälle einsetzen, diese *Fälle*? Sie wartete nur darauf, dass Sten sie anweisen würde, damit aufzuhören. Vielleicht würde sie erleichtert sein, in eine andere Unmöglichkeit fliehen zu können. Nein, das war negatives Denken, in eine andere Problemlösung zu fliehen. Sie ließ ihren Blick nordöstlich vom Stadtzentrum aus über die Karte gleiten und steckte die erste Nadel mit einem großen roten Kopf hinein, mitten in den Rymdtorget. Weiter nördlich war kein zugewanderter Laden- oder Lokalbesitzer überfallen worden, noch nicht.

Die Karte an der Wand gab nach, sank zur Mitte hin ein, und sie pinnte sie mit mehr Nadeln an der Tapete fest. Dann nahm sie eine weitere rote Stecknadel, sah ihre Notizen durch und steckte sie etwas weiter links in Richtung Kortedala.

Sie arbeitete sich weiter nach Westen, Süden, wieder nach Osten, vor nach Süden und zurück, bis eine kleine Linie entstanden war. Sie überquerte den Fluss mit den Nadeln und dachte an den Göteborg-Lauf und an die tausend Nadeln, die sich genau auf der Götaälvbrücke aus den Schuhen in die Fersen hineinzubohren pflegten. Aber hauptsächlich dachte sie an den schwarzhäutigen Roosevelt Tanai und seinen Laden nahe beim Backaplan, an dem sie auf ihrer bizarren Reise über den Stadtplan, der so ruhig und friedvoll wirkte, gerade vorbeigekommen war. Das war also Göteborg: Noch nie hatte sie sich so intensiv mit der Karte auseinander gesetzt, nicht einmal in der Zeit ihres Einlebens hier, gleich nach Abschluss der Polizeihochschule. Sie stammte aus Göteborg, aber die Polizei besaß andere Stadtpläne; sie hatte sie sich eingeprägt, mehr aus Pflichtgefühl, denn wenn sie dem Verbrechen begegnete, geschah das nicht auf dem Papier.

Jetzt war es eine andere Art Reise, wie eine Ballonreise mit dem Blick auf bestimmte Ziele unten. Sie überlegte, ob die Täter genauso vorgegangen waren wie sie, ihre Ziele auf dieselbe Art markiert hatten. In dieser Stunde, während zwei entsetzlicher Sekunden, sollte sie begreifen, dass sie tatsächlich so vorgegangen waren.

Fünfundvierzig Minuten später trat Kajsa Lagergren drei Schritte zurück, betrachtete das rote Muster, das ihre Nadeln auf der Karte hatten entstehen lassen, schloss die Augen, schüttelte den Kopf, öffnete die Augen. Das Muster war noch da. Es kann nicht wahr sein, nicht wahr sein, dachte sie. In ihrem Kopf tobte plötzlich eine seltene Migräne, sie spürte den scharfen Schmerz hinter dem linken Auge, Nebel legte sich wie ein Vorhang über ihren Blick, Übelkeit. Sie ging zur Toilette, das kalte Wasser zog den Vorhang von ihrem Gesicht, sie begann wieder zu atmen. *Ich bin zu empfindlich für das alles.* Sie holte tief Luft und kehrte zurück. Im Korridor begegnete sie Ove Boursé.

»Was ist, Kajsa, du siehst so blass aus?«

»Komm mal mit.«

»Wa...«

»Komm mit. Ich muss dir was zeigen.«

Sie gingen in ihr Büro, Kajsa voran. Von der Schwelle aus gesehen war das Bild noch deutlicher. Unvollständig zwar, das sah sie jetzt, aber deutlicher. Kein Zweifel, es gab keinerlei Zweifel. Sie war nicht sicher, ob Ove es auf den ersten Blick erkannte.

»Ich beschäftige mich mit den Überfällen auf die Einwanderer, die Läden und Pizzerien.«

»Ja, eine widerliche Geschichte.«

»Ich hab die Tatorte auf dem Stadtplan markiert, guck mal.«

Sie ging zur Wand und hob den Arm.

»Hier draußen in Bergsjön, dann runter nach Sävedalen, weiter nach Süden, dann nach Biskopsgården. Siehst du meine Linie, oder die Linien?«

»Du stehst davor, geh mal beiseite.«

Sie stellte sich neben den Stadtplan, Boursé trat zwei Schritte zurück, dann wieder einen vor.

»Himmel.«

»Ja.«

»Du lieber Gott!«

Quer über Göteborg lag ein Hakenkreuz aus roten Stecknadelköpfen. Man brauchte keine Phantasie, um das zu erkennen. Kajsa Lagergren stellte sich neben Ove Boursé.

»Du siehst es also auch.«

»Natürlich sehe ich es.«

»Es ist noch nicht fertig.«

»Nein.«

»Aber du bist ganz sicher.«

»Ja, bei Gott. Kajsa, das ist gut. Ich meine, was du getan hast, ist gut.«

»Es ist unglaublich.«

»Oberhalb des Flusses ist es schon fertig – gezeichnet, oder wie zum Teufel man das nennen soll. Und da, im Südosten auch.«

»Nur im Westen ist es noch nicht fertig.«

»Es muss so sein. Das wären zu viele Zufälle.«

»Ja, zu viele Zufälle.«

Boursé strich sich über den Schnurrbart. Sie sah, dass er mehr Erregung zeigte als je zuvor.

»Das ist faszinierend in seiner Scheußlichkeit. Man braucht viele Orte, um ein Hakenkreuz zu schaffen. Es ist nicht zu fassen, ein großes Hakenkreuz über ganz Göteborg. Sind wir wirklich auf dem Weg dahin?«

»Wir sind schon dort.«

»Ich meine … unterm Kreuz sozusagen.«

»Das meine ich auch.«

»Jetzt gehst du vielleicht ein bisschen zu weit. Aber die Sache ist wahrhaftig ernst.«

»Ove, wo sind denn all die Zeugen dieser scheußlichen Verbrechen an Ausländern? Wo sind all die Mitbürger, die gesehen haben, was passiert ist?«

»Es gibt keine.«

»Nein, genau das ist es.«

»Aber deswegen sind die Leute noch lange keine Faschisten.«

Kajsa Lagergren verzichtete auf einen Kommentar. Sie folgte den Linien auf der Karte mit den Augen: hinauf, hinunter, nach vorn, zurück. Ove Boursé trat näher an die Wand und fuhr mit dem Finger über die Stecknadelköpfe.

»Wenn dies ein Muster ist, was es mit allergrößter Wahrscheinlichkeit ist, dann wissen wir ungefähr, was passieren wird. Oder wo es passieren wird.«

»So weit habe ich auch schon gedacht.«

»Das gibt uns eine Chance, dem Ganzen ein Ende zu bereiten.«

Sie antwortete nicht, sagte nicht, was sie dachte.

Sie saßen in Ards Büro, Boursé klopfte sich rhythmisch im Takt zu den Regentropfen an der Fensterscheibe auf die Schenkel, tap, tap, tap, tap.

»Ist dir schon mal aufgefallen, dass die Niederschläge zu einer Selbstverständlichkeit geworden sind?« Er zeigte auf die beschlagenen Scheiben. »Als ob es nie mehr aufhören würde.«

»Klar hört das wieder auf. Du vergisst schnell.«

»Du meinst den letzten Sommer? Die Hitze? Das war *once in a lifetime*.«

»Ich bin schon so lange dabei, dass ich mindestens fünf solcher Sommer aufzählen könnte.«

»Du lügst.«

»So?«

»So warm wie im letzten Sommer ist es noch nie gewesen und wird es auch nie wieder.«

»Wenn du es sagst.«

»Die tropische Wärme war eine bestätigende Ausnahme von meiner Theorie.«

»Und jetzt möchtest du, dass ich dich frage, wie diese Theorie lautet.«

Boursé hob einen Finger zur schmutzig gelben Decke. »Die lautet so: Es ist unmöglich, beides zu haben, einen guten Lebensstandard und gutes Wetter. In der nördlichen Welt haben wir einen guten Lebensstandard. Im Süden haben sie gutes Wetter.«

»Etwas schlicht gestrickt für eine Theorie.«

»Ich bin ein schlichter Mensch.«

Sten Ard lächelte, zum ersten Mal seit langem. Er hatte einen Grund: Die Starre im Nacken hatte nachgelassen, es war nicht eine Dauer-Genickstarre geworden. Gut ging es ihm trotzdem nicht. Er war schlecht gelaunt, gereizt. Das Lächeln verschwand auch sofort wieder, er sah Ove ins Gesicht.

»Aber den guten Lebensstandard haben nicht alle hier im Norden.«

Boursé wurde etwas ernster; es war, als wäre die Temperatur im Zimmer um vier Grad gefallen. Er begann, mit dem Finger wieder auf seinen Schenkel zu trommeln, und fügte hinzu: »Dieser Janne-Janne hat jemanden gesehen, das ist klar.«

»Wo ist er jetzt?«

»Unten am Computer.«

»Glaubst du, es kommt was dabei raus?«

»Es wird ein Bild geben. Er war nüchtern, als er kam, soweit ich das beurteilen kann. Er wartet unten in unserem gemütlichen Empfang.«

Ard stieß die Luft durch die Nase, zog seine Strickjacke aus, in der er immer die fünfzig Jahre spürte, die er bald mit sich herumtrug: ein mittelalterliches Kleidungsstück für einen mittelalterlichen Mann. Aber schön war es.

»Du ziehst die Jacke aus? Hier ist es doch kalt!«

Darauf antwortete Sten Ard nicht. Er dachte an die seltsame Geschichte, die Boursé ihm vorgetragen hatte. Wie ernst sollten sie sie nehmen?

»Also Barmherzigkeit gegenüber Obdachlosen.«

»So sieht es aus. Eine Decke über den Körper. Jemand hat von einem Streicheln über die Wange erzählt, aber hinterher hat er behauptet, er habe es geträumt.«

»Diese verdammten Decken. Babington nimmt sich gerade Arbeitsplätze in Göteborg vor, aber was kommt da nicht alles in Frage! Angestellte, Aussteiger, Arbeitslose, Frührentner ...«

»Und nichts von der Forensik.«

»Musst du wie in einem blöden englischen Krimi reden?«

Boursé sah kein Lächeln bei Ard. Dies hier war *not the time* und *not the place.*

Ard zog die Jacke wieder an, es war tatsächlich kalt hier drinnen. Er war missgelaunt. Er musste sich zusammenreißen, vielleicht etwas auf Englisch sagen.

»Die Technik? *Not yet.*«

»Das dauert doch zu lange. Wenn man all die Härchen auf den Decken untersuchen will, ist das ja, als würde man in einem Bärenfell suchen.«

»Scheiße. Stell dir mal eine DNA-Analyse davon vor.«

»Weck mich, wenn ich pensioniert werde.«

»Ja, so ungefähr.«

»Die Obdachlosen. Mit denen müssen wir uns beschäftigen, die müssen wir unbedingt im Auge behalten.«

Ard schnaubte erneut durch die Nase, schauderte fast. Tausende von Menschen trieben sich dort draußen auf einem Stück Erde herum, das sich langsam immer weiter weg von der Sonne bewegte. Er hatte eine Ziffer von zweitausend gehört, zweitausend Menschen, die *außerhalb* lebten, in allen nur denkbaren Bedeutungen. Vor einigen Jahren waren es allenfalls zweihundert gewesen.

»Es gibt also nur noch die Heilsarmee?«

»Ja. Die Stadtmission hat dichtgemacht. Bei der Heilsarmee kostet es allerdings auch einige Hunderter. Und die Unterkunft vom Sozialamt nimmt genauso viel wie das Sheraton.«

»Aber die Schlange vor der Heilsarmee ist lang.«

»Ja, länger als die vor der Oper gegenüber.«

Sten Ard dachte an Jonathan Wide. Bald würden sie in der Schlange stehen, aber er bezweifelte, dass es Schlangen vor *Madame Butterfly* geben würde.

»Ich hab gelesen, dass Göteborg Außenseitern mehr Plätze anbieten kann als Stockholm.«

»Genau das brauchen wir hier, eine bessere Statistik als Stockholm.«

»Hier herrscht der Markt«, sagte Ard mit einer Grimasse, »auch Außenseiter müssen Gewinn bringen.«

»Vielleicht geht es ihnen dann besser.«

»Ein Bett für die Nacht.«

»Was?«

»Ein Bett für die Nacht oder kein Bett für die Nacht zu haben.«

»Das ist nun das Land, das wir aufgebaut haben.«

»Ja.«

»Ich hab auch im Zusammenhang mit Kajsas Entdeckung darüber nachgedacht.«

»Ja?«

»Die Einwanderer. Das müsste mal genauer untersucht werden. Die Mehrheit der Außenseiter sind Einwanderer oder stammen aus Einwandererfamilien. Das ist neu, wenn man so sagen darf.«

»Neu? Du meinst, dass es früher keine Einwanderer gegeben hat, die zu Außenseitern geworden sind?«

»Nicht hier jedenfalls. Das Auffangnetz der Familien hat früher besser funktioniert.«

»Jetzt also nicht mehr.«

»Nicht mehr wie früher. Und wenn es keine Familie mehr gibt, gibt es auch nichts mehr in diesem neuen Paradies.«

Einwanderer als Obdachlose, eine groteske Art der Gleichberechtigung, dachte Ard. Gleiche Bedingungen für alle. Eine Botschaft: *Einwanderer, kommt nicht hierher, ihr nehmt den Schweden die Jobs weg.* Die suchen stattdessen Platz unter einem Busch im Park oder den Brücken. Hier gibt es keine Sonderbehandlung von Menschen, hier wird niemand verhätschelt.

»Wenn das bekannt wird, könnte es nicht einen dämpfenden Einfluss auf die finsteren Kräfte haben? Oder eher den Einfluss der Nazis auf die stumme Mehrheit dämpfen?«

»Glaubst du? Es wird vermutlich zu einem weiteren Argument für die ethnische Säuberung.«

13

Jonathan Wide wanderte in seiner Wohnung im Kreis herum, getrieben von einer Rastlosigkeit, die er früher vermisst hatte; ja, er hatte sie vermisst, als ob er es nicht gewagt hätte, das Leben auf mehr als einer Ebene zu leben. Er hatte seit einer Woche nichts getrunken – wann war das je geschehen? Das trug natürlich auch zur Unruhe bei.

Aber in erster Linie war es dieser Fall – diese Körper in den Hohlwegen und Gebüschen mitten in der Stadt. Dieser Mörder. Wide war erwacht, es war ein Gefühl, als erwache er aus einem langen Dämmerzustand, was ja an und für sich auch stimmte. Es war, als stände er neben sich und schaute verwundert zu, was geschah.

Oder es war ein Traum, zwar ein Tagtraum, aber etwas, dem man mit Skepsis begegnen sollte, ein nur vorübergehend klarer Blick. Geh vorsichtig damit um. Immer nur eine Sache zur Zeit, ein Schritt nach dem anderen. Sei bereit, dich wieder einen Schritt zurückzuziehen.

Er hatte sich gesetzt, nahm das Buch in die Hand. Wide wusste nicht, zum wievielten Mal er es las: Thorsten Jonsson, Erstausgabe von 1949. Er las »Konvoi« in dem Moment, wo der Herbst unter die Haut kroch: *Gestern warst du so beredt, jetzt zögerst du mit Worten*; und jetzt merkte er, dass man die Prosa auch ohne ein Whiskyglas daneben lesen konnte.

Nach einer Seite legte er das Buch auf den Stuhl und ging ins Bad, stellte sich vor den Spiegel und studierte seine Augen. Der rote Schimmer an den Rändern des Augapfels hatte sich verzogen, er sah, dass auch das kleine Netzwerk von roten Äderchen darunter zu verschwinden begann. Es wurde gleichsam eingesogen von dem Weiß der Augäpfel, die nicht mehr gelblich waren, sondern mehr zu Blau tendierten. Ein schwedisches Augenpaar, dachte er, kniff die Augen zusammen und öffnete sie wieder. Seine Familie stammte allerdings aus Dänemark; insofern stimmten die roten und weißen Farben. Vielleicht war er auf dem Weg, ein blauer und gelber Schwede zu werden.

Er harrte lange vor seinem Gesicht aus, erforschte es von außen und von innen; ein neu geschaffenes Lächeln, das sich bis in die Schläfen spannte, Haut, die sich seit Jahren zum ersten Mal glättete. Er öffnete den Mund, riss die Augen auf, lachte, ha, ha, ha, ha, ha, und der Laut klang wie ein fremdartiger südlicher Luftzug in dieser Wohnung, wie ein Vorbote von Wärme. Trotzdem ist es nur *fake*, dachte er, aber selbst ein vorgetäuschtes Lachen war ihm willkommen in diesen düsteren Räumen, und er versuchte es gleich noch einmal, ha, ha, ha, ha. Er fuhr sich mit den Fingern durchs Haar, ganz fest, seine Stirn glättete sich und wurde breit und hoch, und er wusste, was er sich wünschte, was seine Rastlosigkeit hauptsächlich verursachte: Er wünschte sich eine Frau, die ihm nah kam und ihre roten, weichen, lebendigen Lippen auf seine Stirn und seinen Mund drückte, seine Brust, den ganzen Körper.

In der letzten Zeit hatte er Frauen auf Distanz gehalten. War es ein halbes Jahr her? Oder hatten die Frauen ihn auf

Distanz gehalten, wenn er nach Mitternacht mürrisch sein eigenes Spiegelbild hinter der Bar angeglotzt hatte – nichts, um nach Hause geschleppt zu werden, niemand, neben dem man gerne aufgewacht wäre. Er war keine anziehende Gesellschaft für eine Frau gewesen, besoffen oder nüchtern, mit all der Wehmut wie eine Tugend. Wer konnte länger als einen kurzen Moment mit so einem Typen leben? Wide hielt nichts von kurzen Momenten. »In diesem Punkt bist du eher wie eine Frau«, hatte der treue schwule Shaeffer gesagt, »bei Frauen spielen die Gefühle eine größere Rolle als der Schuss. Gern ein Schuss, aber erst Gefühle.« Mist. Genau in diesem Augenblick, genau hier sehnte er sich plötzlich so heftig nach beidem, dass er einen Ständer bekam und sein Körper gleichzeitig ganz weich wurde. Er ging zurück ins Schlafzimmer. Er kriegte ihn nicht runter. Er ging zu seiner kleinen CD-Sammlung, nahm eine heraus und legte sie in den CD-Spieler, blieb stehen, während die brutale Musik seinen Körper packte, *Now, George was a good straight boy to begin with, but there was bad blood in him someway he got into the magic bullets and that leads straight to the Devil's work*, und schließlich erschlaffte sein Penis. Ihm war nur eine Polizistin begegnet, die sich gern Tom Waits anhörte – kurz nachdem sie von der Schutzpolizei zu ihnen gekommen war und er den Dienst bald danach aufgegeben hatte –, die düstere, schöne Kajsa Lagergren. Sie hatte ihn mit all der Ironie studiert, derer ein Frauenauge fähig ist, und er war ausgewichen, jedoch nicht ohne Interesse. Sie war mit Waits im Walkman erschienen, er hatte sie gefragt, was sie aufgelegt habe, sie hatte die Kopfhörer abgenommen, und eine inspirierte, ungefällige Musik hatte sich durch den hässlichen Polizeikorridor gewälzt. Wie mochte es ihr jetzt in der Wolfsgrube gehen? Er musste unbedingt Sten fragen. Wide wunderte sich, er dachte – über seine Kinder hinaus – über andere Menschen nach, sein Tag begann die andere, hellere Seite zu zeigen, *Well, now we all have those bad days when you can't hit for shit*, röchelte Waits Stimme in Höhe des Bücherregals, und Wide verneigte sich davor. Aber es musste doch nicht immer so sein?

»Einer in Jönköping, der andere in Västerås.«

»Keine Schwierigkeiten, sie aufzuspüren?«

»Die sind ja nicht gerade in den Untergrund gegangen.«

»Also sauber.«

»Ja, falls du das Alibi meinst. Wenn du Drohungen und so was meinst, ist es dieselbe Antwort.«

»Keine großen Gebärden?«

»Der in Västerås, Konny Bäckström, der hat nach Polizeischutz geschrien.«

»Das kann ich mir vorstellen.«

»Der andere hat es ruhiger aufgenommen.«

»Erinnerungen?«

»Die unterhalten sich im Augenblick, nehme ich an, aber vordergründig erinnern sie sich nicht an viel. ›Wir waren ja damals noch so jung‹, so was in der Richtung. Nichts Besonderes. Und Rickard Melinder war nur ein Kumpel.«

»Er war mehr als ein Kumpel. Oder weniger.«

»Ja, das musst du besser wissen als ich.«

»Willst du selbst hinfahren und sie verhören?«

»Ich weiß es nicht.«

»Ich finde, das solltest du tun.«

Sie stampften auf der Stelle unter den beleuchteten Schildern vorm Nya Ullevi, Ard mit einem leicht schafsmäßigen Ausdruck im Gesicht: Das Spiel fand nicht nächsten Mittwoch, sondern *diesen* Mittwoch statt, und er hatte Wide in dem Augenblick erreicht, als der gerade die Waits-Scheibe umdrehte.

Um sie sammelten sich die Anhänger, viele von ihnen schon im vor-katatonischen Zustand, der im Lauf des Spiels schlimmer werden und sie von ihren Sitzen heben würde, auf und ab, auf und ab. Wide sah nur wenige Frauen, dagegen Männer mit verbissenen Gesichtern, andere mit Gesichtern, die in Auflösung begriffen waren nach dem Trinken im Pub.

Die Einwohner von Newcastle schienen ihre Stadt geräumt zu haben. Sie waren zu Tausenden gekommen und paradierten in Schwarzweiß zwischen doppelten Reihen von Polizisten, Hunden und Pferden, und Ard wagte nicht genauer darüber nachzudenken, was das kostete. Da ist ein Fahnder im Budget zum Teufel gegangen, dachte er, als er das Polizeibataillon sah, das er zwar erwartet hatte, vor dem er jetzt aber zurückzuckte. Er hatte den Befehl mit einem knappen Nicken begrüßt und dann nach dem verabredeten Treffpunkt mit Wide Ausschau gehalten. Was schmeckt, kostet auch was, und er war ja selbst hier wegen des Fußballs. Er wollte das Spiel sehen, er war mitverantwortlich für die Kosten: Null Publikum würde null Polizisten vor Ullevi bedeuten, also mehr Mittel für die ehrwürdige altmodische Verbrechensbekämpfung.

»Die Stimmung ist ja nicht gerade heiter.«

Wide sah sich um.

»Ja, hier geht's wirklich sehr ernst zu.«

»Fußballanhänger müssen sehr deprimierte Menschen sein.«

»Die meiste Zeit, ja.«

»Früher oder später geht alles zum Teufel. Heute ein Sieg, das kann eine Niederlage in finsterer Zukunft bedeuten.«

Sten Ard nickte.

»Ein seltsamer Zustand.«

»Fußballanhänger sind in Wirklichkeit manisch-depressiv.

Sie pendeln zwischen der Euphorie eines Bergsteigers und abgrundtiefer Verzweiflung.«

»Und das alles innerhalb von dreißig Sekunden.«

»Und bei neunzig Gelegenheiten.«

»Und das ist nur die erste Halbzeit!«

Sie lachten. Ard überlegte, wann er Wide das letzte Mal hatte lachen sehen.

»Du scheinst guter Laune zu sein.«

Darauf antwortete Wide nicht, er blieb noch beim Thema.

»Ich hab in einer Zeitschrift von einem Buch über Fußball gelesen, das in England zu einem Theaterstück wurde, ein Ein-Mann-Stück. *Fever* irgendwas ...«

»*Fever Pitch.*«

»Ja, so hieß es wohl. Jedenfalls hat der Schauspieler erzählt, dass ein Mädchen nach der Premiere auf ihn zugekommen ist und gesagt hat, dass sie jetzt, nachdem sie gesehen hat, wie es ist, Fußballfan zu sein, so ein richtiger Anhänger also, der für das Spiel und die Mannschaft lebt, dass sie ihren Freund also jetzt besser verstehen kann. Zwar tat er ihr immer noch Leid, aber sie verstand ihn besser.«

Sie gingen auf den Eingang zu, folgten dem Strom. Wide konnte die Erregung mit den Händen spüren; sie fühlte sich schwer und aggressiv an in dem bläulichen grellen Licht, das den Platz unwirklich erscheinen ließ. Die Spieler, gekleidet in gebauschte Trainingsoveralls, schossen sich zum Aufwärmen Bälle zu. Es war kalt, Wide sah Atemwölkchen vor den Mündern seiner Nachbarn. Ard las einen Artikel über *Newcastle Uniteds forward Asprilla* in einer Broschüre, die im Stadion verteilt worden war. Die Anhänger von IFK Göteborg oberhalb von ihnen und schräg rechts oben wärmten mit gefletschten Zähnen schon ihre heiseren Stimmen.

Genau über der Nordkurve waren die englischen Anhänger untergebracht, wie auf Lebenszeit verurteilte Psychopathen, die Massenurlaub für eine Reise nach Skandinavien bekommen hatten. Und vielleicht waren sie das ja auch, wenn man der Presse in den Tagen vor dem Spiel Glauben schenken konnte. Aber die Engländer schienen Herz und Hirn zu haben, sie hatten sich freundlich gezeigt und den Umgang mit der schwedischen Polizei belebt; und übermäßig besoffen waren sie auch nicht, soweit Wide das beurteilen konnte. Jetzt wogte die ganze Galerie, bewegte sich ständig in den schwarzen und weißen Clubfarben. Die Galerie sang.

Wide sah sich noch einmal um. Die Plätze direkt neben ihnen waren noch nicht besetzt. Er beugte sich zu Ard.

»Bengt Arvidsson, von wo stammt der noch?«

Ard schaute von dem Artikel auf und blinzelte, um in die Gegenwart zurückzukehren.

»Genau an der Stelle ist der Bruch. Er stammt zwar aus Småland, aber nicht aus deiner Heimatgemeinde, sondern aus Mariannelund.«

»Das ist allerdings weit entfernt, könnte genauso gut Lappland sein.«

»Aber ein eingebürgerter Göteborger wie die anderen.«

»Ja, und alle eher einsam.«

»Einsamer als andere.«

»Und keine Verbindung zwischen diesen dreien.«

»Wir überprüfen alles routinemäßig, das weißt du. Aber bis jetzt nichts Neues.«

»Vergangenheit?«

Ard sah die Spieler das Feld verlassen. Sie verschwanden in einer Art Tunnel und ein Auto mit Werbung fuhr mit einer drei Meter großen Ballonflasche auf dem Dach um die Arena herum.

»Bei Gott, das ist ein harter Job. Aber im Augenblick versuchen wir herauszufinden, was für ein Leben sie in dieser Stadt führten.«

»Haben sie lange hier gelebt?«

»Hier? Ungefähr fünfundzwanzig Jahre. Sie sind als junge Erwachsene nach Göteborg gekommen wie alle, die etwas aus sich machen wollen.«

Wide sah Ard ins Gesicht, da rührten sich keine Muskeln, keine Sehnen.

»Genauso lange wohne ich auch in dieser Stadt.«

Sten Ards Gesicht öffnete sich, er wandte sich Wide zu. Immer noch ein Leerraum um sie herum, ein Wahnsinnslärm über ihnen, an beiden Seiten.

»Es gibt etwas Neues zu diesen Decken, die da rumgeschleppt werden.«

»Davon hast du erzählt.«

»Boursé hat gute Arbeit geleistet. Es war richtig, dass wir der Sache nachgegangen sind.«

»Inwiefern?«

»Sie könnten von derselben Stelle stammen oder jedenfalls am selben Ort verwahrt worden sein.«

»Demselben Platz? Du meinst, die Decken, die über tote Opfer und über lebende Opfer gebreitet wurden, stammen ...?«

»Das Labor hat eine Art Erde gefunden, die mit der, die man an den Tatorten gefunden hat, übereinstimmt.«

»An allen?«

»Es scheint so, sie sind sich noch nicht ganz sicher. Eingetrocknete Erde, die in den Falten haften geblieben ist; nicht viel, sie sind kräftig ausgebürstet worden, aber eben nicht genug.«

»Es steht noch nicht fest, welche Art? Woher?«

»Nein, aber irgendwas steckt da dahinter.«

»Von der Erde bist du genommen ...«

»Ja, Scheiße, die Geschichte macht mich schaudern.«

»Der Druck ist wohl sehr groß?«

»Ein neuer Polizeipräsident und dann passiert das. Die üblichen hohlen Forderungen von oben, dazu die üblichen leeren Hände. Den Rest kannst du dir denken. Ich verfluche den Tag, an dem wir Handys bekommen haben. Aber das ist es nicht allein. Ich hab das Gefühl, da draußen ist ein Monster losgelassen.«

»Klar, ein Monster ist losgelassen, nämlich hier.«

»Ja, da ist etwas, was wir sehen müssten. Es ist die ganze Zeit da, vor unseren Augen, von dem wir ausgehen könnten und das uns direkt zu einem Resultat führen würde.«

»Ist das mehr als eine Ahnung?«

»Ich glaube ja. Und jetzt bist du dran. Ich glaube, du empfindest das Gleiche.«

Jonathan Wide antwortete nicht. Sten Ard hatte Recht.

Nachdem das Spiel zehn Minuten gelaufen war, wusste Wide, dass er nie mehr zu einem Fußballspiel gehen würde. Als der schwarze Asprilla von Newcastle United das erste Mal den Ball unter seine Kontrolle bekam, ertönten die dunklen Rufe von der Galerie über ihnen, von den Seiten, uh, uh, uh, uh, uh, uh, er sah Ard an und sah sich um und begriff es zunächst nicht. Beim zweiten Mal, als Asprilla den Ball erkämpft hatte, hörte man es erneut, uh, uh, uh, uh, uh, uh. Das also war die Vorstellung der Masse von den Lauten im Dschungel. Die kräftigen Töne bewegten sich von Westen nach Osten durch die Arena, hin und her. Schließlich hoben sie ab, plump wie ein Geier etwa, und schwankten hinüber zur westlichen Galerie und waren verschwunden und mussten auf der anderen Seite gelandet sein, vielleicht auf dem Dach des Polizeipräsidiums auf der gegenüberliegenden Seite der Skånegatan. Sten sah gequält aus, als ob er die Verantwortung dafür trüge, was ja gewissermaßen auch der Fall war, da er Wide zu diesem Sportfest geschleppt hatte.

Asprilla kam wieder an den Ball, *uh, uh, uh, uh, uh*. Die Leute um sie herum waren keine normalen manisch-depressiven Fußballfans.

Jedes Mal wenn die Männer dem schwarzen Mann dort unten auf der leuchtenden Bühne ein Stück Hass entgegengeschleudert hatten, sangen sie den ersten Vers der Nationalhymne. Wide spürte, dass sein Rücken immer eisiger wurde, und sehnte sich nach der Jacke, die er vergessen hatte. Dies ist die Wirklichkeit und es ist jetzt, und der Chor schwoll an, als Asprilla wieder den Ball hatte, *uh, uh, uh, uh, uh*.

Als Wide sich nach links drehte und schräg nach oben schaute, hörte und merkte er, dass sich die Rufe vom tausendköpfigen harten Kern in der Mitte ausbreiteten; die, die mehr am Rand standen, hatten zunächst nicht geschrien, aber jetzt schrien sie, immer mehr schrien, immer mehr Münder bewegten sich, und schließlich kamen die Laute über Lippen und Kinne wie ein Schwall Kotze, der nicht mehr aufzuhalten war.

Es war, als glitte ein brauner Schatten über die Tribüne, der ein Gesicht nach dem anderen färbte. Ein Gesicht nicht weit von Wide entfernt wurde braun und verzerrte sich, während es gleichzeitig weiß wurde. »*Der Neger, der Neger*«, und plötzlich kam ein anderes Signal aus der Mitte, die Nationalhymne …

»Wir gehen«, sagte Sten Ard und erhob sich.

Wide stand auch auf, mitten in der Nationalhymne, und auf dem Weg hinaus rammte er einem Sänger den Ellenbogen ins Zwerchfell. Er hörte, dass dem Mann die Stimme wegblieb. Niemand schien es bemerkt zu haben.

»Das war ja nun wirklich nicht nötig«, sagte Ard, als sie draußen waren.

»Nein.«

»Auch wenn man nichts lieber täte, als dem ganzen Gesocks eins aufs Maul zu geben.«

»Ja.«

Sie hörten das kollektive Massengeheul, unmittelbar und total, wie es nur 45 000 Stimmen auf einer begrenzten Fläche zustande bringen können. Berlin, München, Rom, Madrid, Moskau und jetzt Göteborg, dachte Wide und sah sich um, hinauf zu dem Licht, das von dem Theater da drinnen herüberflutete.

»Eins zu null.«

Ard zuckte mit den Schultern, ließ ein Auto passieren, im Scheinwerferlicht war der Regen wie durchsichtiges Schilf.

»Also, im Augenblick scheiß ich auf das Spiel.«

Sie standen auf dem Dienstparkplatz zwischen Ullevi und Ards Arbeitsstelle, die Laute vom Stadion waren jetzt unbestimmter und dünner.

»Ich muss noch ein Stück gehen, nach Hause.«

»Möchtest du nicht was essen?«

»Nein.«

»Schade.«

»Ja.«

Ard strich sich über die nasse Glatze, die Wassertropfen flossen in einem Rinnsal von seiner Stirn an der Nase entlang und tropften herunter.

»Du weinst doch hoffentlich nicht, Sten?«

»Ha!«

»Ich meine, weil du nicht das ganze Spiel gesehen hast.«

»Ha. In Zukunft nur noch im Fernsehen. Ohne Ton. Die einzige Möglichkeit, das Problem auszusperren, es sich vom Leib zu halten.«

»Wir haben nichts gesehen, gehört oder gesagt.«

»Nein. Das ist die einzige Möglichkeit.«

Schweigend standen sie da, lauschten auf nichts.

»Und dabei macht Fußball doch solchen Spaß.«

»Ja.«

»Hast du jetzt das letzte Spiel deines Lebens gesehen?«

»Ja.«

»Bist du sicher?«

»Nein.«

»Vielleicht brauchen wir doch eine kleine Stärkung.«

»Kommst du mit rauf?« Ard fuchtelte in Richtung des hässlichen Polizeipräsidiums, das wie ein Riese im Nebel hinter ihnen brütete.

»Auf keinen Fall. Wir gehen zu ›Eggers‹.«

»Wir gehen zum Stureplatsen, da gibt's ein neues Lokal.«

Sie gingen westwärts. Wide wandte sich dem größeren Mann zu, hob ein wenig den Kopf.

»Am schlimmsten ist das Gefühl, dass alles so sinnlos ist, als ob die Welt aufgehört hätte, gut zu sein. Als würde man an einem Abend wie diesem die wirkliche Kraft des Bösen sehen.«

»Mhh.«

»Der Himmel ist leer. Oder noch schlimmer: Der Hass schwebt wie ein struppiger Adler über den Köpfen. Hier öffnet sich die Finsternis des Faschismus. Oder schließt sich. Das ist wahrhaftig nicht übertrieben, Sten.«

»Und dagegen kämpfen wir mit unserem idiotischen Gutsein an.«

»Ja. Unserer idiotischen Menschlichkeit. Das ist vermutlich das Einzige, was wir haben.«

Schweigend gingen sie weiter, die Lichter von Heden flimmerten wie eine Wildnis der Neonlichter.

»Gibt's in dem neuen Lokal auch Hefestückchen?«

14

Sie hatte die Orte noch einmal mit dem Ermittlungsprotokoll verglichen, sie wollte sichergehen, dass das unheimliche Bild, das sie über Göteborg gesteckt hatte, wirklich keine Täuschung war.

Es stimmte. Kajsa Lagergren sah das Hakenkreuz, das kurze Schatten auf den Stadtplan darunter warf, klar rot über Göteborg leuchten. Dem zu drei Viertel geschaffenen Hakenkreuz, stellte sie jetzt fest, fehlten im Westen und im Osten immer noch die »Arme«. Eine treffendere Bezeichnung fiel ihr nicht ein, um die Teile des Nazisymbols zu beschreiben.

Würden ihnen jetzt mehr Mittel zur Verfügung gestellt werden? Dass sie noch niemanden auf frischer Tat oder gleich nach der Tat geschnappt hatten, zeigte, wie knapp die Mittel waren. Wegen der Jagd auf den Serienmörder hatten die Einwanderer nicht gerade Priorität.

Die Aufgabe, die stadtbekannten Rassisten zu verhören, war schwer und noch nicht abgeschlossen. Die Idioten waren stolz und offen. *»Ich war nicht dabei, wär's aber gern gewesen.«* Wie schaffte man es, sich das anzuhören, ohne die Kontrolle über sich zu verlieren?

Es waren so viele – und immer besser organisiert.

Sie arbeitete weiter an der Karte, zog Linien von Westen nach Osten, maß die anderen Teile des Kreuzes. Sie hatte sich Verzeichnisse von Läden und Lokalen kommen lassen, markierte jetzt jene Stellen, die entlang der Arme lagen. Es waren nicht wenige. Wie viele wurden von Menschen mit fremdartigen Namen betrieben? Vielleicht begannen sie jetzt, sich andere Namen zuzulegen, vielleicht auch eine andere Hautfarbe – sie dachte an Michael Jackson.

Die Angreifer mussten es darauf angelegt haben, dass das Muster zu erkennen war, ein Zeichen ihrer Arroganz. Hätte sie es früher entdecken müssen? Die Überfälle auf die Läden der Einwanderer waren nicht streng der Linie gefolgt: mal hier, mal dort in der Stadt und das Bild wurde undeutlich. Es war immer noch ein gewisses Maß an Phantasie erforderlich, um das Hakenkreuz wirklich zu erkennen, aber sie wusste, dass sie sich nicht täuschte. Boursé hatte es auch gesehen, der skeptische Boursé.

Jonathan Wide hatte sich nach seiner Scheidung für die denkbar mieseste Beschäftigung entschieden. Er wusste es, und er fand Linderung in diesem Leiden, wie jetzt, als er dem Paar vom Büro in der Nordstan zu einem Café am Kungsportsplatsen gefolgt war. Er saß fünf Tische von den beiden entfernt und versuchte die Zeitungslektüre fortzusetzen, während er gleichzeitig beobachtete, wie sich Hände und Blicke festhielten. Das erste heftige Verliebtsein, das mindestens zwei Wochen seinen Reiz behalten würde, ehe der Alltag wieder hochkommen und allem den Glanz nehmen würde, dachte er. Aber noch sind wir nicht so weit, dachte er und notierte die verstohlenen, kleinen Umarmungen in seinem Notizbuch: drei Umarmungen innerhalb einer Viertelstunde, während des ganzen Gesprächs die Knie unterm

Tisch gegeneinander gedrückt, die Finger so fest ineinander verflochten, dass er befürchtete, sie würden sich nicht ohne chirurgische Hilfe trennen lassen. Das war Liebe bei jedem Blicktausch zwischen Arbeitskollegen, aber dies war kein Arbeitsessen, und er hatte gesehen, was er sehen musste. *Vielleicht ist es eine ganz unschuldige Sache, ich weiß es nicht*, aber solch eine erfreuliche Nachricht würde er seinem Auftraggeber nicht bringen, schon gar nicht, nachdem er die Möglichkeit gehabt hatte, das Gästebuch im Hotel Rolton zu studieren, das ein Stück von hier entfernt lag. Herr und Frau Liebesgeil mit nachlässig und atemlos hingeworfener Schrift im Gästebuch. Beweis genug, dass er dem Auftraggeber kein beruhigendes »*Vielleicht ist es eine ganz unschuldige Sache, ich weiß es nicht*« mitteilen konnte.

Jedenfalls hatte er genug gesehen. Für heute hängte er den schlaffen Rucksack, halb gefüllt mit stechenden Scherben, den er bei seinen Schmuddeljobs mit sich herumzuschleppen schien, über den schwarzen Stahlstuhl und verließ das Lokal. Langsam streckte er den Rücken, der immer stärker von der Last schmerzte, die er widerwillig auf sich genommen hatte.

Wide ging zurück zum Hotellplatsen, am Sheraton vorbei, überquerte die Brücke über den Kanal zwischen Trauben von abgestellten Fahrrädern, ließ die Straßenbahnlinie drei vorbei, ging quer über den Drottningtorget, umrundete die Post und näherte sich dem Gebäude der *Göteborg Tidningen* an der Einmündung der Odinsgatan. Neben ihm und vor dem Zeitungshaus brauste ein wahnsinniger Verkehr.

»Willkommen im Regierungsgebäude der dritten Staatsmacht«, wie Peter Sjögren gesagt hatte.

Jetzt saß er hier auf dem Sofa im Empfang, aber nicht lange, denn Sjögren kam mit offenen Armen durch die Glastüren auf ihn zu.

»Prima, komm, jetzt zeig ich dir unser Foyer.«

Sie betraten den hohen, hellen Innenhof.

»Bist du schon mal in Dallas gewesen, Wide?«

»Nein.«

»So sehen die Hotels von Dallas innen aus.«

»Solche Hotels pflege ich nicht zu benutzen«, sagte Wide und dachte ans Rolton.

Sjögren breitete die Arme aus. »Das hier nenne ich eine hübsche Staffage.«

»Nur eine Staffage?«

»Wie die Zeitung heutzutage, das passt doch gut.«

»Zeitungen sind also nichts weiter als hübsche Staffagen? Das klingt sehr defensiv, wenn es von einem Zeitungsmann kommt.«

»Unter uns gibt es immer weniger, die an den Inhalt denken. Man sagt, die achtziger Jahre waren das achte Jahrzehnt der Oberflächlichkeit, aber das hängt uns immer noch an.«

Peter Sjögren sah an diesem Nachmittag selbst wie eine Staffage aus, keine hübsche, so, als wären der vorhergehende Tag und Abend in die Nacht übergegangen und dann in einen neuen Tag, ohne dass der Mann es gemerkt hatte.

»Spät geworden gestern Abend?«

»Das kann man wohl sagen.«

»Du brennst an beiden Enden.«

»Einer muss es ja tun, wenn jemand wie du langsam abbaut.«

»Mhm.«

»Hast du schon mal was vom Präriewolftrick gehört?«

»Nee, was ist das?«

»Das ist so, wie wenn man sich in der Kneipe erniedrigt hat wie ich heute Nacht. Wenn man schon stundenlang dasteht mit seinen Drinks und den Weibern, die auch schon lange dastehen und vielleicht gar nicht so schlecht aussehen.«

Wide wollte es nicht hören, er wusste, was jetzt kommen würde. So was wurde wieder und wieder in den polizeilichen Knechtekammern durchgehechelt, bis die Wände vom verbalen Schleim trieften.

»Dann geht man zu einer hin und stellt sich vor. Das Nächste, woran man sich erinnert, ist, dass man aufwacht und weiß, man liegt in einem Bett und fühlt einen Druck auf dem Arm. Man will die Augen nicht öffnen, weil man schon ahnt, was da liegt. Dann öffnet man sie doch und will schneller als schnell weg, aber es wäre eine Katastrophe, wenn sie aufwachen würde. Was tut man? Man macht es wie ein Präriewolf in der Falle: Man nagt sich den Arm ab!«

»Möchte wissen, was sie gemacht hätte, wenn sie beim Aufwachen den Arm da liegen gesehen hätte.«

»Weißt du was, ich glaub, sie war die ganze Zeit wach.«

Sie waren in einen Fahrstuhl gestiegen, fuhren zum fünften Stock hinauf, und Wide spürte das Saugen im Magen, als es aufwärts ging, umgeben von Stein und Glas, und tief dort unten die hübsche Staffage.

Peter Sjögrens Zimmer lag nach Westen, aufgrund seiner Autorität als Senior durfte er es allein nutzen, und er hatte seine Umgebung nach seinen Bedürfnissen gestaltet: Der Raum war voller Papiere und Bücher. Wide schob einen Stapel beseite und setzte sich auf das kurze, gerade Sofa an der Tür. Sjögren zündete sich eine Zigarette an. Wide sah den Anschlag über dem Computer des Journalisten. Er hatte ähnliche im Zeitungsgebäude gesehen.

»Darf man hier rauchen?«

»Nein.«

Wide betrachtete die Wände, die bedeckt waren mit Laufzetteln, einigen Plakaten, Memos und einer Gesichtsmaske, die vielleicht aus Bali stammte.

»Hast du was gefunden, über Melinder?«

Sjögren stieß den Rauch aus, trommelte mit der linken Hand auf die Tastatur, zog wieder Rauch ein, blies ihn aus.

»Nachdem ich jetzt, hinterher, die Bilder von ihm gesehen habe ... also Melinder in erwachsenem, lebendigem Zustand, bilde ich mir ein, dass ich ihn ein- oder zweimal in der Stadt gesehen habe. Nicht, dass wir einander erkannt hätten, aber jetzt im Nachhinein denke ich, er könnte es gewesen sein.«

»Und?«

»Das bedeutet nichts, ist nur eine Feststellung.«

Jonathan Wide dachte an ein anderes Gesicht, jenes, das er immer noch vor seinem inneren Auge hatte. Diesen Zügen war er in jüngerer Form begegnet, in einem anderen Umfeld. Er hatte wieder von diesem Gesicht geträumt. Würde er es noch einmal sehen? Die Stadt war nicht groß.

Er hörte Peter Sjögrens Stimme durch den Qualm:

»... eigentlich eine ziemlich anonyme Clique.«

Wide nahm Zuflucht zu dem einzigen Ausweg, den man wählte, wenn einem entgangen war, was jemand gesagt hatte.

»Anonym?«

»Ja, Melinders Clique, oder wie man die nun nennen soll, war sozusagen anonym. Die liefen nicht offen in der Stadt herum und gaben den Leuten eins aufs Maul, die schienen ihnen aufzulauern und vermöbelten sie im Geheimen.«

»Glaubst du, sie waren ein wirklicher Schrecken?«

»Für manche waren sie das wohl.«

Die Tür hinter Wide wurde geöffnet, ein Kopf tauchte auf, jemand sagte »Entschuldigung«, als er Wide sah, und der Kopf verschwand wieder.

»Wie geht's mit deiner Reportage?«

»Ist noch nichts draus geworden. Ich wollte mich erst ein bisschen telefonisch umhören, aber dafür hatte ich noch keine Zeit.«

»Hat das Thema nicht Priorität bei der Zeitung?«

»Schon, aber nicht bei mir. Die Gerichtsreporter beschäftigen sich ja mit der Sache.«

»Dein Hintergrundwissen müsste doch interessant sein.«

»Für die Redaktionsleitung? Das sag denen mal. Manchmal scheinen die ungefähr wie ein englischer Fußballcoach zu denken und zu planen.«

»Was soll das heißen?«

»Kein Gedanke, keine Planung.«

Wide sah das Ullivematch im scharfen Rückblick, uh, uh, uh, uh, uh. Kein Gedanke dort auf den Tribünen? Vermutlich eher das Gegenteil: sehr fertige Gedanken aus dem inneren Kern und eine sorgfältige Planung.

Sjögren nahm ein Kuvert und reichte es Wide.

»Hier hab ich was für dich.«

Wide öffnete den Umschlag. Bilder, noch mehr Bilder.

»Das sind Passbilder von Melinder und Torstensson und diesem Arvidsson, dem Letzten.«

»Ja.«

»Werden in einer Reihe in der Zeitung veröffentlicht.«

»Mit einem vierten leeren Viereck, einem Fragezeichen, vermute ich?«

»Genau das hab ich bei der Morgenkonferenz vorgeschlagen.«

Wide hatte noch kein Bild vom lebenden Arvidsson gesehen: Das Passbild war farbig, er hatte braune Haare und einen konzentrierten Gesichtsausdruck. Der Blick war abgewandt. Wide konnte ihn nicht auffangen. Bengt Arvidsson sah zögernd aus, als ob er über sein baldiges Schicksal nachgrübelte. Unter dem rechten Auge von Wide aus gesehen war ein Leberfleck, so groß wie eine Kirsche.

»Danke.«

»Du brauchst sie wohl nicht, bestimmt kriegst du Bilder

von deinen ehemaligen Kollegen. Ich wollte sie selber sehen.«

»Peter, ich muss dich was fragen. Als wir uns neulich unterhalten haben, hast du etwas über die Morde gesagt. ›Was für eine Nacharbeit‹, hast du gesagt. Wie hast du das gemeint?«

»Hab ich das gesagt? ›Nacharbeit‹?«

Wide erkannte den Trick, eine Frage zu wiederholen, wenn man Zeit gewinnen will.

»Da muss ich wohl die Plackerei mit den Ermittlungen und so was gemeint haben.«

»Nennst du das Nacharbeit?«

»Spielt das eine Rolle?«

»Ich bin nur neugierig, ob du oder jemand anders bei der Zeitung Informationen bekommt, die sonst niemand bekommt.«

»Worüber?«

»Was mit diesen Mordopfern passiert ist.«

»Was ist ihnen denn passiert?«

»Du scheinst es zu wissen. Du weißt es.«

»Was soll das, ist das ein Verhör?«

Sjögrens Ton wurde schärfer, als ob jemand an den Tonbändern gezogen hätte.

»Nun bleib mal ganz ruhig, ich werf dir doch kein Vergehen gegen Integrität oder so was vor.«

Er war neugierig gewesen, hatte mit einem Lachen gerechnet oder einem Kommentar zu gewissen Lecks. Die Sache war heikler, als Wide gedacht hatte.

Peter Sjögrens Gesicht hatte sich wieder geglättet.

»Mensch, Wide, du weißt doch, dass wir nicht sagen, wie oder von wem. Wie würde das denn aussehen? Über verstümmelte Mordopfer redet die Polizei doch nicht auf Pressekonferenzen.«

Wer redete dann darüber? Wenn Wide noch Kommissar gewesen wäre, wäre er wütend geworden. Jetzt war er nur erstaunt. Mehr als das. Er wollte es nicht zeigen. Sjögren hatte von der »Plackerei mit den Ermittlungen gesprochen«, als eine Art Erklärung.

»Nein. Es geht mich nichts an. Ich weiß nicht mal, ob ich irgendwas damit erreiche. Hättest du mich nicht gebeten zu kommen, hätte ich meine Zeit mit was anderem verbracht.«

»Wenn du es sagst.«

Sie betraten den hellen Korridor und folgten dem Umlauf hoch über dem Boden des Lichthofs vor dem Entree. Wide fühlte sich nicht wohl in Höhen, hielt sich nah der Glaswände, hinter denen sich die riesige Redaktionslandschaft befand. Sie warteten auf den Fahrstuhl.

Peter Sjögren lehnte sich gegen das Geländer, sah Wide an und dann nach unten.

»Sonderbare Konstruktion. Vielleicht als Ermunterung zu einem natürlichen Abgang gedacht. Komisch, dass noch niemand runtergesprungen ist.«

In der Luft lag etwas wie Stahl, als Wide in die Natur der Stadt zurückkehrte. Er nahm es wahr wie eine dünne Schicht hinter den Ausdünstungen des Verkehrs. Er ging ins Bahnhofscafé, das nach seinem Umbau wie ein Café in Mailand wirkte. Oder vielleicht in Budapest. Ihm gefiel es, eine helle Geste in die Zukunft gerichtet, eine freundliche Geste für Reisende oder Heimkehrer, die zu etwas Schönem zurückkehrten. Oder für einen, der auf jemanden wartete, der zurückkehrte.

Am dritten Tisch von der Tür aus gesehen wartete Sten Ard. Nicht schön, aber gut.

Diese Treffen in Lokalen, das wird bald zu viel, dachte

Wide und ging auf Ard zu. Die Treffen mit ihm hatten sich summiert wie schon lange nicht mehr, aber diesmal hatte er selbst darum gebeten.

»Bist du schon in Västerås gewesen? Jönköping?«

»Nein. War es das, was du wissen wolltest?«

Wide nahm Platz, lehnte Ards Einladung, etwas zu trinken oder zu essen, ab, erhob sich, zog die Jacke aus, hängte sie über den Stuhlrücken und setzte sich wieder.

»Ihr habt also noch keine Verbindung zwischen Melinder, Torstensson und Arvidsson gefunden?«

»Jedenfalls haben sie nicht zusammengearbeitet. Die drei sind auch nicht am selben Ort aufgewachsen. So viel wissen wir jetzt. Soweit wir im Augenblick sehen können, auch keine gemeinsamen Freizeitaktivitäten. Keine gemeinsamen Clubs.«

»Fremde, als Gruppe betrachtet.«

»Ja. Und am Ende ohne ihre Mitwirkung zusammengeführt worden.«

»Die Militärzeit?«

»Nein. Melinder war bei der 112 in Eksjö, Arvidsson war befreit.«

»Warum?«

»Irgendwas mit dem Rücken.«

Wide schwieg, Ard wartete. Drei Mädchen kamen herein, sie schleppten ellenlange Futterale, in denen Skier stecken mussten. War es dafür nicht noch zu früh? Gab es in erreichbarer Entfernung schon Schnee? Sie setzten sich einige Tische entfernt hin. Ard versuchte zu verstehen, wovon sie redeten, um ihr Ziel zu erfahren, aber die Espressomaschine hinterm Tresen nahe dem Tisch, an dem er und Wide saßen, machte zu viel Lärm.

»Jonathan.«

»Hast du die Mädchen im Visier?«

»Nicht so, aber ich bin neugierig, wo man schon im November Ski fahren kann.«

»An der finnischen Grenze.«

»Mit dem Zug dorthin? Das dauert ja eine Woche.«

»Vielleicht in Jämtland.«

»Noch kein Schnee.«

Sie verstummten. Wide beugte sich vor.

»Ich hab über das Profil nachgedacht.«

»Ausgezeichnet.«

»Du bist ein guter Polizist, ich war ein guter Polizist. Wir wissen, dass die Antwort bei den Opfern zu finden ist«, fuhr Wide fort.

»Wir hoffen, dass wir es wissen«, korrigierte Ard.

»Es muss so sein. Der Tatort sagt nicht viel aus. Ich glaube, dort müssen wir nicht weiter graben.«

»Auch dort könnte es einen Zusammenhang geben.«

»Es kann wer weiß was passiert sein. Mir erscheint die Tatsache am wichtigsten, dass die Opfer den Mörder kannten.«

»Alle?«

»Ja. Ich glaube, sonst wäre es gar nicht möglich, so etwas durchzuführen. Auf diese Weise spielen die Tatorte schon eine Rolle. Aber sie könnten auch woanders sein«, sagte Wide.

»Aha.«

»Allerdings glaube ich, dass der Mörder nicht weit von einem der Tatorte wohnt.«

Ard setzte sich gerade hin, beugte sich vor. Vor einer Woche wäre das mit seinem Nacken nicht möglich gewesen. Er sagte nichts, er hatte diese Situation schon öfter erlebt. Wides Intuition, wenn sie es jetzt war.

»Ich hab nichts Konkretes. Ich hab ein wenig nachgelesen, das meiste in US-Literatur. Da ist ein schwaches Muster zu erkennen, wenn man davon ausgeht, dass es sich um einen

Serienmörder handelt, jedenfalls um mehrere Morde. Früher oder später geschieht es in der Nähe der Wohnung.«

»Früher oder später. Dann müssen wir also auf weitere Morde gefasst sein.«

»Ich weiß es nicht. Sicher bin ich mir nicht. Vielleicht ist er ... fertig.«

»Davon sollen wir ausgehen?«

»Was habt ihr zu verlieren? Sagt einfach, der Betreffende hat alles ordentlich beendet. Geht davon aus, dass er oder sie nah bei einem der Tatorte lebt. In dem Augenblick werden sie interessant. Beschäftigt euch gleichzeitig weiter mit der Vergangenheit der Opfer.«

»Natürlich.«

»Du hast doch jetzt genügend Leute.«

»Einerseits ja, aber die Routinearbeiten nehmen verdammt viel Zeit in Anspruch.«

Die Mädchen mit den verpackten Skiern standen auf, kamen an ihrem Tisch vorbei und Sten Ard hob eine Hand.

»Wir sind neugierig. Wo kann man denn zurzeit Ski laufen?«

Eine dunkle Schöne sah Wide unter einem kräftigen Pony an, drehte sich zu den Freundinnen um und wandte sich wieder den sitzenden Männern zu.

»In Kaprun. Auf dem Gletscher.«

»Danke.«

Sie gingen, gefolgt von Wides Blick.

»Da ist noch was«, sagte er.

»Ja?«

»Wegen der Vergangenheit. Wenn sie sich als Erwachsene nicht am Arbeitsplatz oder in der Freizeit begegnet sind, muss noch weiter zurück in der Vergangenheit geforscht werden, ob es da nicht etwas gibt.«

»Selbstverständlich.«

»Aber es muss sich um mehr als kurze Begegnungen handeln, eher um etwas, was sich über längere Zeit erstreckt hat.«

»Wie meinst du das?«

»Hier hast du drei Menschen, zwischen denen keine sichtbare Verbindung besteht; zwei stammen aus demselben Ort, aber nicht alle drei, also keine Gemeinsamkeit für alle. Wir – oder ihr arbeitet mit der Hypothese, dass es dennoch eine Verbindung gibt, entweder untereinander und/oder mit dem Mörder. Die Alternative ist, dass das überhaupt nichts mit dem Mord zu tun hat, dass es keine Verbindung gibt, aber das lassen wir im Augenblick außer Acht.«

»Und?«

»Es könnte also einen Ort oder eine Gelegenheit gegeben haben, wo Opfer und Mörder vor längerer Zeit zusammen waren. Damals kann etwas passiert sein, was zu alldem geführt hat, was jetzt passiert ist.«

»So weit hab ich auch schon gedacht. Aber was? Wo?«

»Da ich selbst so was erlebt habe, habe ich eine Idee. Ich war noch klein, als mein Vater starb. Meiner Mutter ist es danach lange schlecht gegangen und ich musste einige Sommer in einem Sommerlager verbringen. Dorthin kamen Kinder aus der ganzen Gegend. Solche Lager gab es in den fünfziger und sechziger Jahren in Småland.«

»Sommerlager? Sollte etwas in so einem Lager passiert sein? Sollen sie sich dort getroffen haben? Das klingt ein wenig an den Haaren herbeigezogen.«

»Es wäre möglich. Aber das muss man ja überprüfen können.«

»Gibt's denn Unterlagen über solche Lager?«

»Vielleicht Angehörige, die etwas wissen.«

»Das ist ja der Mist, dass es fast keine Angehörigen gibt.«

»Es müssen aber doch Papiere existieren, Namen«, entgegnete Wide.

»Ich glaub zwar nicht, dass wir irgendwelche Namen erkennen, aber einen Versuch ist es wert.«

Sie erhoben sich, betraten die Bahnhofshalle und Wide blieb noch eine Weile im Pocketshop.

15

Seine Tage waren kurz gewesen, aber jetzt wurden sie länger. Wenn er morgens erwachte, hatte er das Gefühl, es lägen Jahre aus Steinen vor ihm. Er versuchte den Tag in kürzere Abschnitte einzuteilen, wurde aber immer wieder zum Porträt gezogen: Er konnte eine Stunde lang davor stehen bleiben, so kam es ihm vor, und das war auch schön. Dann war Zeit vergangen.

Er sprach immer häufiger laut, immer lauter sprach er, das stellte er fest, wenn er sich selbst zuhörte. Wenn es geschah, musste er sich in der Küche aufhalten, die Wörter sollten ja nicht zum offenen Fenster hinausschallen; all die Leute da draußen müssten sich ja sonst fragen, worüber er redete, oder?

Es war gar nicht schlecht, all das, was er sagte. Nichts, weswegen er sich eigentlich schämen müsste. Alles, was er sagte, war richtig und wahr, außerdem an der Zeit: Alles, was er damals hätte sagen sollen, wenn er es nur hätte aussprechen können, das eine Mal und dann das andere Mal und später noch einmal. Und noch später, aber dann war es besser gewesen, erst zu handeln und es danach zu sagen.

Es war ein Gefühl, als stiege er aus einem Fahrstuhl, der auf dem Weg in die Hölle angehalten hatte, als wäre er wieder aufwärts gefahren und ausgestiegen. So ein Gefühl hatte er jetzt, eine Weile war es so gewesen, aber die Gedanken waren nicht verschwunden. Die Ereignisse verschwanden nicht. Er war nicht mehr ruhig. Die Stimmen verschwanden nicht.

»Wo ist er abgeblieben?«

»Er ist da hinten um die Ecke abgehauen.«

»Wir schleichen uns von zwei Seiten an.«

»Wo ist er?«

»Ich glaub, er ist über den Hof gegangen.«

»Da! Da hinten am Wald!«

»Mensch, lauft doch!«

»Aua, Schei…, meine Jacke.«

»Er ist schnell, dieser Mistkerl … Er läuft auf den Berg zu, den schafft er nicht.«

»Diesmal entkommt er nicht.«

»He, du.«

»Jetzt haben wir dich.«

»Guckt mal, hier, ich hab seine Jacke zerrissen.«

»Was sagst du, blöde Hundeschnauze?«

»Du widerlicher Stinkstiefel!«

»Wir schlagen dich tot, du Ratte.«

»Komm doch her, du Pissnelke.«

»Der Busch da hilft dir überhaupt nichts.«

»Versuch ni…«

»Er versucht zu türmen. Haltet ihn!«

»Du Schei…, er hat mich geschlagen!«

»Dir werden wir's zeigen … Uns schlagen, wie?«

»Du feige Sau!«

»Er tritt!«

»Gib ihm eins in die Eier. Wie letztes Mal!«

»Da, schmeck mal, du Arschloch.«
»Er weint.«
»Wie der rotzt!«
»Ekelhaft, du Saftarsch.«
»So, das kriegst du wieder.«
»Reib ihn fester ein!«
»Haltet ihn mal da fest.«
»Jetzt komm mit.«
»Wir bringen ihn in die Höhle.«
»Ist niemand da?«
»Ulla, guck mal nach.«
»Leg dich hin, du Arsch.«
»Hast du Tannennadeln in die Visage gekriegt?«
»Die Höhle ist leer.«
»Wir bringen ihn hin. Steh auf, du alter Pisser.«
»Er kann selber gehen.«
»Geh!«
»Er soll sich bücken.«
»Mach zu.«
»Reicht das?«
»Mach ganz dicht.«
»Hat jemand eine Taschenlampe?«
»Ich ... Hier ist sie.«
»Was ist das denn?«
»Das Messer, das siehst du doch.«
»Willst du ...«
»Das haben wir doch so abgemacht.«
»Aber jetzt ...«
»Wir haben lange genug darüber geredet.«
»Zieh ihn aus.«
»Ich nicht.«
»Ulla! Zieh ihm die Hose runter.«
»Halt ihn verdammt noch mal fest!«

»Zieh ihn endlich aus!«
»Scheiße, wie der brüllt.«
»Jetzt kriegst du's, du Sau.«
»Da! Da! Da!«
»Scheiße. Auf der Jacke ist Blut.«
»Reib's ihm rein.«
»Jetzt rein mit ihm.«
»Bah, was für dreckige Unterhosen.«
»Hast du dir in die Hose geschissen, du Sau?«
»Äh – bah!«
»Wo ist das Messer? Wo ist das Messer, hab ich gefragt?«
»Du hergelaufener Zigeuner!«

In jedem Viertel schien es mehr als ein Dutzend zu geben, lauter kleine Läden, die die unmittelbaren Bedürfnisse der Menschen bedienten: Getränke, Süßigkeiten, Chips, Zeitungen, Illustrierte und Pornohefte, die, wie sie irgendwo gelesen hatte, in England »skinmagazines« genannt wurden. Illustrierte, die nicht offen als Pornohefte daherkamen, erst wenn man sie aufschlug, was aber selten eine Überraschung für denjenigen war, der sie kaufte.

Skinheads. Skinmagazines. Kajsa Lagergren war einen und einen halben Tag durch Teile des westlichen Göteborg gefahren und gewandert, von Långedrag und Fiskebäck nach Påvelund, Hagen, Grimmered. Aber die Tante-Emma-Läden häuften sich vor allem in den Stadtteilen der Mietskasernen, Kungladugård, Majorna, bis zu den alten dreistöckigen Holzhäusern, die auf Steinfundamenten errichtet waren. Diese Art Häuser gab es nur in dieser Stadt und in dieser Konzentration. Wegen Brandgefahr waren nur zweistöckige Holzhäuser erlaubt gewesen, wenn sie sich richtig erinnerte; man hatte die Bestimmungen umgangen, indem man die beiden Stockwerke aus Holz auf einem Erdgeschoss aus Stein errichtete. Darin steckt auch ein bisschen Göteborger Humor, dachte sie. Die Häuser waren Teil des Kulturerbes geworden und in diesem Stadtteil herrschte fast eine Stimmung wie in den fünfziger Jahren. Hier hielten sich immer noch viele Fisch- und Gemüseläden, Fleischerläden, Schuhmacher, Fahrradwerkstätten, Hutgeschäfte für Damen, Herrenausstatter für jene, die nicht nach der Mode schielten.

In diesem Teil von Göteborg herrschte eine freundliche Familiarität, aber auch das Gegenteil davon. Der Stadtteil hatte traditionell immer eine Art Freistaat für die Unglücksraben der Gesellschaft dargestellt, die »Ausgestoßene« genannt wurden; aber es wurde nie gesagt, von wem sie ausgestoßen worden waren. Angstschreie hatten zur Geräuschkulisse des Viertels gehört, zusammen mit dem Sommergeschrei der Kinder, die in den Planschbecken unterhalb der Kungsladugårdsschule spielten, und der jaulende Fahrtwind der Straßenbahnen, die meistens mit der Regelmäßigkeit des Fahrplans vorbeifuhren.

Ein Freistaat war es immer noch, aber auch eine wildere, eine gefährlichere Gegend. In allen Stadtteilen von Göteborg war das Leben schwerer geworden, das las sie in den Gesichtern, denen sie jetzt begegnete: wilde Blicke, die ihre suchten, heftige Bewegungen in ihre Richtung. Die Verrückten mussten zusehen, wie sie klarkamen, aber das funktionierte nicht, niemand hielt Verteidigungsreden für sie. Vor einem Lebensmittelgeschäft wollte ein Mann mit bandagiertem Kopf die Straße überqueren, unter Einfluss von wer weiß was, aber als er vorwärts zu gehen versuchte, stieß er gegen die Wand neben sich. Auf der Straßenseite gegenüber saßen zwei Frauen, auch unter Einfluss von irgendwas, die Köpfe gegen die Wand unter dem Schild von dem Blumenladen gelehnt, was dem Ganzen eine Fröhlichkeit verlieh, eine makabere Fröhlichkeit, dachte sie und ging weiter nach Süden. An der Straßenbahnhaltestelle hatte sich eine Gruppe versammelt, fünf, sechs Personen, mit Flaschen und einem vorübergehenden Gruppengefühl. Als sich die Straßenbahn näherte, stürmte die Gruppe die Tür im letzten Wagen. Es dauerte eine Weile, ehe die Bahn weiterfuhr – wegen der beschlagenen Fenster und des Regens konnte sie nichts erkennen; aber sie sah, dass nach einer Minute einige andere Fahrgäste aus dem Wagen rannten. Eine Flasche wurde ihnen nachgeschleudert, sie zerbrach am Wartehäuschen.

Hier war sie als junge Polizistin in Uniform umhergefahren; es war noch gar nicht so lange her, aber sie hatte das Gefühl, als lägen Lichtjahre zwischen damals und jetzt.

War hier umhergegangen, war stehen geblieben und hatte sich etwas zu essen gekauft, ein Würstchen an der Bude am Mariaplan. Bullenfraß. Manchmal hatte sie Dienst mit einem anständigen männlichen Kollegen gehabt. Und jetzt war sie wieder hier, die Positive, Kajsa, denk positiv, und es gab ja positive Ergebnisse des Umstandes, dass die Gesellschaft so verdammt hart geworden war. Das Positive war, dass sich die Stimmung am Arbeitsplatz verändert hatte, als ob die Bullen kapiert hätten, dass man auch an sich selbst denken durfte, und das brachte es mit sich, dass man mit einer gewissen Moral vor sich selber auftreten durfte. Es gab einen alten verkommenen Geist im Dienst, aber ihr schien, dass jetzt eine neue Stimmung entstand, vielleicht eine Art Fürsorge an der Stelle, wo der Geist der Polizei eher einem Haufen Trainingsklamotten geglichen hatte, die nach einem verschwitzten Training über eine Woche in der Tasche vergessen worden waren. Verrottet.

Früher hatte die Polizei sich erst mit dem Scheiß der Rowdys auseinander setzen müssen, dann mit dem Scheiß von den Kollegen, erst recht sie als Frau – und das bildete sie sich nicht nur ein. Aber im letzten Jahr oder in den letzten beiden Jahren hatte sich etwas verändert. Die Realität hatte es notwendig gemacht. Wenn eine Frau eine Außenseiterin im Polizeijob gewesen war, so änderte sich das jetzt. Sie hätte es Unterdrückung nennen können, aber die Unterdrückung fand jetzt andernorts statt. Deutlich spürbar gab es sie in der Gesellschaft, und die Schikanen am Arbeitsplatz, die sich Mitte der neunziger Jahre wie Schleier von Gelächter über den Polizeiberuf gelegt hatten, was zu riesigen Schlagzeilen geführt hatte, diese Schikanen richteten sich nun geradewegs von oben gegen die Gequälten der Gesellschaft, und da schien auch den Miesesten im Dienst die Lust auf den eigenen Scheiß zu vergehen. Immer noch gab es eine männliche und eine weibliche Kultur am Arbeitsplatz, anders wäre es ja auch merkwürdig gewesen, aber irgendetwas Neues lag nun in der Luft.

Kajsa Lagergren ging die Kungsladugårdsgatan zur Högsbogatan hinunter, bog nach rechts ab und ging einige Hundert Meter weiter. Sie spürte die Feuchtigkeit durch den Regenmantel, aber ihre Entscheidung war richtig gewesen; sie hatte die Zeit, die sie diese Straße entlangging, gebraucht.

Vor der Pizzeria blieb sie stehen, trat ein, bestellte eine Margherita und setzte sich ganz hinten ins Lokal. Sie war der einzige Gast.

Nach einer Weile fühlte er sich etwas ruhiger; er wusste, dass er ruhig werden würde, wenn er durch den Park und die Stadt gegangen war und diesen Ort erreichte, wo er etwas wie Frieden empfand.

Das ganze Jahr hindurch hatte er dieses Gefühl. Vielleicht rührte es daher, dass hier draußen die Jahreszeiten so deutlich zu sehen waren und der Kontrast so groß war, wenn er ins Haus kam. Anfangs hatte er die Arbeit vermisst, aber nur zu Anfang, dann war es schön gewesen, hierher zu kommen, während er darauf wartete, dass andere Gesichter auftauchten. Er glaubte nicht, dass sie ihn inzwischen kannten. *So oft* kam er schließlich auch nicht hierher, oder? Außerdem war es teuer. Das Gebäude war so schön. Die Scheiben des Palmenhauses waren wie einladende Wände. Jetzt war er ruhig, und er ging hinein und ließ seine Seele von Glas und Grün umfangen, und er hatte das Gefühl, als träte er gleichzeitig in etwas Freundliches, Schönes.

16

Der Tag hatte beschlossen, gut zu Jonathan Wide und seinen Kindern zu sein. Die großen grauen Wolkenfetzen über ihren Köpfen am Himmel waren verschwunden, als hätte eine ungeheure Kraft das alte, gewellte, fleckige Blech dort oben mit einem Ruck weggerissen. Was auch ungefähr passiert sei, sagte Wide zu Jon, als der Fünfjährige erstaunt in das tiefe Blau dort oben schaute. Sie hatten das Auto gepackt, waren eingestiegen und die Karl Johansgatan hinuntergefahren, in die Umgehung am Jaegerdorffsplatsen eingebogen, und als sie auf dem höchsten Punkt der Älvsborgsbrücke waren, wölbte sich das Blau über ihnen.

Es war der erste wolkenfreie Tag seit einem Monat, ein Samstag mit guter Sicht, und Jon warf den Kopf von links nach rechts, um alles zu erfassen, was zu sehen war. Elsa saß neben ihrem Papa, alt genug, um vorn zu sitzen. Sie schaute über die Stadt, nach rechts zu den neu gebauten und den alten Zeichen im Himmel.

»Welche Kirche ist das da?«

»Welche meinst du?«

»Die in der Mitte, die am höchsten ist.«

»Das ist die Masthuggskirche.«

»Sie sieht aus wie ein stumpfer Bleistift.«

Wide schaute wieder nach rechts – die Kirche auf dem Berg, warme rote Ziegel in der Sonne: So hatte er sie noch nie gesehen, aber es stimmte. Der Turm ragte wie ein Stift auf, daran bestand kein Zweifel, bereit, eine Nachricht an den Vater dort oben zu schreiben.

»Von da hat man bestimmt eine schöne Aussicht.«

»Hier isses bestimmt am schönsten auf der Welt!«, sagte Jon von hinten und zeigte nach Westen.

Ja. Der Anblick war schwerlich zu übertreffen: der Fluss, der ins Meer mündete, und Schären und Felsen, der Dunst, der fünftausend Seemeilen entfernt war und dann noch einmal so viele, die Sonne, die aufs Wasser niederstrahlte und es glänzen ließ, als sei es aus Millionen von Fischschuppen zusammengesetzt, dieselbe Sonne, die die kleinen Inseln heraushob und sie in der dünnen Luft schweben ließ.

Sie sahen zwei Fähren, eine auf dem Weg in den Hafen und eine etwas entfernter, deren Bug nach Dänemark zeigte. Rundherum waren einige kleine Segel. Es gab Leute, die schoben es lange auf, ihre Boote an Land zu ziehen. Tage wie diese waren die Belohnung.

Sie fuhren den Torslandavägen in westlicher Richtung entlang – Strandhafer und Steine und Felder und Höfe. Fast unmittelbar hinter der Brücke verwandelte Hisingen die Stadt in Land. Es war eine Sensation, die ihm jedes Mal auffiel, wenn er durch diese Landschaft fuhr: Die Bauerngemeinde war gar nicht weit von der neuen Zeit entfernt, trotz Volvos eigener wachsender Stadt, die er jetzt rechts sah, trotz des Autobahnnetzes, das Wunden in die Haut der großen Insel ritzte, und trotz der Öltanks linker Hand. Wide nahm den schweren Geruch wahr und stellte wieder einmal mit Verwunderung fest, dass er ihn mochte. Als er nach Göteborg gezogen war, hatte er sich ein Auto geliehen. Er hatte sich verfahren und war hier draußen bei Arendal gelandet und hatte den Geruch nach Öl und Arbeit wahrgenommen, den strengen Geruch nach den Schiffen, die hier entstanden und mit dröhnendem Kaiserschnitt entbunden wurden. Dadurch, dass er sich verfahren hatte, war er zum richtigen Ort gelangt; Göteborg würde seine Stadt werden und dies würden seine Gerüche werden. Vielleicht fahre ich deswegen so ein Auto, das riecht, wie es riecht, dachte Wide und grinste. Elsa sah ihn scharf an.

»Warum lachst du, Papa?«

»Weil es so ein schöner Tag ist.«

»Guck mal!«, rief Jon und zeigte nach links. »Was für Monster!«

Sie schauten alle in die Richtung, Arendals stolze Riesen als Silhouetten vor der Sonne.

»Nein, das sind keine Monster. Das sind Arbeitskräne.«

»Dinosaurier«, sagte Jon und hüpfte auf dem Rücksitz.

Sie fuhren durch den Ort Torslanda, an der Kirche vorbei und auf dem Kongahällavägen weiter nach Norden. Bei der blauweißen Würstchenbude bog Wide links auf den Lillebyvägen ein, fuhr langsam zwischen den Höfen dahin. Einige Kinder und ein erwachsener Mann verbrannten Laub und Reisig in einem Räucherfass. Der Qualm trieb auf sie zu und stach herrlich in die Nase. Zwei Minuten später hatten sie den höchsten Punkt erreicht und sahen dort unten den Björköfjorden mit Björkö und weiter draußen Öckerö und Hönö und all die kleineren Inseln und Felsen, die darum herum verstreut lagen. Jonathan Wide hörte seine Tochter wie in einer Art Entzücken tief einatmen, bevor das Auto in das Campinggebiet fuhr, wo einsame Wohnwagen standen. Sie parkten einen halben Kilometer weiter in Sillvik, wo das Meer den Weg abschnitt, und packten aus: eine Papiertüte

Feuerholz, eine Thermoskanne mit warmem Kakao, Wiener Würstchen, Brötchen, Senf und Ketchup, ein Messer, eine kleine Axt, Becher und Kissen zum Draufsitzen. Jon war sofort an den Wassersaum gelaufen, seine Schuhspitzen ein paar Millimeter vom Wasser entfernt, hatte sich zurückgezogen, wenn es näher kam, war ihm gefolgt, wenn es sich zurückzog.

Wide sah sich um. Sie waren allein, es war noch keine zehn Uhr. Vermutlich würden später mehr Leute kommen, wenn ihnen ins Bewusstsein drang, wie schön der Tag war.

Ihm hatten Orte außerhalb der Saison immer gefallen, vorher oder nachher, wenn die Schilder abmontiert und Türen geschlossen waren und die Farben wieder ihre natürliche Nuance angenommen hatten. Der Lebensmittelladen von Sillvik mit dem Coca-Cola-Schild aus den fünfziger Jahren lag verlassen da, keine Menschenschlangen davor. Das war es, was ihm gefiel: die Erinnerungen, die fast sichtbar wurden, wenn der Sommer schlummerte und der Herbst das Regiment übernommen hatte, die Zwischensaison, die kein Ende und keinen Anfang bedeutete, eine Ruheperiode, ein ruhiges Warten.

Sie folgten der Promenade bis zu ihrem Ende, kletterten Felsen hinauf, auf denen ihre derben Schuhe festen Halt fanden, und wählten eine Spalte oben in der Klippe. Unter ihnen lag Hästeskären und ein Stück weiter nördlich Geteryggen, erstreckte sich die Felsenlandschaft von Bohuslän in kleineren und größeren Stücken über das Wasser bis zum Horizont verstreut. Er war sichtbar, wie eine Luftspiegelung. Jon hatte nach dem Rand dort hinten gefragt, und sein Vater hatte einen Erdball in die Luft gezeichnet und zu erklären versucht, war aber nach wenigen Worten über den jahrhundertealten Hang der Menschen, zu dieser Horizontlinie zu gelangen, stecken geblieben. Dieser Anblick an diesem Samstag – das ist größer als das Leben, dachte Jonathan Wide und blinzelte in das glühende Licht. Größer als das Leben: Es war schon da, bevor wir kamen, es wird noch da sein, wenn wir fort sind.

Er spaltete das Holz mit dem Beil, Jon und Elsa schichteten zusammengeknülltes Zeitungspapier, Späne und gröbere Scheite wie eine Pyramide aufeinander, und sie durften das Feuer jeder von seiner Seite mit einem eigenen Streichholz anzünden. Es flammte auf, fraß sich in die dünnen Späne und brannte. Still standen sie da, sahen zu, wie das Feuer größer wurde und dann kleiner; die größeren Scheite begannen zu glühen. Wide und seine Kinder gingen zu einem Gebüsch am Rand des Felsens. Er schnitt einen Ast ab und schnitzte daraus drei Grillspieße, an die sie die Würstchen steckten, um sie übers Feuer zu halten. Jons Würstchen war nach einer Weile genau so, wie ein Würstchen in der Natur gegrillt sein soll: außen verkohlt, innen kalt.

Elsa zögerte lange, ehe sie in ihr Würstchen biss, einmal und dann noch einmal.

»Iss ruhig, es kann dich ja niemand sehen. Schmeckt es gut?«

»Ja, aber heute esse ich bestimmt zum letzten Mal Wurst.«

»Ich hab auch Gemüsepiroggen im Rucksack.«

»Wo? Das hast du ja gar nicht gesagt.«

»Eine Überraschung. Steck eine auf den Spieß und halt sie übers Feuer wie ein Würstchen. Aber vielleicht schmecken sie auch kalt.«

»Dann kann ich die Wurst aufessen«, sagte sie, und Wide sah die Logik des Kindes darin.

Nach einer Weile rutschten sie zum Meeresufer hinunter und warfen Steine ins Wasser.

»Wenn es ein kalter Winter wird, können wir hier übers

Wasser gehen«, sagte Wide und ließ einen Stein flach über die Wasseroberfläche springen: eins-zwei-drei-vier-fünf-sechs Mal.

»Wirklich?«, sagte Jon und versuchte wie sein Papa zu werfen: eins-zwei.

»Es kann bis weit hinaus zufrieren.«

»Dann fahren wir hierher!«

»Na klar.«

Sie kletterten wieder nach oben, schauten nach der Glut, kletterten weiter aufwärts in Richtung Pickel und Lilleby Meeresbad, kehrten jedoch um, als die Spalten zu tief wurden. Im Lauf des Vormittags waren mehrere Leute ins Meeresbad gekommen; Gesichter wandten sich schläfrig und hungrig der Sonne entgegen, und von Westen wehte eine schwache Brise. Lautfetzen flogen vorbei, Rufe und Gespräche, in den Wind gestreut, genau wie die Felsklippen dort draußen im Meer verstreut waren.

Eine Weile saßen sie auf ihren Kissen, die Köpfe zurückgelehnt. Die Sonne hatte viel mehr Kraft, als er vermutet hatte. Er hielt Jon im Arm und hatte den rechten Arm um Elsa geschlungen. Es war ein guter Moment und er dachte an nichts Beunruhigendes.

Als sie nach Hause fuhren, brannte die Sonne immer noch. Jon schlief auf dem Rücksitz, auch Elsas Augenlider senkten sich.

»Wann ziehst du wieder mit Mama zusammen?«

Die Frage überraschte ihn, er wäre nicht auf die Idee gekommen, dass sie ausgerechnet in diesem Augenblick daran dachte.

»Jaaa – das ist eine schwere Frage.«

»Ich finde, ihr solltet wieder zusammenziehen.«

»Mmh.«

»Ich glaube, Mama will das«, sagte sie in einem Ton, der

erwachsen wirkte oder vielleicht altklug; aber nein, er wirkte erwachsen, und Wide warf seiner Tochter einen Blick von der Seite zu.

»Warum glaubst du das?«, fragte er zögernd.

»Sie wohnt nicht gern allein. Manchmal weint sie nachts, ich hab es gehört.«

Nicht lange nach der Scheidung hatte Elisabeth einen anderen Mann kennen gelernt. Wide hatte sich gefragt, warum sie sich auf ihn eingelassen hatte, und nach einigen Monaten hatte Elisabeth sich das auch gefragt. Das war ihm nur recht gewesen und über seine eigene Reaktion hatte er auch nachgedacht. Es war ihr Leben. Sie entschied sich für einen Partner, sie entschied sich, allein zu leben: ihr Leben.

Er hatte nichts mehr zu sagen, und seine Tochter verstand das, auf der Fahrt zurück zum Festland fragte sie nicht weiter.

Jonathan Wide trug seinen schlafenden Sohn die Treppen hinauf, aber Jon wurde wieder wach, als sie in die frisch renovierte Wohnung kamen und Elsa vor Freude über die neuen Tapeten in die Hände klatschte. Sie hatte die Tapete für das Zimmer, das jetzt *ihr* Zimmer war, selbst ausgesucht. Er ließ sie dort allein. Jon hatte schon den Weg zum Computer gefunden. Wide ging in die Küche und öffnete die Türen von Vorratsschrank und Kühlschrank. Gemüsebouillon, Safran, Butter, Olivenöl, zwei Zwiebeln und fünf große Knoblauchzehen, Avorioreis, Bohnen. Eine große Porzellanschüssel mit dem marinierten Tandoorihühnchen. Gestern hatte er Joghurt, Zwiebel, Knoblauch, Ingwer, grüne Peperoni und ein *Garam Masala* mit frisch gemahlenen Kardamomsamen, einer Zimtstange, Kümmel, Piment, schwarzen Pfefferkörnern und einer kleinen geriebenen Muskatnuss gemischt, alles zusammen mit dem Masala im Mixer zerkleinert und die Mischung durch ein Sieb in die Porzellanschüssel gegeben.

Er hatte ein frisches Hühnchen in zehn Teile zerlegt, einen Schnitt in die Teile gemacht, sie auf Teller verteilt und das Fleisch vorsichtig mit einer Mischung aus Zitrone und Salz eingerieben, ehe er es in die Marinade legte. Jetzt nahm er das Fleisch heraus, ließ die Flüssigkeit abtropfen und schob die Teile in einer feuerfesten Form in den Backofen, der auf die höchstmögliche Temperatur eingestellt war. Dann widmete er sich dem Risotto: Zwiebel und Knoblauch wurden in einer Mischung aus etwas Butter und Olivenöl glasig gedünstet, er gab den Reis dazu und ließ eine halbe Stunde lang nach und nach die Bouillon mit Safran verkochen. Zum Schluss kamen die Bohnen hinzu, ein wenig Salz, viel frisch gemahlener schwarzer Pfeffer.

Sie aßen das heiße, rot schimmernde Hühnchen mit Zitronenspalten, zusammen mit dem weichen, aromatischen Reis, einem Tomatensalat, in dem auch ein wenig gerösteter Chili und *nan* waren, die drei Minuten in der heißen Backröhre gewesen waren.

Zum Nachtisch gab es Kardamomeis mit Banane und Zitrone, das er am Abend vorher zubereitet hatte: frisch gemahlene Kardamomsamen von fünf Kapseln mit drei großen Eigelb, einem Eiweiß und einem halben Teelöffel Salz gemischt und das Ganze gerührt, bis es schaumig war; knapp zwei Deziliter Rohzucker in einem Deziliter Wasser dazu. Die Mischung hatte er drei Minuten lang kochen lassen und sie dann in einem dünnen Strahl in die Ei-Kardamom-Mischung gerührt, bis die Masse zähflüssig wurde. Während sie abkühlte, hatte er vier große, reife, grob gehackte Bananen mit dem Saft und der geriebenen Schale von zwei Zitronen vermengt, das Ganze in die Masse gegeben und drei Deziliter nicht allzu fest geschlagene Sahne darunter gezogen.

Das Eis hatte nachts in der Gefrierbox gestanden, er hatte es einige Male umgerührt und es eine Weile, bevor es gegessen werden sollte, herausgenommen. Es war ganz still am Tisch, als es verschwand. Die Sonne dort draußen ging unter, und ihre letzten Strahlen berührten rasch die Tischplatte, ehe das Licht erlosch.

17

Ihr Vater war gealtert, die Distanz verschärfte den Eindruck noch. Anfangs war es ihr nicht weiter aufgefallen, die Haare waren ihm nicht ausgegangen und er bewegte sich ohne Schwierigkeiten. Es waren weniger das Aussehen, Haut oder Körper; sein Altern äußerte sich in einem schleppenden Tonfall, Müdigkeit und manchmal einer Teilnahmslosigkeit, die er, wie sie wusste, mit diesen verflixten langen Spaziergängen zu bekämpfen versuchte.

Heute war Sonntag und heute war er zu Hause. Sie saßen auf dem feinen Sofa, das Mittagessen war beendet. Auf dem Tisch stand der Kaffee und ihre Mutter war in der Küche. Kajsa hoffte, sie würde noch ein Weilchen dort bleiben. Es kam nicht oft vor, dass sie miteinander sprachen, ihr Vater und sie, wirklich miteinander sprachen. Wann hatte er sie in ihrer Wohnung besucht? Wann hatte er angerufen und gesagt: »Jetzt komme ich, egal, was du davon hältst.« Ein kleiner Abstecher in die Stadt, ein gemeinsamer Besuch von … ach, irgendwas. Sie wohnte nicht in Werchojansk. Und er auch nicht. Wann hatte sie angerufen und gesagt: »Jetzt komme ich, egal, was du davon hältst …«

»Papa, wie war die Stimmung unter den Menschen, als du jung warst?«

Durch die großen Fenster des Wohnzimmers fiel schwindendes Tageslicht. Es ließ ihn grauer wirken, grauer, als er war, es unterstrich die Linien in dem erfahrenen Gesicht. Als sie selbst älter wurde, hatte sie die Ähnlichkeit deutlicher gesehen: die Linie zwischen den Augenbrauen, ein Gesicht, das immer breiter zu werden schien, ein leicht hochgerecktes Kinn. Aber sein Kinn hatte sich gesenkt, und sie wollte es gern etwas heben, wenigstens an diesem Sonntag.

»Das ist keine leichte Frage, Kajsa.«

»Als du jung warst, erwachsen wurdest.«

»Die Stimmung?«

»Wie sind die Menschen miteinander umgegangen?«

»Na ja, als ich jung war, ging der Krieg gerade zu Ende. Das war eine besondere Situation. Nicht, dass ein Kind Krieg wie ein Erwachsener erlebt, aber als er vorbei war, habe ich natürlich die Freude bemerkt.«

»Überall große Freude.«

»Natürlich. Und Erleichterung, eine unerhörte Erleichterung. Niemand hatte wissen können, ob der Krieg nicht doch nach Schweden kommen würde. Selbst als sich das Blatt 1943 wendete, war niemand sicher.«

»Aber alle konnten sich doch wohl nicht freuen.«

»Wie meinst du das?«

Wie meinte sie das? Sie meinte die zerstörten Menschen und ihre Engagements im Namen dessen, worüber sie während dieses Krieges gesprochen hatten, die Symbole, die sie benutzten. Wer hatte sie verwahrt, sie aufpoliert, sie weitervererbt? Wie vererbte man Hass? War das ein naiver Gedanke?

»Ich meine, auch in Schweden hat es Freunde der Deutschen gegeben. Nazis.«

»Bei Gott. Aber es war sonderbar, wie wenig es nur noch während der letzten Kriegsjahre waren und erst recht danach.«

»Wie vom Winde verweht.«

»Das kann man wohl sagen. Jedenfalls ihre Ansichten, wie weggeblasen.«

»Aber vorher hat es sie gegeben.«

»Du weißt wohl, dass Westschweden immer ein guter Nährboden für Faschisten und Nazis und solches Gesindel gewesen ist. Hier hat eine verrückte und gefährliche Bewegung nach der anderen ihren Anfang genommen. Schön ist das ja nicht, aber so ist es nun mal.«

»Du hast bestimmt einiges gesehen.«

»Als Kind sieht man es wohl nicht mit den Augen, wie du es jetzt siehst oder ich heute. Aber ich erinnere mich daran, wie aufgebracht mein Vater häufig nach Hause gekommen ist.«

»Sie haben ihre Arroganz demonstriert.«

»Dein Großvater schien sich am meisten über die Polizei aufzuregen«, sagte Kajsa Lagergrens Vater und blinzelte sie an, während er den linken Mundwinkel etwas verzog.

»Die alte, übliche Story«, sagte sie und salutierte.

»Ist es wirklich so?«

»Das hast du doch gesehen. Neonazis und Skinheads dürfen ihre Versammlungen und Musikveranstaltungen abhalten, und die Polizei steht draußen und guckt zu, wenn drinnen ihre Rufe ertönen, und dann werden einige sauer auf die Polizei, weil die nichts tut ... Aber heutzutage gibt's auch ziemlich viel Applaus ...«

»Warum unternimmt die Polizei denn nichts?«

»... und wenn die Polizei was tut, dann gibt es ein Geschrei wegen ungesetzlicher Dienstausführung und nicht respektierter Versammlungsfreiheit und Meinungsfreiheit.«

»Es ist verdammt schwer.«

»Ja.«

»Wie sollte es denn sein, was wünschst du dir?«

»Keine Ahnung. Mal so, mal so, ich bin mir nicht ganz schlüssig. Aber ich weiß, dass jetzt mehr Versammlungen stattfinden, viel mehr. Es scheint keine Rolle mehr zu spielen, wenn sie keine Genehmigung bekommen.«

»Das stimmt.«

Der Vater streckte sich nach der Pfeife auf dem Tisch, bereitete sie vor und legte sie für den Spaziergang beiseite.

»Ich weiß, dass viele diesen Naziversammlungen zu Anfang des Krieges Einhalt gebieten wollten, den ›Deutschversammlungen‹, wie sie genannt wurden. Aber das ging natürlich nicht. Es war ja eine Frage der Klassen. Die, die gegen die Nazis waren, standen nicht gerade auf der höchsten Stufe der Leiter.«

»So ist es wohl immer.«

»Vielleicht. Einem Kollegen von meinem Vater ist übrigens was passiert. Sie waren beide Angestellte in einem Büro, also keine Arbeiter; da durfte man nicht wie ein Arbeiter denken. Büroangestellte waren etwas Besseres und sollten auch feinere Ansichten haben, das heißt, die Ansichten der Rechten teilen. Aber das kapierten weder mein Vater noch sein Kollege.«

»Sie haben widersprochen?«

»Das nicht, aber an ihrem Arbeitsplatz herrschte ganz klar Deutschenfreundlichkeit. Eines Abends fand so eine Sympathiedemonstration für die Deutschen statt und mein Vater stand wie üblich am Straßenrand und protestierte. Hinterher traf er seinen Kollegen, der wusste, wo die Typen sich aufhielten.«

»Und da sind sie hingegangen.«

»Ja. Vater fand es sinnlos, reinzugehen, doch sein Kollege,

Arne hieß er übrigens, war der Meinung, man müsse denen da drinnen mal ordentlich den Marsch blasen, und das versuchte er auch. Sie haben ihn vermutlich eine Weile reden lassen, aber dann haben sie ihn rausgezerrt und ihn nach Strich und Faden zusammengeschlagen.«

»Aber das waren keine aus dem Büro?«

»Wer kann das wissen? Er war eine Weile krankgeschrieben, und da gab es viele, die fanden, ihm sei recht geschehen.«

Recht geschehen, recht geschehen, recht geschehen, hämmerte es in ihrem Kopf, als die Müdigkeit kam. Sie war zum zweiten Mal die Fünf-Kilometer-Runde auf halbem Weg den Mörderhügel hinaufgetrabt, ihre Schuhe schlidderten wie Mountainbike-Reifen, als sie sich dem höchsten Punkt entgegenstemmte. Es war ein Unterschied, im Wald zu laufen, im-Wald-zu-lau-fen, im-Wald-zu-lau-fen, dachte sie im Rhythmus ihrer Schritte, die immer energischer wurden auf dem weichen, feuchten Untergrund aus Rinde. Ihre Füße wurden förmlich eingesogen und ihre Schenkelmuskeln und Waden schmerzten leicht. Das war etwas anderes als Asphalt, ein Erlebnis zu laufen, wie es sein sollte, nicht dieses Hindurchlavieren zwischen Autos und Straßenbahnen, Betrunkenen auf den Straßen der Stadt; *City girls they're all right they just want you for the night*, fuhr es ihr durch den Kopf, einer dieser kleinen, scharfen Gedankenblitze, die Läufern manchmal durch den Kopf schossen, wenn sie weit und lange gelaufen und müde geworden waren. Sie versuchte sich zu erinnern, wann sie das letzte Mal mit einem Mann im Bett gewesen war, etwas, an das sich jede Frau ohne Schwierigkeiten erinnern sollte, aber vor ihrem inneren Auge entstand kein Gesicht, und das machte auch nichts. Einem Citygirl ging es nicht um ein Gesicht, es ging um andere hervorragende Teile, aber auch um den *Intellekt*, dachte sie und zog eine Grimasse angesichts der lang gezogenen Steigung vor ihr – das *Gehirn* des Mannes, das die Batterien fast den ganzen Abend in Gang hielten, und die übliche Enttäuschung, wenn der Hirntod und die Leichenstarre eintraten und in ihrer ganzen schimmernden Pracht demonstriert werden sollten, und dann war nicht mehr viel. Zwei Sekunden lang, die das Rückenmark betäubten, war es wunderbar, und hinterher hatte man das Gefühl, als wäre einem ein Körper von Scandia in die Wohnung geliefert worden. Sie sah den Fernsehmast im Delsjön aufragen, der imponierte Kajsa Lagergren nicht, und mitten in ihren immer schwerer werdenden Schritten wurde ihr klar, dass sie einen Mann brauchte, der all diese verdammten Gedanken bei der Stange halten konnte, und sie grinste an der steilsten Stelle.

Während sie die Tür öffneten, zogen sie sich die Masken über das Gesicht. Es war neun Uhr abends, und Au Shan Yew beharrte darauf, bis zehn offen zu haben; er wollte selbst so lange anwesend sein, wie er Kraft hatte. Schließlich war er noch nicht älter als siebzig, und das betonte er häufig. Eine halbe Stunde zuvor hatte er seinen Neffen Ten Yew nach Hause geschickt; er legte gerade das Paket Dim Sum in die Tiefkühltruhe, als ihn der erste Schlag über dem linken Ohr traf, und bevor der Schmerz kam, hatte er das Gefühl, dass es keine Geräusche mehr auf der Welt gebe. Auch aus der anderen Richtung kam dieser Schmerz, als der nächste Schlag seine rechte Gesichtshälfte traf, und er sank zu Boden. Als er den Schlag an seiner Hand spürte und nach unten schaute, fast wie in einem Reflex, sah er, dass die Hand in einem seltsamen Winkel vom Handgelenk wegragte, und alles da unten war weiß, er stolperte und stolperte noch einmal und ging zu Boden, der von Reiskörnern bedeckt war.

Niemand sagte etwas. Die Säcke voller Jasminreis, die am Eingang standen, wurden in die Mitte des Ladens geschleppt, mit raschen Schnitten aufgeschlitzt, der Reis ergoss sich in einer weißen Flut über den Boden; einen Augenblick später war Au Shan Yews Körper teilweise mit Millionen von runden Reiskörnern bedeckt. Das Blut seiner Wunden färbte Tausende der Reiskörner rot, all das Rot breitete sich aus wie eine kleine Insel mitten in diesem weißen Meer. Einer der Männer watete durch den Reis zur Mitte des Haufens und versetzte dem Mann, der auf der Insel Hainan geboren war, einen Tritt gegen den Kopf, einen Tritt, der den Körper in Spasmen zucken ließ. Der Mund des Mannes öffnete und schloss sich, füllte sich mit harten Reiskörnern, die sich mit Blut zu Brei mischten und seine Atmung erschwerten. Er war immer noch bei Bewusstsein, hörte die Geräusche um sich herum wie in einem fernen Film. Jetzt sterbe ich, dachte er.

Die Männer mit den schwarzen Masken ließen sich Zeit in dem Laden, der überwiegend aus einem großen Raum ohne verborgene Winkel bestand. Die sorgfältig gefüllten Regale wurden mit Hilfe der Eisenstangen leer gefegt. Chinesische Grundnahrungsmittel fielen zu Boden und sammelten sich in Haufen: Chinakohl, Selleriekohl, Bok choy, frische Ingwerwurzeln, frische Lotuswurzeln, Frühlingsrollenhüllen, Vogelnester, Wintermelonen, frische Mungbohnenkeime, Schneeerbsen, eingemachte Haliotschnecken, frischer Sojabohnenkäse, Wan-Tan-Hüllen, getrocknete Reisnudeln, chinesische Würste, zwei Sorten Haifischflossen, Glasnudeln, frische Eiernudeln, eingelegte Louquats, Ginkgonüsse, eingelegte Litschis, Konservendosen mit Bambussprossen, eingelegte Wasserkastanien, eingekochte Kumquats, Eiszapfenradieschen, chinesische Petersilie.

Auf dem Weg hinaus machten zwei der Männer das Zeichen »high five«, der Dritte rutschte auf zerquetschten Zwiebeln aus und fluchte leise. Sie nahmen die Masken ab.

Draußen wandten sie sich nach rechts, umrundeten den Häuserblock und setzten sich ruhig in ein Auto, das gegenüber vom Möbelgeschäft parkte. Die Eisenstangen hatten sie in den Kofferraum gelegt, eingewickelt in weichen Stoff. Sie fuhren geradeaus, bogen nach links ab, passierten Au Shan Yews Laden und sahen einige Leute mittleren Alters vorsichtig durch die Türöffnung spähen.

»Was ist da denn passiert«, sagte einer der Männer im Auto.

Die Ruhelosigkeit loderte wie eine Flamme durch seinen Körper, sie tobte wie ein eingesperrtes Tier in ihm. In seiner Brust juckte es heftig. Die langen Spaziergänge halfen nicht, nicht einmal das Haus half wirklich, nur für den Moment. Dass es so einfach gewesen war, immer wieder musste er daran denken. Dass alles vorbei war. Er hatte sich erleichtert gefühlt und sich danach gesehnt, aber das Gefühl genügte nicht. Er hasste immer noch. Er war schließlich immer noch der, der gelitten hatte, oder? Er war immer noch ein Opfer, *oder*?

Diese Frau hatte ihn überhaupt nicht bemerkt, aber das schien nur so; ihm war nicht entgangen, dass sie ihn lange angesehen hatte, und fast bewunderte er sie, weil sie so tat, als hätte sie ihn nicht bemerkt, wie er im Schutz vor dem Regen im Wartehäuschen an der Straßenbahnhaltestelle hinter ihr gestanden hatte. Er hatte sich ein wenig über ihr Kind gebeugt, ernst in diese großen, weit aufgerissenen Augen geschaut und das Kleine hatte angefangen zu weinen. Die Frau hatte sich zu dem Kind hinuntergeneigt und irgendwelchen Nonsens geplappert. Nicht einmal da hatte sie von ihm Notiz genommen. Das bewies, dass sie eine von *denen* war; so hatten sie ihn behandelt oder genau entgegengesetzt, und er war wütend geworden und weggegangen, ohne sich umzudrehen. Er wollte ihr grinsendes Gesicht nicht sehen, wenn er sich umdrehen würde. Er wusste, dass es so war.

Und dann, plötzlich: Die Zärtlichkeit, die sich wie eine weiche Ruhe in seinem Körper ausbreitete, als er in dieser Dämmerung, die wie Schiefersplitter über die Stadt fiel, wieder bei der Kirche an der Mauer stand und zusah, wie diese beiden Männer sich für die Nacht einrichteten. Hatte er sie nicht schon früher einmal gesehen? Den Großen. War es nicht hier gewesen? Er erkannte ihn wieder, aber vielleicht auch nicht, das war nicht wichtig.

Oh, er wollte einen *Einsatz* leisten, in seinem Kopf brannte es vor Eifer, wieder einen Einsatz zu leisten; aber gestern Nacht hatte er Angst gehabt, hatte die Decken nicht mitgenommen. Er wollte es nicht tun, oh, er wollte es tun, das eine und das andere, das eine zuerst, dann das andere.

Er blieb stehen, bis die Gefühle von Zärtlichkeit und Schrecken wichen. Dann ging er an der Kirchenmauer entlang in die Richtung der zwei Männer und folgte ihnen in zehn Meter Abstand zur Storgatan.

Einer der beiden Obdachlosen wartete, bis die Schritte leiser klangen, und als er meinte, der Abstand sei groß genug, hob Janne-Janne ein wenig den Kopf und sah dem Mann nach, der schwach von den Verkehrslichtern der Allén angestrahlt wurde.

18

Rickard Melinder war verschwiegen gewesen, und Sten Ard fragte sich, warum. Melinder war schon lange so. Das Schweigen. Beim Militär, wo die Hochnäsigen ihre Hochnäsigkeit entwickeln und die Stillen sich immer mehr verschließen, war Melinder eine Muschel gewesen. So viel wussten sie. Melinder: in seinen späten Kinderjahren ein Plagegeist. Danach: Schweigen. Was war geschehen?

Rickard Melinder war bisexuell veranlagt gewesen, das hatten sie beim ersten Gespräch mit der Ehefrau herausgehört. Berit. Sten Ard hatte sie wieder aufgesucht. Das kleine Haus auf der Lyckogatan, dahinter der Västberget, der sich wie eine Mauer darüber neigte, Melinders wiederholtes Verschwinden, zwei Tage, drei Tage. Nicht häufig, aber oft genug, um zu merken, dass etwas nicht stimmte.

Er hatte Berit Melinder nicht direkt fragen müssen und darüber war er froh. Ein Mann hatte sich gemeldet und war heraufgekommen, Henrik Bjurlinge; am Vormittag hatten sie sich getroffen und jetzt saß Ard in seinem Büro mit dem Tonbandgerät auf dem Tisch. Er ließ die Vorstellung schnell durchlaufen, um sich nicht das entsetzliche Kratzen und

Schleifen von Mikrofon und Apparat quer über den Tisch anhören zu müssen. Er drückte auf *Play*.

SA: Sie haben angegeben, dass Sie bei der Telefongesellschaft angestellt sind.

HB: Ja, das stimmt.

SA: Rickard Melinder war Ihr Kollege.

HB: Wenn man das so nennen kann. Wir haben uns nicht oft gesehen, ich war draußen beschäftigt und er arbeitete ja im Innendienst.

SA: Aber Sie haben sich getroffen.

HB: Ja.

SA: Erzählen Sie mehr davon.

HB: Was soll ich sagen? Eines Tages bin ich mit Papieren ins Büro gekommen, die nicht in Ordnung waren. Da saß er dort und wir haben uns unterhalten.

SA: Danach haben Sie sich öfter getroffen?

HB: Ja.

SA: Können Sie Ihre Beziehung beschreiben?

HB: (unhörbar)

SA: Entschuldigung, ich habe Sie nicht verstanden.

HB: Hat das mit der Sache zu tun?

SA: Versuchen Sie Ihre Beziehung mit Ihren Worten zu beschreiben.

HB: Mit wessen Worten sollte ich denn sonst … (unhörbar)

SA: Ich habe Ihre Antwort nicht verstanden.

HB: Wir mochten uns. Vielleicht waren wir verliebt. Es war so ein Gefühl.

SA: Wie lange hielt die Beziehung?

HB: Anderthalb Jahre oder so.

SA: Wie oft haben Sie sich getroffen?

HB: Als Paar, meinen Sie? Oder bei der Arbeit?

SA: Als Paar.

HB: Nicht sehr oft. Das Ganze war sehr schwierig für uns, vor allem für Rickard. Er hatte ja Familie – eine Frau. Ich lebe allein.

SA: Ich wiederhole die Frage, wie viele Male?

HB: Das kann ich nicht genau beantworten. Aber ich habe meinen Kalender dabei. – Wenn Sie mir einen Augenblick Zeit lassen …

Sten Ard schaltete das Tonbandgerät aus, legte die Hände in den Nacken und reckte die Ellenbogen, so hoch es ging. Diese Steifheit im Körper – als ob die Genickstarre als Ableiter der chronischen Starre der Glieder funktioniert hätte. Er hatte tatsächlich erwogen, Morgengymnastik zu treiben, den Gedanken dann aber beiseite geschoben: Ein Mann musste einen gewissen Stil wahren. Er weitete die Nasenflügel, versuchte mit Hilfe der Atmung das Kitzeln da drinnen zu vertreiben, aber es ließ nicht nach. Es steckte wie ein kleiner Staubwedel in der Nase. Er wusste, was das bedeuten könnte: Erkältung, vielleicht sogar Grippe, und bei der ersten Vorahnung am Morgen hatte er eine Vitamintablette genommen. Sie hatte wie eine Klapperschlange unter Vitaminschock im Wasserglas gezischt. B und C, Kalzium und Magnesium, die dem Körper »in Phasen physischer oder psychischer Anstrengung auf natürliche Weise helfen können«, hatte er auf dem Röhrchen gelesen und die uringelbe Flüssigkeit finster angestarrt, bevor er sie runterkippte. Wann hatte er nicht solche Phasen?

Jetzt hatte er ein besseres Gefühl in den Rotzgängen, aber richtig gut war es nicht. Er betrachtete das Tonbandgerät, das Henrik Bjurlinges und seine Stimme enthielt. Was für bescheuerte Namen die Leute heutzutage hatten. Die Stimmlage war dunkel, Bariton vielleicht, hätte Wide gesagt, und Ard fragte sich, was er zu dem opernhaften Namen gesagt hätte. Oder war er operettenhaft? Bjurlinge war ein großer, kräftiger Mann mit sympathischem Auftreten; er sah aus wie ein Arbeiter der Telefongesellschaft, der sich als ziviler Bürger verkleidet hatte, und das bedeutete: nicht Rock und hohe Absätze. Der Mann mag eine abweichende Veranlagung haben, aber äußerlich ist ihm nichts anzumerken, dachte Ard und stellte das Tonbandgerät wieder an:

SA: Es geht darum, wie viele Male Sie sich getroffen haben.

HB: Genau kann ich es nicht sagen, aber – fünf- oder sechsmal.

SA: Innerhalb von anderthalb Jahren.

HB: Ja.

SA: Zu Hause in Ihrer Wohnung?

HB: Ja, auch mal ein Abend draußen.

SA: Draußen? Wie meinen Sie das?

HB: In einem Café oder Restaurant.

SA: Waren Sie in Begleitung von jemand anderem?

HB: Nein.

SA: Waren Sie bei irgendeiner Gelegenheit, an die Sie sich erinnern können, mit jemand anderem zusammen?

HB: Nein. Wenn wir uns trafen, dann nur wir. Es gab keine anderen.

SA: Wissen Sie, ob Rickard Melinder einen anderen ... Partner in dieser Zeit traf? Abgesehen von seiner Frau.

HB: Nein.

SA: Hatten Sie einen Verdacht?

HB: Nein.

SA: Und wenn ich sage, dass er es getan hat?

HB: Dann sage ich, dass Sie lügen.

SA: Wieso sind Sie so sicher, dass er es nicht tat?

HB: So ein Typ war er nicht ... (unhörbar)

SA: Ich habe Ihre Antwort nicht verstanden.

HB: Rickard war nicht so ein Typ.

SA: Was meinen Sie damit?

HB: Das ist schwer zu erklären – aber Rickard Melinder war ein gequälter Mensch. Er litt darunter, mich zu treffen, dass wir dieses Verhältnis hatten. Er hatte große Schuldgefühle.

SA: Trotzdem haben Sie sich weiter getroffen.

HB: Ich erwarte nicht, dass Sie das verstehen.

SA: Wollen Sie damit sagen, dass seine Schuldgefühle größer als nötig waren, bei einem Mann, der seine Frau mit einem anderen Mann betrügt?

HB: Das klingt merkwürdig – ja. Aber er hat sich so lange wie möglich dagegen gewehrt. So sehe ich es jedenfalls.

SA: Haben Sie sich deswegen so selten getroffen?

HB: (unhörbar)

SA: Ich habe Ihre Antwort nicht verstanden.

HB: Ihm war es wohl oft genug.

SA: Finden Sie es nicht seltsam, dass er sich nie zu Hause gemeldet hat, wenn er ein paar Tage weggeblieben ist?

HB: Da habe ich mich nicht eingemischt.

SA: Haben Sie nie darüber gesprochen?

HB: Nein.

SA: Wann haben Sie sich das letzte Mal getroffen?

HB: (unhörbar)

SA: Ich habe Ihre Antwort nicht verstanden.

HB: Vor drei Monaten.

SA: Seitdem haben Sie ihn also nicht mehr getroffen?

HB: Nicht als … Partner.

SA: Aber bei der Arbeit.

HB: Einige Male.

SA: Wann haben Sie ihn das letzte Mal am Arbeitsplatz gesehen?

HB: Ungefähr einen oder zwei Tage bevor er verschwunden ist, wie Sie sagen.

SA: Wir glauben, dass er sich da mit einem anderen Partner getroffen hat.

HB: Das kann ich mir kaum vorstellen. Ich war es jedenfalls nicht.

SA: Sie wissen, von welchen drei Tagen wir sprechen. Können Sie mir erzählen, was Sie in der Zeit getan haben?

HB: Es handelt sich also um Samstag, Sonntag und Montag. Montag hab ich gearbeitet. Am Wochenende hab ich nichts Besonderes unternommen. Hab ein bisschen gelesen, einen Spaziergang gemacht, aber es war so ein mieses Wetter. Nichts Besonderes.

SA: Sie haben niemand anderen getroffen?

HB: Nein.

SA: Wo sind Sie spazieren gegangen?

HB: (unhörbar)

SA: Ich habe Ihre Antwort nicht verstanden.

HB: Werde ich etwa verdächtigt? Ich habe mich freiwillig gemeldet.

SA: Antworten Sie nur auf meine Frage.

HB: Wie lautete die Frage noch?

SA: Wo sind Sie an dem betreffenden Wochenende spazieren gegangen?

HB: Ich habe eine Runde durch den Botanischen Garten gemacht, rüber zum Schlosswald und dann wieder nach Hause.

SA: Sie hatten niemanden dabei?

HB: Nein.

SA: Wen haben Sie sonst noch am Wochenende getroffen?

HB: Ich hab doch gesagt, ich habe niemanden getroffen.

SA: Mit wem haben Sie telefoniert?

HB: Im Lauf des Samstagnachmittags hab ich meine Mutter angerufen. Sie können sie ja fragen.

SA: Mit wem haben Sie außerdem telefoniert?

HB: Mit niemandem. Ich schwöre. Sie können es ja überprüfen lassen. (Andeutung eines Kicherns)

SA: Wir haben vorhin schon einmal darüber gesprochen, dass Melinder sich mit niemandem außer Ihnen traf.

HB: Seine Frau ausgenommen.

SA: Seine Frau ausgenommen. Aber wie war das für Sie?

HB: Auf diese Frage brauche ich nicht zu antworten.

SA: Da Sie freiwillig zu uns gekommen sind, gehe ich davon aus, dass Sie mit uns zusammenarbeiten wollen. Für uns ist es wichtig, Menschen aus Rickard Melinders Umgebung zu finden.

HB: Wenn ich jemand anderen treffe, dann ganz gewiss nicht aus Rickards Umgebung.

SA: Aber es ist passiert.

HB: Nein.

SA: Nie?

HB: Nicht zu der Zeit, als wir uns trafen.

SA: Bei keiner Gelegenheit?

HB: Nein. Wahrscheinlich verstehe ich den Sinn Ihrer Frage immer noch nicht.

SA: Rickard Melinder hat auch nie etwas in der Richtung angedeutet?

HB: Was denn?

SA: Rickard Melinder hat Sie nie gefragt, ob Sie noch ein anderes Verhältnis haben? Mit einem anderen Mann?

HB: Nein.

SA: Oder einer Frau?

HB: Nein. Er war nicht eifersüchtig veranlagt. Er hatte genug mit seinen eigenen Alpträumen zu tun.

SA: Falls Sie in der Zeit, als Sie zusammen waren, einen anderen getroffen haben – könnte Rickard Melinder das gewusst haben?

HB: Ich habe doch schon gesagt, dass ich keine andere Beziehung hatte.

Sten Ard schaltete das Tonbandgerät aus, versuchte durch die Nase zu atmen, die sich langsam schloss. Fünfundzwanzig Jahre bei der Kripo hatten ihn eins gelehrt: Menschen logen aus vielen verschiedenen Gründen. Henrik Bjurlinge log. Das konnte viele Gründe haben. Ard ließ das Band zurücklaufen und hörte es noch einmal ab, während der Tag draußen vor dem schmutzigen Fenster in Dämmerung überging.

Jonathan Wide versuchte die Stille mit Ry Cooder und V. M. Bhatt zu brechen, amerikanisches Bottleneck; er hatte die CD gekauft, weil er einem Titel wie *Ganges Delta Blues* einfach nicht widerstehen konnte.

Durch den einsam klingenden Raga hörte er trotzdem die Stimmen seiner Kinder wie ein weiches Nachbeben. Es war jedes Mal dasselbe, wenn sie seine Wohnung verlassen hatten, oder *ihre* Wohnung – aber so sah es wohl keiner, sie auch nicht.

Er hatte sie zu dem Haus in Fredriksdal gefahren, und Elisabeth hatte es vorgezogen, während der wenigen Minuten abwesend zu sein, und eine Nachbarin gebeten, die Kinder in Empfang zu nehmen. Damit Wide sich bloß nichts einbildete.

Er war ein schwacher Mensch, und als solcher war er soeben unten im staatlichen Schnapsladen am Jaegerdorff gewesen und hatte sich eine halbe Flasche Black Ribbon gekauft, den einzigen Maltwhisky, den es auch in Halbliterflaschen gab. Ard hatte den Malt vor langer Zeit eingeführt, und wenn Wide jetzt einen kleinen Rückfall erleben wollte, sollte das lieber mit einer halben Flasche geschehen.

Den Anrufbeantworter hörte er nicht ab; er wusste, dass Erik Kolldings Stimme auf dem Band war. Der Sicherheitsmann vom NK wunderte sich mit Recht, warum der Detektiv nichts von sich hören ließ. Warum hatte er sich nicht gemeldet? Er wollte darüber nachdenken, aber zuerst einen Whisky.

Wide steckte die Nase in das bauchige Glas, ohne zu trinken. Malt müsse man aus einem bauchigen Glas trinken, hatte Ard gesagt. Er stellte das Glas ab, erhob sich, ging zum Schreibtisch, holte fünf Bogen weißes Papier und einen Stift aus dem Regal, von dem Stuhl neben dem Bett holte er Bücher. Er schaltete die Musik aus.

Als er sich wieder gesetzt hatte, sah er dieses Gesicht vor sich; es wurde jedoch immer verschwommener. Er sollte nicht mehr daran denken, es bedeutete nichts. Würde es etwas bedeuten, dann hätte er es mit irgendetwas in Verbindung gebracht. Andererseits: Er wurde das, was von diesen Zügen noch in seinem Bewusstsein übrig war, einfach nicht los. Da war etwas. Das Gesicht wollte ihm etwas sagen. Er wollte es danach fragen.

Dann dachte Wide an den »Fall«, in den er geraten war – oder zumindest stand er daneben und stocherte ein bisschen darin herum. Während der folgenden Stunde erstellte er Listen, zeichnete Karten und schrieb Namen von Mordopfern auf, bekannten Angehörigen, Ursprung und familiären Hintergrund, Orte, Erinnerungen, Handlungsmuster, Abstände von Zeit und Raum, Gesprächsfetzen. Kindheit.

Er sah ein Bild von sich, dem Zehnjährigen, der er einmal gewesen war, als keine Kamera ihn zu einer unnatürlichen Haltung gezwungen hatte, aber Jonathan Wide lächelte selten auf Bildern, auch in seinem ersten Lebensjahrzehnt. Ihm fiel ein, was er damals gedacht hatte: Was wird, wenn ich achtzehn bin? Weiter konnte er nicht denken. Es hatte eine Zeit danach gegeben, aber er konnte sie nicht richtig einfangen. Sein Vater war schon lange tot gewesen und die

Erinnerungen verblassten wie seine ehemalige Lieblingshose. Außer einer: Sein Vater hatte ein Wikingerschiff aus Holz gebaut. Er war wie im Fieber gewesen, als sein Vater ihn mit in die Werkstatt genommen hatte, die er in dem Mietshaus hatte, in dem sie damals wohnten, und er mit der Hand über das glatt lackierte Holz fahren durfte.

Er erinnerte sich auch an das Dänisch seines Vaters, und er hatte sehr schnell gelernt, seine Herkunft zu verbergen.

Jonathan Wide legte die Papiere auf den Boden neben seine Füße, steckte den Stift in seine rechte Brusttasche und traf eine Entscheidung. Ja. So würde er es machen. Er würde es versuchen.

Darauf trank er. Er hatte geglaubt, dass er damit fertig wäre, jedenfalls für diesen Tag. Aber wer kommt schon so glimpflich davon?

19

Er war es, klar war er es, und Janne-Janne konnte erkennen, dass er groß war. Oder waren da noch andere, die spionierten? Vielleicht jemand vom Sozialamt, ach nee, die wurden inzwischen ja selbst arbeitslos. Der Kerl schien zu ihnen herkommen zu wollen. Scheiße, davon kriegte man eine Gänsehaut bis in die Zehenspitzen.

Schien einen warmen Dufflecoat zu tragen, so einen müsste man haben.

Eigentlich wollte er nicht noch mal aufstehen, nachdem er sein Bett vorbereitet hatte, aber Janne-Janne war schließlich kein Feigling. Also erhob er sich und ging ein Stück auf die Büsche zu. Da war der Typ, er entfernte sich in Richtung Viktoriagatan, wo das alte »Vickan« lag, in dem Janne-Janne früher Swing getanzt hatte. Das wollten die anderen ihm nie glauben, wenn er mal davon erzählte. Aber es stimmte.

Er folgte dem Mann, und das schaffte er gut, denn Sixten hatte ihn um den Rest in der Flasche gebracht. Als Janne-Janne sich mit seinem Bettzeug abgemüht hatte, war Sixten gestolpert, und da sei ihm reinweg aus Versehen der Rest in die Kehle gelaufen, behauptete er. Im Augenblick machte es Janne-Janne nichts aus, der Schnaps vom Nachmittag und die Pillen, die er von einem früheren Arbeitskollegen bekommen hatte, waren ihm sowieso nicht gut bekommen; das Zeug hatte ihn auch nicht gerade fröhlich gestimmt.

Der da vorn sah kein bisschen so aus wie auf dem Bild, das sie nach seinen Angaben auf dem Bildschirm gezeichnet hatten. Schicke Klamotten trug der, aber das hatte er im Dunkeln nicht erkennen können. Groß war er, das hatte er denen wohl gesagt, und jetzt sah er erst, wie groß, als er ihn ein wenig eingeholt hatte. Sie überquerten die Allén und betraten den Park. Der Kerl musste an die zwei Meter groß sein, das konnte er im Vergleich zu einigen Männern sehen, denen sie begegneten; die waren auch nicht gerade klein, genau wie Janne-Janne, und der war um die einsvierundachtzig gewesen, als er noch aufrecht stehen konnte.

Wohin war der eigentlich unterwegs? In Richtung Stadtgrenze ging es nicht; jetzt waren sie schon um den ganzen Park herumgewandert und bei der neuen Oper umgekehrt. Sie gingen wieder unten am Wasser entlang, die Markthalle erhob sich unheimlich am Kungstorget. Dort hatte er im Frühling viele Male gesessen und sich die Sonne ins Gesicht scheinen lassen. Der Kerl dahinten wollte im Park spazieren gehen, so viel war klar, eine kleine Promenade, aber jetzt ... jetzt ... was zum Teufel ... Er war nicht mehr unter der Laterne, wo er eben noch gewesen war. Janne-Janne hatte ja nur seine Silhouette vor der Markthalle gesehen, das hatte nicht mehr als eine Sekunde gedauert.

Jetzt aber vorsichtig! Er ging auf die Laterne zu und daran vorbei, doch der lange Kerl war verschwunden, und das war merkwürdig, denn der Pfad verlief hier ganz gerade. Er spähte ihn entlang, hörte die Straßenbahn Nummer vier vorbeirauschen, und Janne-Janne drehte sich um, konnte jedoch nichts weiter sehen als einige arme Teufel, die in einem Gebüsch zur Allén hin kauerten. Einen Augenblick musste er sich gegen einen Baumstamm lehnen, so schwach war ihm geworden. Schließlich war er fast gelaufen, und als er so mit hängender Zunge dastand, näherten sich Schritte, er schaute auf, schaute wirklich auf in ein Gesicht, das er ja schon einmal fast gesehen hatte, jedenfalls war es dasselbe, und der Mann war nicht böse oder so, weil er verfolgt worden war, und Janne-Janne wusste nicht, was er sagen sollte, denn der andere sagte etwas, was er nicht verstand, und dann wiederholte er es: »Kann ich Ihnen behilflich sein?«, sagte er, und dann hörte Janne-Janne nichts mehr.

Der Gruppendruck begann und seine Anwesenheit war wünschenswert. Wide hatte mit Kollding gesprochen und diesmal ging es nicht um Fluchtwege bei Unglücken und auch nicht um Diebstahl. Es ging um die Planung vor dem Weihnachtsgeschäft und den Druck der Menschen, der die Stockwerke nach Westen und Osten ausbeulen würde. Wie sollten sie die Massen von Konsumenten durchs NK schleusen, ohne dass die Zehen der Leute Schaden litten? Hatte er eine Idee?

Die Weihnachtsschaufenster. Jonathan Wide empfand jedes Jahr die gleiche milde Überraschung, wenn es wieder so weit war. Kauf mich! Schau mich an!

Er war ein schlechter Konsument. Wie sollte er die Kaufkräftigen richtig leiten? Es war ein diffuser Auftrag. Die ganze Geschichte war ein diffuser Auftrag, und er fragte sich, ob Kollding oder dessen Chefs ernsthaft an seiner Mitarbeit interessiert waren. Es kam einem Gnadenjob gleich, den Gedanken wurde er nicht los, ein diskretes Arrangement, um dem alternden Detektiv einen kleinen Verdienst zu verschaffen. Damit er etwas zu tun hatte. Etwas zu essen. Etwas zu trinken. So dachte er mit einem Anflug von dem reuevollen Humor eines Menschen, der einen Kater hatte, und zuckte zusammen, als das Telefon klingelte.

»Wide.«

»Sten hier.«

»Hallo.«

»Wie geht's?«

»Bisschen müde.«

»Hör auf mit dem Trinken.«

»Nur ein kleiner Rückfall.«

»Die Kinder zu Besuch?«

»Ja.«

»Dann funktioniert es nicht.«

»Bald klappt es besser.«

»Aber deswegen ruf ich nicht an.«

»Nein.«

»Melinder. Er war im Sommerlager.«

»Ja.«

»Wusstest du das?«

»Nein, aber ich hatte so ein Gefühl.«

»Zweimal, Sommer 1961 und 62.«

»Ich vermute, irgendwo in Småland.«

»Hindsekind. Das liegt außerhalb von Värnamo, am See Hindsen. Oder lag, nach unseren Ermittlungen gibt es das Sommerlager seit fünfzehn Jahren nicht mehr.«

»Gibt's bestimmt bald wieder. Sommerlager sind ganz im Geist der Zeit, sie passen perfekt zu unserer runtergewirtschafteten Gesellschaft.«

»Ja.«

»Aber diese Information über Melinder habt ihr nicht von der Kommune Sävsjö bekommen.«

»Nein, aber das weißt du ja schon.«

»Ja.«

»Es ist zu blöd.«

»So was passiert. Damals passierte so was häufig.«

»Man kriegt fast Verständnis für die Abrisswut der Sozis in den sechziger Jahren.«

»Du meinst, sie hätten eher damit anfangen sollen?«

»Abreißen und Neues bauen? Dann hätten wir die Papiere gehabt. Es gab also nichts mehr?«

»Darüber nicht.«

Wide hatte in der Gemeinde Sävsjö angerufen, war mit der Schulbehörde, mit den sozialen Einrichtungen verbunden worden. Ja, es war eine Statistik darüber geführt worden, welche Kinder der Stadt in den Sommermonaten in Sommerlagern untergebracht wurden. Aber die Statistiken waren nicht mehr zugänglich. Der Grund: Im Oktober 1965 war das alte, schöne Holzgebäude der Gemeindeverwaltung abgebrannt; es war ein ungewöhnlich trockener Herbst gewesen und die Flammen waren gierig. Einige Unterlagen waren gerettet worden, aber die, nach denen er fragte, waren verbrannt. Vorschlag: Die Krankenschwester des Distrikts, die damals für einige Vorgänge zuständig gewesen war, lebte noch; es ging ihr den Umständen entsprechend gut, wenn man bedachte, dass sie schon einundneunzig war, aber ans Telefon konnte sie nicht mehr kommen.

Wide schaute auf seinen Monitor. Hätte es geholfen, wenn es 1965 schon Computer gegeben hätte, als der ganze Mist in Flammen aufging? Oder wären die Speicherinhalte vom Feuer in die Luft gehoben und für ewig in der heißen elektronischen Nacht verstreut worden?

»Habt ihr schon in Mariannelund recherchiert?«

»Dort hat es jedenfalls nicht gebrannt, aber die Unterlagen scheinen ziemlich durcheinander zu sein.«

»Gibt es denn eine Statistik?«

»Eine ältere Angestellte in einem Büro dort war der Meinung, dass Kinder aus Mariannelund im Sommer regelmäßig in Sommerlager verschickt wurden. Rate mal, wohin.«

»Nach Hindsekind.«

»Genau.«

»Aber da ist niemand, den man nach Arvidsson fragen kann? Angehörige, wie bei Melinder?«

»Nein.«

»War es übrigens Melinders Mutter?«

»Ja, aber die Kripo von Eksjö hatte ihre liebe Mühe.«

Wide fuhr sich über die Stirn, betrachtete seinen Handrücken, der schwach vom fetten Alkohol glänzte, der seinen Kopf verließ.

»Vielleicht lebt der Leiter von diesem Sommerlager ja noch.«

Er hörte Ard in der Leitung atmen.

»Ich habe einen Namen in Schonen, aber der Namensträger ist tot. Eine Familie aus Schonen scheint im Auftrag der Sozialbehörde das Sommerlager geführt zu haben. Es soll einen Sohn geben, der irgendwie am Rande dabei war. Der befindet sich gerade im Ausland, reist in Asien herum und kommt erst in zwei Wochen nach Hause.«

»Aber es ist nicht sicher, dass die oder er eine vollständige Statistik haben.«

»Nein, ich habe es bei anderen nachgeprüft, aber sie haben keine Aufbewahrungspflicht wie die Behörde.«

Wide rieb sich wieder die Stirn, musterte seine Hand. Trocken. Er hörte, dass Ards Stimme immer heiserer wurde.

»Deine Stimme klingt nicht gut.«

»Mich hat eine Grippe erwischt. Hab versucht, sie zu bekämpfen, aber sie hat gesiegt.«

»Bist du zu Hause?«

»Nee, wo denkst du hin. Zu Hause sterbe ich.«

»Du kannst wohl nicht anders.«

»Warten wir's ab.«

»Wir wissen also, dass Melinder im Sommerlager war«, nahm Wide den Faden wieder auf, »wir wissen, wann und wo, aber mehr wissen wir nicht.«

»Falls es überhaupt von Bedeutung ist.«

»Ja.«

Es war still. Wide hörte noch deutlicher, wie angestrengt Sten Ard atmete, und dann sein Rasseln:

»Hast du noch eine Idee?«

»Ich denke nach.«

»Gut.«

»Ich lass wieder von mir hören.«

»Okay.«

Wide langte nach seinen Papieren. Er hatte sich ja schon vor dem Gespräch entschieden, es war nur eine Art Bestätigung. Montag würde er fahren. Zum Teufel mit dem NK.

20

Wide stellte das Auto beim Sozialamt ab und ging die Västra Hamngatan in nördlicher Richtung zur Domkyrkan. Er überquerte den Kirchplatz und ging weiter durch die stillen, dunklen Straßen zum Wasser hinunter. Der Samstagabend war kälter als die Abende im vergangenen Monat. Wide atmete kräftig aus und sah seinen Atem wie eine Wolke in der Nacht. Der Dezember nahte, massig und kühl, wie eine hohe Leiter, die die Leute hinaufkletterten, um das Licht und die Freude hoch dort oben in der *jouletide* zu erlangen. Der Dezember bedeutete Erwartung und das Glitzern in den Augen eines Kindes und Hyazinthenduft in der Stille. Und er war auch noch etwas anderes, etwas, was das Leuchten in den Augen eines Kindes jäh verlöschen ließ, wenn Erwachsene keine Kraft hatten, ihre Bürde bis zum Tag der Erlösung, dem 24., zu tragen. Aber daran wollte er nicht denken, jetzt schon gar nicht, da er hundert Meter entfernt die schimmernde Fassade der Oper von Göteborg sah.

Seine Oper nahm Wide ernst, vielleicht das Einzige, was er ernst nahm außer seinen Kindern, jetzt, wo er angefangen hatte, gegen den Alkohol zu kämpfen.

Schon als Jugendlicher hatte er sich für Zehn-Kronen-Karten in der Oper herumgedrückt, anfangs nicht wegen der Musik. Es war mehr das Großartige am Schauspiel, die Gesten voll inhaltsreicher Leere. Das Mienenspiel. Das Drama. Wahrscheinlich war er als Erstes vom Drama gefangen genommen worden, den häufig etwas unklaren, dünnen Erzählungen von Verrat und menschlicher Kleinlichkeit und Größe. Wide war ein Mann der sparsamen Gesten, wenn er nicht zu betrunken war. Der Betrachter musste schon sehr genau hinschauen, um das Drama seines Lebens zu entdecken, das in seinem Gesicht spielte, und vielleicht fühlte er sich deswegen von diesem *allem sofort* angezogen, was die Opernkunst dem Publikum mit Kraft entgegenschleuderte.

Am Nachmittag hatte er eine Weile in Eik Lindegrens Texten über Opernkritik gelesen, etwas über Puccini: der letzte große Opernkomponist im alten italienischen Stil, ein Mann, der ausschließlich Opern schrieb, für die Millionen draußen. Dass ihm zum Sterben unbehaglich war, wenn er nichts hatte, was er vertonen konnte. Nach der Premiere von *Tosca* am 14. Januar 1900 hatte Puccini sich wie »ein arbeitsloser Arbeiter« gefühlt.

Zwischen *Tosca* und *Madame Butterfly* lagen vier Jahre. Die Jagd nach einem neuen Libretto.

Hier drinnen erwartete ihn die Geschichte aus Japan. Er stand vor der Treppe, stieg sie hinauf und betrat das Haus, dessen Entstehung er mit Skepsis verfolgt hatte, und jetzt fragte er sich, warum. Vielleicht war es die kalte Arroganz, die er bei den Vertretern der Wirtschaft wahrzunehmen meinte, ein Hauch von Verachtung für andere und schlechter gekleidete Bühnenkunst oder Kultur. Ein Wunsch, im Licht der *feineren* Kunst gesehen zu werden, wovon die nicht das Geringste begriffen. Aber jetzt im Zentrum von Glas und Licht zum Fluss hin war ihm das egal; er gab seinen Mantel ab, bekam eine Plastikmarke, kaufte einer Frau in schwarzem Kleid mit kurzen schwarzen Haaren ein Programm ab, trank in der Bar ein Glas Weißwein und betrachtete dann diese Frau, die fünf Meter entfernt stand. Er sah den Umriss der Brüste unter dem Stoff; sie hatte schmale nackte Schultern, dünne Arme und ein breites Gesicht. Er vermutete, dass sie einen flachen Bauch hatte, ihre Brüste waren größer, als der schlanke Körper es zulassen sollte, die Hüften breit genug für die stabile Seitenlage und Gegenbewegung und ... Himmel, er spürte, wie Hitze über seinen Hals schoss, als die Gedanken, schwer und geschwollen von Blut, zwischen seine Beine sackten. Plötzlich war er voller Begehren nach Lust mit dieser unschuldigen Frau.

Wide wandte den Blick zur Theke und las die Rollenliste (Darsteller, Interpreten ...). Ard konnte einem Leid tun, mit dickem Kopf zu Hause; aber blockierte Sinne passten nicht zur Musik.

Er musste sich geschlagen geben. Dort im Parkett rechts, Reihe acht, Platz 263, nahm er die Architektur in Augenschein. Er hatte nicht auf dem Balkon sitzen wollen, schon gar nicht ganz oben mit dem Abgrund vor sich. Aber hier unten hatte er ein großes, schönes Gefühl, als er sich umschaute – das gedämpfte Gemurmel des Publikums, das seine Plätze aufsuchte, die Dissonanzen aus dem Orchestergraben.

Er hatte sich mit anderen über diese seelenlose Kathedrale unterhalten, aber da war er unwissend gewesen und hatte den Fehler begangen, sich über etwas zu äußern, wovon er keine Ahnung hatte.

Die Göteborger Oper war bereits für viele zur Kathedrale geworden, der Umzug war weit weniger schmerzhaft gewesen, als viele geglaubt hatten. Es war tatsächlich möglich, etwas Neues für vor langer Zeit geschaffene Werke zu bauen und für neue Werke. Es war möglich, eine neue Seele zu schaffen. Er spürte es.

Pinkerton schlenderte auf die Bühne. Es begann. Wide sah den falschen amerikanischen Leutnant, der bereit war, das Leben einer fünfzehnjährigen japanischen Geisha zu zerstören, die es doch eigentlich besser wissen müsste. Er setzte sich zurecht, schloss die Augen, öffnete sie wieder und gab sich der Geschichte hin.

In der Pause nach dem ersten Akt wollte er die Schlussszene so lange wie möglich nachklingen lassen, das schöne *Bimbi dagli occhi pieni di malia* mit Pinkerton und Cio Cio San im Hochzeitsbett, eine Trauung, die von Anfang an zum Tode verurteilt war.

»War es gut?«

Shaeffer hinter der Theke, Wide auf dem Hocker, in den er seinen Namen gravieren sollte.

»Es war gut.«

»Ein Klassiker.«

»Könnte es werden. Cio San war sehr gut, Nina Stemme. Sie war in Cortona engagiert.«

»Italien.«

»Wo sonst. Gib mir ein Glas Salentino.«

Wim Shaeffer öffnete die Rotweinflasche und schenkte ein. Wide holte Luft und nahm einen Schluck.

»Gut.«

»Möchtest du etwas dazu haben?«

»Der Tomaten-Auberginen-Pie sieht verlockend aus.«

»Das Grüne ist Basilikum.«

»Mag ich.«

»Dazu kannst du eine gegrillte Gänseleber haben.«

»Dazu? Ich glaub, ich esse ich wohl eher den Pie dazu.«

»Nur ein kleines Stück. Aber ich will dich nicht zwingen.«

»Dann lass ich mich nicht länger bitten.«

Eine Minute später war Shaeffer wieder da, schenkte Wide nach.

»Was für eine Version haben sie gebracht?«

»Die letzte, soweit ich sehen konnte.«

»Die Parisversion.«

»Ja.«

»Nicht so hartherzig.«

»Sie gefällt mir ganz gut. Pinkerton ist zwar ein Scheißkerl und seine Frau zu Hause ist auch nicht ganz unschuldig, obgleich sie genau das in dieser Version behauptet. Aber bei Pinkerton gibt es eine Andeutung von Reue. Das gefällt mir.«

Shaeffer schwieg. Er goss sich selbst ein kleines Glas Wein ein.

»Puccini mochte auch die abgemilderte Version lieber, wenn ich es richtig sehe.«

»Sagst du das, weil ich dir empfohlen habe, du sollst dich lieber von Puccini fern halten?«

»Nein.«

»Aber eigentlich hörst du gar nicht zu.«

»Nein.«

»Allem leistest du Widerstand.«

»Das stimmt nicht, nur Autoritäten.«

»Und ich bin so eine?«

»Im Augenblick bist du es, jedenfalls für die Gänseleber und den Pie, die da gerade kommen.«

Wide sog die Düfte vom Teller ein: Kräuter und liebliches, lebensgefährliches Fett und reife Tomaten.

»Sind hier auch sonnengetrocknete Tomaten drin?«

»Das ist der letzte Schrei. Wusstest du das nicht?«

»Ich dachte, im Augenblick müsste an allen Speisen Meerrettich sein.«

»Vergessen und begraben.«

»Ich mag Meerrettich.«

»Trotzdem, *gone but not forgotten.*«

»Das schmeckt gut zu Pasta.«

»Ja.«

Wide aß schweigend die kleine Portion.

Shaeffer kam zurück.

»Du weißt, dass Frauen mutige Männer bewundern, die sich über Autoritäten und Gruppendruck hinwegsetzen.«

»Da kriegt man doch gleich ein Gefühl von Geborgenheit. Wie steht es bei dir?«

»Ich empfinde dasselbe, aus meiner Perspektive.«

»Du hast keine Angst vor ... Männern.«

»Jedenfalls nicht vor denen, für die ich mich interessieren könnte.«

»Glaubst du, ich hab Angst vor Frauen?«

»Nein.«

»Manchmal glaube ich es aber selber.«

»Wenn du aggressiv bist, dann hast du Angst vor Frauen. Die beiden Sachen passen nicht zusammen. Frauen scheuen die Aggressivität. Sei der, der du wirklich bist.«

»Wer bin ich?«

»Der, der hier vor mir sitzt und fähig ist, selber zu denken. Ein widerspenstiger Kerl. So was kommt an.«

21

Janne-Janne rannte. Himmel, er konnte rennen, wenn er musste, und jetzt musste er. Als ob der Schnapsladen in diesem Augenblick für alle Ewigkeit dichtmachte. Die Reflexe waren nicht verloren gegangen, einmal hatte er in der Schule den Sechzig-Meter-Lauf gewonnen. Noch war Leben in ihm, und er wurde nicht mal müde, obwohl er schon fast oben auf dem Sprängkullen war.

Dieses Gesicht – als es gewissermaßen zu seinem Gesicht heruntergeflossen war, da dachte er, er müsse auf der Stelle sterben; er wusste nicht, was ihn veranlasst hatte zu reagieren, aber das war schon mal passiert. Vor vielen, vielen Jahren hatte er auf einer Parkbank in Kopenhagen geschlafen und war aufgewacht, weil er so verdammt durstig war. Drei Dänen hatten sich genähert, er hatte sie gefragt, wo es etwas zu trinken gebe, und sie hatten sich bereit erklärt, ihm den Weg zu zeigen. Unten am Hafen merkte er, dass einer von denen plötzlich hinter ihm ging und die anderen beiden an seiner Seite, und mitten in einem Satz, den er gerade von sich geben wollte, hatte er auf dem Absatz kehrtgemacht und war über widerhallendes Kopfsteinpflaster davongestürmt.

Und diese Taktik hatte er auch diesmal angewandt. Er war unter dem Arm des Großen weggetaucht und davongestürmt wie eine Antilope, zurück durch den Park und an der Kirche vorbei, ohne den schlafenden Sixten zu stören oder ihn zu warnen. Erst beim Skanstorget wurde er langsamer.

Scheiße, was sollte er jetzt tun? Verfolgte der andere ihn? Nein. Sollte er umkehren und sich vergewissern? Nee, vielen Dank.

Janne-Janne sah sich um, aber das gab ihm keine Sicherheit. Sollte er sich beruhigen? Er versuchte es, aber das konnte dauern.

Vielleicht hatte überhaupt keine Gefahr bestanden. Hatte er sich vielleicht in der Person getäuscht? War es wirklich der, der Decken über Jungs breitete, die an der frischen Luft lebten? Nach dem die Polizei suchte?

Janne-Janne beschloss, sich zu beruhigen. Es *könnte* ja auch ein ganz anderer gewesen sein. Der sich gefragt hatte, warum der Kerl ihm dauernd folgte. Der nur ein paar freundliche Worte wechseln wollte. Dass er oben im Hagapark gestanden und sie beobachtet hatte, war vielleicht nur ein Zufall. Und so weiter und so weiter.

Sollte er wieder zur Polizei gehen? Wieder vor einem riesigen Computerbildschirm stehen und so lange reden, bis ein Gesicht entstand? Aber wenn es ein unschuldiges kleines Lamm aus Gottes Hain war? Darüber musste er nachdenken. Uff, war das ein harter Abend gewesen. Jetzt brauchte er Kraftstoff, das war mal sicher wie das Amen in der Kirche.

Jonathan Wide verließ die Såggatan zehn Minuten vor neun, es war Viertel nach, als er an Kallebäck vorbei auf die Autobahn in östlicher Richtung fuhr, Göteborg im Rückspiegel. Der Wetterfrosch im Radio hatte für diesen Tag unverändertes Wetter vorausgesagt, aber Wide wusste, dass sich die chronischen Inkontinenzbeschwerden des Novembers in Kürze zeigen würden. Im Augenblick sah der Himmel aus wie mit einer dünnen Plastikschicht bedeckt; sie war durchsichtig und gemächlich erstickend, gefüllt mit Nässe, die nur auf den richtigen Moment wartete, um sich auf alle Abarten der Menschheit zu stürzen.

Wide fror, die Heizungsanlage im Auto hatte eine neue Macke, und er merkte, dass es besser wurde, wenn er den Regler beim Fahren mit der rechten Hand festhielt. Es war eine verdammt unbequeme Art, Auto zu fahren. In Höhe von Bollebygd gab er auf und steckte eine Kassette in das Abspielteil des Radios, das in einem Knäuel von Kabeln lose auf dem Handschuhfach lag. Emmylou Harris sang für die Wälder und Gewässer und die finsteren Randgebiete von Borås, was in Wide ein schmerzliches Gefühl weckte, das ihm ziemlich echt vorkam. *Most novembers I break down and cry cause I can't remember if we said goodbye.* Das geht einem zu Herzen, da der Monat doch so gern beim Weinen hilft, dachte Wide, als er durch Borås fuhr, das schwachsinnige Planer zwei Meter neben den Schlafzimmerfenstern der Stadtbewohner mit dieser Autobahn durchgeschnitten hatten. Schon das genügt, dass man weinen möchte, dachte er, tat es aber nicht. Bis vor kurzem hatte das Land einen Ministerpräsidenten gehabt, der aus dieser geteilten Stadt stammte, und Wide hatte den Verdacht, dass die Heiserkeit des Mannes durch all das Rumgebrülle in seiner Jugend entstanden war. Quer über das Niemandsland der Verkehrsführung, das ihn von seiner Herzallerliebsten auf der anderen Seite trennte. Aber damals gab es die Autobahn wohl noch nicht, dachte Wide, hielt das Bild jedoch noch eine Weile fest, weil es ihm gefiel.

Vor zwölf erreichte er das Zentrum von Värnamo. Er kam an einem großen Ziegelbaukomplex vorbei, den er für eine

Schule hielt, was ihm einige Sekunden später ein Schild am Giebel bestätigte: Finnvedsschule, in drohendem Schwarz wie eine letzte Warnung an die erst halbwegs gebrochenen Seelen. Jonathan Wide konnte sich nicht erinnern, dass er sich in diesem Schulsystem jemals zu Hause gefühlt hatte.

Er fuhr in Richtung Süden, bog in ein Villenviertel ab, das menschenleer zu sein schien, wenn die Kinder nicht zu Hause waren, hielt im Rönnbärsvägen vor einem Souterrain, das mit weißen Ziegeln verkleidet war, und stieg aus. Er reckte sich, so diskret er konnte. Die ganze Strecke von Göteborg war er ohne Pause gefahren, und das bereute er jetzt. Hunger hatte er auch. Er fragte sich, ob er dort drinnen eine Tasse Kaffee und einen Happen zu essen bekommen würde.

»Eine Tasse Kaffee? Möchten Sie etwas dazuhaben?«

Die Frau war in seinem Alter, jedenfalls sollte sie das sein, und sah doch nicht mal wie fünfunddreißig aus, noch nicht einmal wie dreißig, und legte es nicht darauf an, so zu wirken. Sie musste um die vierzig sein und war genau wie Wide in den frühen sechziger Jahren im Sommerlager gewesen – genau wie Rickard Melinder.

Außerdem war sie am Hindsen im Sommerlager gewesen – Värnamo war nicht von Feuersbrünsten heimgesucht worden und die Listen waren erhalten. Aus ihnen ging hervor, dass sie gleichzeitig mit Melinder dort gewesen war, im Sommer 1962.

Wide wäre am liebsten sofort hinausgefahren und dann wieder hierher, aber sie hatte am Vormittag zu tun. Sie sah aus, wie ihre Stimme am Telefon klang: ruhig, nahm sich Zeit nachzudenken, ehe sie antwortete.

»Gern einen Kaffee.«

»Ich hab ein paar Käseschnitten vorbereitet.«

»Wunderbar, danke.«

Sie verließ den spärlich möblierten Raum: Parkett, ein antiker Schrank, der teuer aussah, eine Sitzgruppe, mit einem dünnen, einfachen Stoff bezogen, dessen Design Wide gefiel; außerdem war der Sessel, in dem er saß, bequem. Durch eine Tür konnte er in ein Zimmer sehen, das mit Bücherregalen gefüllt zu sein schien. Eine moderne Großvateruhr tickte quer durch den Raum, in dem er sich befand. Das Geräusch klang beruhigend.

Die Frau kehrte mit einem Teller belegter Brote zurück. Der Kaffee stand schon auf dem Tisch, die Tassen daneben. Ihr Name, Siv Karlsson, war direkt und simpel, wie ihre Körperformen. Sie setzte sich.

»Sie haben sich also unter den Unglückskindern des Ortes umgehört.«

»Wollen Sie das so nennen?«

»Na ja, ein bisschen war es doch so. Es waren ja nicht gerade die Kinder reicher Leute, die in Sommerlager verschickt wurden.«

»Verschickt wurden?«

»So fühlte es sich gewissermaßen an, man wurde dorthin verfrachtet. Ich hab in Gislaved gewohnt, das ist gar nicht so weit von Värnamo entfernt, aber es hätte ebenso gut Härjedalen oder sonst wo gewesen sein können. Man fühlte sich so weit weg von zu Hause. Schließlich war man erst neun.«

»Verfolgt Sie die Erinnerung?«

»Nicht, dass es mir schlaflose Nächte bereitet hat. Aber was für eine seltsame Zeit das gewesen sein muss. Mit neun Jahren einen ganzen Sommer weg von zu Hause – und meine Mutter durfte mich in all den Wochen nur ein einziges Mal besuchen. Mir ist es unvorstellbar, dass ich meine Tochter als Neunjährige oder in sonst einem Alter einen ganzen Sommer weggeben sollte und sie nicht treffen dürfte.«

»Ich verstehe.«

»Sie wissen es ja selber, da Sie auch in einem Sommerlager waren.«

»Ja.«

»Außerdem muss man sich fragen, warum Eltern das zugelassen haben. Aber es war eben eine andere Zeit. Meine Mutter hatte es schwer, allein mit mir und mehreren kleinen Geschwistern. Sie brauchte Entlastung.«

Wide biss in eine Brotschnitte und nahm den Geschmack nach echter Butter und kräftigem Käse wahr.

»Wie war denn der Sommer im Sommerlager?«

»Es ist seltsam, aber ich kann mich kaum erinnern. Eigentlich müsste es doch genau umgekehrt sein, schließlich war es eine ganz neue Erfahrung. Aber anfangs war ich vermutlich etwas geschockt – die vielen Kinder, die Betreuerinnen, der Vorsteher, der große Speisesaal, in dem es klirrte und klapperte. Die Schlafsäle. Manchmal kommt es mir in der Erinnerung so vor, als wäre ich als neunjähriges Mädchen zum Militär einberufen worden.«

»Sie sagen, es war eine Art Schock. Haben Sie ihn dann überwunden?«

»Nach einer Weile schon. Man findet Freundinnen. Da waren ein paar Mädchen, mit denen hab ich immer gespielt, das ist mir eingefallen, nachdem wir miteinander telefoniert hatten. Ich erinnere mich auch an einen Namen, aber an nicht mehr.«

»Sie haben also darüber nachgedacht.«

»Weil ich so viel rede? Vielleicht. Irgendwann will man wohl darüber reden.«

»Ja.«

Eine Weile schwiegen sie, Wide hörte keinen Laut von der Straße. Das Tick, tick, tick der Uhr rahmte das Gespräch ein. Die Frau schenkte ihm Kaffee nach.

Er öffnete den Umschlag, den er mitgebracht hatte.

»Ich habe hier ein Bild und möchte, dass Sie es sich anschauen.«

»Darf ich mal sehen.«

Er nahm das Foto von seiner eigenen Schule heraus, auf dem die Sonne durchs Fenster schien und alle Kinder in kleine Engel verwandelte.

»Das ist ja ein Klassenfoto. Mal sehen, ob ich Sie erkenne.«

Sie schaute genau hin, er wartete, sie hob den Blick und tippte auf ein kleines Gesicht auf dem Bild.

»Da.«

»Genau.«

»Sie gucken ein bisschen störrisch, wenn ich das sagen darf.«

Wide legte ihr ein anderes Foto vor.

»Noch ein Klassenfoto.«

»Ja. Auf diesem Bild ist ein Gesicht, das auch im Sommerlager war, jemand, der im selben Sommer dort war wie Sie.«

»Den ich wiedererkennen soll? Dann war das erste nur ein Test?«

»Nicht direkt. Ich weiß auch nicht, warum ich es Ihnen gezeigt habe. Sie sind mir doch nicht böse?«

»Nein, nein. Aber Menschen verändern sich unterschiedlich. Sie scheinen eine Menge erlebt zu haben, wenn ich das so ausdrücken darf; trotzdem haben Sie sich seit Ihrer Kindheit nicht vollkommen verändert. Bei anderen ist das nicht so.«

»Stimmt.«

»Jetzt wollen wir mal sehen ... Hier herrschen ja komische Lichtverhältnisse. Es sieht aus, als hätten die Kinder eine Art Glorienschein, jedenfalls die in der mittleren Reihe.«

»Das ist mir auch schon aufgefallen. Aber lassen Sie sich ruhig Zeit. Mir geht es um einen Jungen.«

Sie studierte das Bild, die große Uhr schlug die Zeit, die zu Minuten wurde.

»Neeeein – da ist niemand, den ich spontan erkenne. Außerdem hab ich mich damals nicht mit Jungen abgegeben. In dem Alter war ich noch nicht reif.«

»Schauen Sie noch einmal genau hin.«

Wide wartete.

»Nein, ich erkenne wirklich niemand.«

Wide legte seinen Finger auf Rickard Melinders Hals. Siv Karlsson schwieg, hob das Foto hoch, legte es wieder hin.

»Nein.«

»Melinder, Rickard Melinder.«

»Es ist schrecklich, was da in Göteborg passiert ist. Ich würde Ihnen ja so gern helfen. Aber Namen sagen mir gar nichts, ich erinnere mich wirklich nur an den Namen einer Freundin, nur an den.«

»Und nicht an dieses Gesicht?«

»Nein.«

»Sie erinnern sich an nichts anderes? – Irgendwas Besonderes, was in dem Sommer passiert ist?«

»Es ist ja ziemlich viel passiert. Wie meinen Sie das?«

»Ein Unfall, irgendwas?«

»Jemand hat Bauchschmerzen gekriegt ... Vielleicht war's der Blinddarm. Sie wurde abgeholt und ins Krankenhaus von Värnamo gebracht.«

»Es war eine Sie?«

»Ich glaube, ja. Aber sie ist noch vorm Sommerende zurückgekommen.«

»Sonst nichts?«

»Was, zum Beispiel?«

»Als ich selbst im Sommerlager war, gab es so manchen Ärger. Jemand wurde sogar etwas gemobbt.«

»An dergleichen kann ich mich nicht erinnern. Was aber

nicht bedeuten muss, dass es nicht vorgekommen ist. Jedenfalls hab ich nicht direkt Auseinandersetzungen mit angesehen. Nein. Das ist das Unheimliche ... Ich denke darüber nach, seit Sie angerufen haben. Dass eins dieser Kinder, die damals dabei waren, jetzt ermordet wurde.«

»Ja.«

»Und Sie meinen, damals im Sommerlager passierte etwas?«

»Ich weiß es nicht. Ich habe keine Spur. Ich wollte nur die verschiedenen Möglichkeiten überprüfen.«

Sie dachte nach. Wide war schon vorher aufgefallen, dass sie mit Daumen und Zeigefinger an ihrem Ehering drehte, während sie nachdachte. Dann sagte sie plötzlich:

»Einmal, als wir uns versam... Irgend so was.«

»Wie bitte?«

»Ein Fotograf, ja, natürlich, so war es. Einmal ist ein Fotograf gekommen und hat uns fotografiert. Kinder, Erzieher, alle haben sich versammelt.«

»Das ist ausgezeichnet.«

»Warum ist mir das nicht eher eingefallen? Aber vielleicht hilft das ohnehin nicht weiter. Das Foto besitze ich nicht.«

»Könnte es nicht in irgendeinem Karton liegen?«

»Nein. Ich kann mich nicht daran erinnern, dass ich das Bild jemals bekommen habe.«

»Aber Sie sind sicher, dass fotografiert worden ist.«

»Ja, das bin ich. Wir mussten uns alle unter einem Baum aufstellen, glaube ich. Es gab einen, dessen Stamm teilte sich in der Mitte; in der Gabelung konnten einige sitzen.«

»Aber ein Bild haben Sie nicht gesehen.«

»Nein ... Vielleicht hing eins am schwarzen Brett. Wahrscheinlich, aber daran kann ich mich nicht erinnern.«

»Und ich kann natürlich nicht erwarten, dass Sie sich erinnern, wer der Fotograf war.«

»Nein.«

Vermutlich ein Berufsknipser aus der Kommune Värnamo, dachte Wide.

Vor über dreißig Jahren. Einen Versuch war es trotzdem wert.

Hier drinnen herrschte ein besonderes Licht, eine besondere Luft. Er spürte es, sobald er das Foyer betrat, das zu seiner Zeit anders ausgesehen hatte.

Alles schlug ihm entgegen, als er hereinkam. Seit dem Umbau 1985, oder wann das nun gewesen war, hatte sich viel verändert, aber nicht das Gefühl, woanders zu sein, wie eine Art Freiheit. Er konnte lange vor den Flaschenpalmen dort links stehen, genau vor der Tür. Zu dieser Jahreszeit drängelten und stießen sich dort keine Leute. Er hatte seine Ruhe und mehr verlangte er ja gar nicht; jetzt wollte er nur seine Ruhe haben, er war *sehr* erstaunt darüber, dass ihn jemand wie dieser arme Teufel im Park verfolgt hatte. Der hatte ihn doch noch nie gesehen, der bildete sich das bloß ein; und wenn er ihn gesehen hätte, spielte das keine Rolle, es gab keinen Grund, ihn zu verfolgen.

War der Unglückliche ihm aus Dankbarkeit gefolgt? Weil er ihm einen kleinen Dienst erwiesen hatte? Dankbarkeit war nicht nötig, er wollte nichts mehr mit denen zu tun haben, das war nicht gut für ihn. Weder das eine noch das andere wollte er mehr, das hing alles zusammen, und er brauchte keine Läuterung. *Er wollte nichts mehr damit zu tun haben.* Wollten die ihm drohen? Zeigten sie etwa auf diese Art ihre Dankbarkeit? Was wussten die denn davon, was er erlebt, was er durchgemacht hatte.

Er wusste, warum er die Nähe der Pflanzen suchte. Was wuchs und grün war, hatte genug mit sich selbst zu tun. Die Pflanzen waren nicht grausam wie andere wachsende Geschöpfe, die noch grausamer wurden, wenn sie ausgewachsen waren. Sie waren auch gegen alles Übrige grausam, was in der Natur wuchs: Wer pflegte die Flaschenpalmen, wo sie zu Hause waren, auf Round Island vor Mauritius? Er kannte ihr Schicksal. Es gab nur noch zehn Exemplare in der freien Natur, und diese Palmenart würde aussterben, wegen der Nutzbarmachung des Bodens. So was ließ man sterben, während andere Parasiten auf der Erde den Tod verdienten. Die Grausamen sollten sterben.

Die Menschen überschätzten sich, wie oft hatte er das nicht schon gedacht. Das dachte er auch jetzt, während er etwas tiefer in das Palmenhaus ging. Er stellte sich neben einen Bambus. In diesem Teil des Gebäudes war niemand, hier waren nur er und die Pflanzen. Was waren Menschen gegen das Bambusgras? Es konnte wie ein zehn Stockwerke hohes Haus vierzig Meter hoch werden, der Stamm konnte einen halben Meter Umfang haben, noch mehr. Was war schon das bisschen Mensch gegen einen solchen Bambus?

Es war halb eins und hier drinnen herrschten dreiundzwanzig Grad. Er ging zum südlichen Balkon hinauf und setzte sich auf eine der Bänke, knöpfte seinen Kragen auf und versank in der weißen, verschlissenen, grünspanfarbenen Umgebung. Es war angenehm, in der feuchten Wärme zu sitzen und dann nach Hause zu gehen, wo sich die Winde frei bewegten und für frische Luft in seiner Wohnung sorgten. Dort fror er gern, das mochte er, er trug ja die Gerüche von hier mit sich, sein Mantel duftete nach grüner Freiheit.

Er verließ den Balkon und ging für einige Minuten ins Mittelmeerhaus, wo die Luft trockener, die Düfte intensiver waren. Lange betrachtete er den Drachenbaum. Er hätte gern den Stamm gestreichelt, aber er wusste, dass man so was nicht tat. Schließlich war er hier Pfleger gewesen, er wusste, wie man sich gegenüber dem hehren Wachstum zu verhalten hatte.

22

Er hatte sich verfahren, musste bei einem unbewohnten Hof drehen und fand endlich die Abzweigung vor der neuen Straße, die irgendwann in den letzten Jahren gebaut worden war. Ein Schild kündigte einen Badeplatz an. Wide bog nach rechts ab, fuhr an etwas vorbei, das vielleicht einmal eine Schule gewesen war, dann einen Kilometer weiter einen Schotterweg entlang, bis er eine kleine Abzweigung nach links sah. An der Einfahrt stand ein sehr altes Gestell für Milchkannen, wie zur Erinnerung daran, wie es einmal gewesen war.

Wide hielt an, nahm einen Zettel aus der Innentasche seiner Wildlederjacke und studierte die Handskizze, las die Anmerkungen am Rand: Beim Milchgestell abbiegen, 500 Meter weiter bis zu einem Hof, der Weg führt nach rechts einen Abhang hinunter in den Wald, wird schmaler, bis zum Ende fahren, ungefähr einen Kilometer. Dort ist es.

Er fuhr in den Wald, auf dem Weg zeichneten sich schwache Traktorspuren ab, aber sicher es war schon lange her, seit hier zuletzt ein Auto gefahren war. Das war kein einladender Weg.

Als er vorsichtig die letzten hundert Meter fuhr, tauchte das Haus wie am Ende einer Allee auf. Er hielt vor einem rostigen Tor, stieg aus und stellte erstaunt fest, dass sich doch Autospuren auf der Erde abzeichneten. Er bückte sich und betrachtete sie genau: Sie waren zwar schon alt, stammten aber auch nicht gerade aus der Vorzeit. Jemand hatte hier draußen etwas zu erledigen gehabt. Vielleicht ein Makler, jemand von einem Bausyndikat. Das Gebäude mit dem Anbau stand seit mindestens sechzehn Sommern leer. Eine Auseinandersetzung um Grund und Boden hatte den Abriss oder Umbau verhindert, aber Wide fragte sich, ob inzwischen irgendwas passiert war, obgleich der Streit beigelegt war. Das Grundstück, abseits gelegen und von dichtem Wald verborgen, war vermutlich nicht besonders attraktiv. Hätte es nicht in der Nähe den See gegeben, hätte hier vermutlich nie jemand gebaut.

Wenn es nach ihm ginge, würde hier auch nie mehr gebaut werden, jedenfalls kein Sommerlager. Nach seinen eigenen Erfahrungen in jenem Sommer war er kein Anhänger solcher Einrichtungen. Als Kind hatte er nicht begriffen, warum er sich von seiner Mutter trennen und zu einem siebzig Kilometer entfernten fremden Ort fahren sollte, um den Sommer mit sechzig anderen verschreckten, einsamen Kindern zu verbringen. Es war etwas weiter südlich in dieser Gegend gewesen, aber genau wie hier könnte es dort ausgesehen haben. Wide öffnete das Tor, das vor Rost kreischte. Vor ihm lag ein einstöckiges Holzgebäude; die weiße und gelbe Farbe blätterte ab, das Dach hatte auffallend viele neue Pfannen. Von hier aus wirkten viele Fenster intakt, und Wide vermutete, dass die Fenster im Erdgeschoss Licht in einen Speisesaal warfen und die oberen Schlafsäle erhellten. Er konnte sich selbst dort drinnen vorstellen, ein Kind, das sein Gesicht am ersten Abend gegen die Scheibe drückte und auf den fremden Wald und Weg starrte, einen Weg, der es erst nach einer Ewigkeit wieder von hier wegführen würde; die Geräusche und Bewegungen hinter dem Kind, als die anderen Kinder ihre Betten abdeckten für die erste Lektion »Betten machen«. Später die Stille, als er im Bett in dem Schlafsaal lag, dessen Wände sich nach außen wölben mussten von all den Sehnsüchten der Kleinen, die an jemanden weit Entfernten dachten, jemanden, an den man sich schmiegen konnte. Aber das Kind, das er war, sollte bald begreifen, dass viele der Kinder, mit denen er den Sommer verbracht hatte, zu Hause keine Geborgenheit erwartete.

Der erwachsene Jonathan Wide verließ das Kind am Fenster und ging nach links, zwischen dem größeren Gebäude und einem kleineren hindurch, in dem vielleicht die Betreuerinnen ihre Schlafräume gehabt hatten, junge Frauen, die in den Sommerlagern des Landes arbeiteten, als das schwedische »Volksheim« in all seiner Pracht errichtet wurde. Sie waren nett und ein wenig linkisch gewesen, erinnerte Wide sich. An dem Ort, wo er gewesen war, hatte die Leiterin sie in der Zucht des Herrn gehalten. So viel hatte er damals schon begriffen. Einige Male hatten die Kinder es auch zu spüren bekommen, aber nicht oft.

Er ging zum Wasser hinunter, der kleinen Bucht, die im Schutz einer Eiche mit einem geteilten Stamm lag. Der Platz für die Morgen- und Abendwäsche, fürs Bad unter strenger Aufsicht. Zu seiner Zeit waren sie nach dem Abendessen in Reih und Glied hinuntermarschiert. War es hier genauso gewesen? Er trat an den Wassersaum, hockte sich hin und legte die linke Hand auf die Steine unter der Wasseroberfläche. Das Wasser war kalt, aber nicht so kalt, wie er es erwartet hatte. Er ließ die Hand liegen und schaute über den See Hindsen, ein widerspenstiger, unfreundlicher Name, der zu diesem Binnensee mit gezackten Ufern und kleinen, verstrüppten Buchten passte, die er von hier aus sehen konnte. Bis in die Buchten hinein reichte das Licht nicht; wer Sonne im Gesicht haben wollte, musste sich einen langen Steg bauen oder mit einem Boot übers Wasser fahren. Auch die Bucht der Kinder erreichten die Sonnenstrahlen nicht.

Wide zog die Hand aus dem Wasser, das sich fast warm anfühlte, als er sie nach einer Weile in der kalten Luft wieder eintauchte. Er richtete sich auf, kehrte zu dem Gebäude zurück und stieg die kurze, abgetretene Treppe zu dem doppelflügligen Eingang hinauf, während er einen Schlüssel aus der Tasche zog. Aber ein großer Abstand oder besonders gutes Sehvermögen waren nicht nötig, um zu erkennen, dass ihm jemand zuvorgekommen war und das alte Schloss aufgebrochen hatte. Die Tür war zu, aber nicht abgeschlossen. Wide zog einen Handschuh an, bevor er die Türklinke berührte und sich Zugang zum Haus verschaffte.

Wer war hier gewesen? Oder: Wer war als Letzter hier gewesen? Kaum denkbar, dass ein Gebäude wie dieses in all den Jahren keinen unerlaubten Besuch gehabt haben sollte. Ein Landstreicher oder mehrere? Jugendliche, die das Abenteuer suchten? Vermutlich. Verliebte? Eine Erklärung gab es immer.

Im Inneren des Gebäudes war es heller und geräumiger, als er erwartet hatte. Er war auch überrascht, wie intakt noch alles war, als ob die Anlage erst in der letzten Saison geschlossen worden wäre. Er sah den Staub in den rechteckigen Lichtflecken der Fenster, aber woran hätte man gesehen, dass es fast zwanzig Jahre alter Staub war? Er erblickte die langen Tische im Speisesaal und die Stühle darauf – einige waren vom Tisch heruntergerissen worden, aber nicht mehr als fünf oder sechs.

Der Saal schien auf Besuch und Leben zu warten, eine

Hoffnung, dass Jugendliche herkommen und die Stühle von den Tischen heben und anfangen würden, mit den Bestecken zu klappern.

So hatte es damals ausgesehen, als er selbst Kind gewesen war, und er erinnerte sich an einen sonnigen Vormittag, als er und noch jemand Putzdienst im Speisesaal hatten. Wie die Sonne plötzlich wie ein Scheinwerfer durch ein Fenster hereingeknallt war und wie sie ihn getroffen hatte, wie er mit dem Mopp in der Hand stehen geblieben war und eine der Erzieherinnen das Radio lauter gestellt hatte, als der Hit des Sommers gespielt wurde, einer der wenigen Popsongs, die es damals gab, und wie er im Takt zur Musik mit dem Mopp über den Boden gefahren war, *You better come home Speedy Gonzales*, dadadarararara. Das hatte er nie vergessen. Es war die schönste Erinnerung jenes Sommers. Die einzige gute Erinnerung, aber vielleicht würde ihm ja noch mehr einfallen, wenn er genauer darüber nachdächte.

Jonathan Wide durchquerte den Raum und stieg die Treppe hinauf, die nicht so stark knarrte, wie er erwartet hatte. Es war, als hätte die Feuchtigkeit das Holz zu einer Masse zusammengezogen, die die Geräusche für sich behielt. Erst als er die oberste Treppenstufe erreichte, federte die geschliffene Tannenplanke unter seinem Fuß und gab ein kurzes *Brmp* von sich.

Hier oben befanden sich drei große Schlafsäle. Wide ging nach links und betrat einen Raum, in dem jetzt keine Betten mehr standen. Sie waren andernorts innerhalb der barmherzigen Gemeinde benötigt worden. Die Luft hier drinnen war kalt und dick, wie Wasser an der Grenze zum Gefrierpunkt. Er ging zum Fenster. Es war zweifach verglast; das hätte er dem Haus gar nicht zugetraut. Durch die leicht beschlagenen Scheiben konnte er den Rasen unten sehen, die Fahnenstange, die in einem schlechten Zustand war, nachdem hier jahrelang nicht mehr der »Tag der schwedischen Flagge« begangen worden war. Das nördliche Ufer, wo er nicht gewesen war. Die kleine Steinmauer, die den Hof umschloss. Das Tor. Sein Auto davor, ein fremdes Wesen und der hässlichste Gegenstand in seinem Blickfeld. Dahinter der Wald.

Wide stand mit geschlossenen Augen mitten im Schlafsaal. Dann verließ er ihn und ging in den Saal gegenüber. Er trat ans Fenster: die Bucht dort unten, wo er seine Hand ins Wasser gehalten hatte, die Eichen, der Spielplatz, auf dem immer noch ein Schaukelgestell stand, das jetzt so verrostet war, dass nicht mehr zu erkennen war, welche Farbe es einmal gehabt hatte.

Wer kann schon erkennen, welche Farbe wir einmal gehabt haben, dachte er und hielt die Formulierung in seinem Kopf fest. Die sagte etwas aus. War er ein Dichter?

Wide verließ den Raum, ließ die oberste Treppenstufe aus, hörte aber trotzdem ein *Brmp* von der zweitobersten, als seine sechsundachtzig Kilo darauf landeten. Unten entdeckte er eine Tür, die er vorher nicht gesehen hatte, ganz hinten im Speisesaal vor der kleinen Eingangshalle.

Die Tür war angelehnt, er drückte leicht dagegen und schaute in einen mittelgroßen Raum. Die Wände rundherum waren mit Vorratsregalen bedeckt. Die Regale waren leer. Er betrat den Raum und entdeckte ganz hinten auf einem breiteren Regalbrett einen ordentlich gestapelten Haufen: Militärdecken oder typische Decken, die es immer in einem Sommerlager gegeben hatte, zwanzig Decken oder mehr.

Wie lange lagen sie hier schon? Warum waren sie liegen geblieben? Wide musterte den Stapel. Er war größer gewesen, höher. Nein. Das war verdammt weit hergeholt. Darin lag ein Symbolwert. Aber war er nicht deswegen hier? War seine Reise denn etwas anderes als eine Suche in einer weit entfernten Vergangenheit? Warum fand er einen halbhohen

Stapel Decken? Es muss etwas zu bedeuten haben, dachte er, und plötzlich wurde ihm sehr kalt.

Was war hier passiert? Innerhalb dieses Gebäudes, an diesem Ort – hatte sich etwas Entsetzliches abgespielt. Wide war seiner Sache sicher wie jemand, der nichts weiß, sich aber umso stärker auf sein Gefühl verlässt.

Draußen hatte ein sanfter Landregen eingesetzt; das war der Unterschied zum Meer, das in Göteborg gemeinsame Sache mit dem Himmel machte und mit lauter Stimme Aufmerksamkeit verlangte. Wide hatte vergessen, wie leise ein Herbstregen in Småland sein konnte. Er hob sein Gesicht, aber der Regen schien an ihm vorbeizufallen und seine Haut nicht zu berühren. Wide öffnete das quietschende Tor, ging an seinem Auto vorbei und in den Wald dahinter. Der war sehr dicht, als ob Wildnis und Boden sich nachdrücklich in Erinnerung bringen wollten, wenn es dem Himmel nicht gelang.

Als er in der *Anstalt* gewesen war, eine Bezeichnung, die er passend fand, war es vorgekommen, dass Kinder aus dem Gebäude in den Wald geflohen waren. Der Ruf hatte sich unter den anderen fortgepflanzt: »Lasse ist abgehauen!« Aber meistens war es ein Spiel gewesen mit einem Anflug von Ernst, eine Art halb verzweifeltes Versteckspiel, das vorbei war, bevor sich die Dunkelheit der kurzen Nächte herabsenkte. Wie war es hier wohl zugegangen? War jemand »abgehauen«? Er musste Siv Karlsson danach fragen, ob sie sich an dergleichen erinnerte. Aber ihre Erinnerungen waren so schwach gewesen. Er hatte sie verstanden, er konnte sie buchstäblich sehen unter den kleinen Mädchen damals, abends weinten sie nach jemandem im Mädchensaal und drückten sich tagsüber an den Hausecken herum.

Wide ging tiefer in den Wald, der eher ein Dickicht war. Es gab nur wenige freie Flächen, er musste große Schritte über

Reisig und kräftige Äste machen, die einen zweiten Boden über dem Waldboden bildeten.

Hundert Meter weiter entdeckte er einen Reisighaufen, der bearbeitet aussah, aber nicht von der Natur. Er ging näher heran, und da sah er die Hütte: Wacholderbeeren, die von der Zeit fast balsamiert und hart wie Stein geworden waren, Bretter und Gerümpel und Tannenzweige. Wann war diese Hütte gebaut worden? Wide wusste, dass so etwas sehr lange Bestand haben konnte, wenn man pfleglich damit umging.

Er drang noch fünfundzwanzig Meter weiter vor, aber das war gleichsam, wie sich in einen Dschungel zu bohren; er kehrte um, folgte seiner eigenen Spur und ging zurück zum Auto.

Der Tag war vorbei, als er im Zentrum parkte und zur Redaktion der *Värnamo Nyheter* schräg gegenüber vom Kaufhaus hinaufging.

Peter Sjögren hatte mit der Erfahrung eines Journalisten behauptet, man müsse bei der lokalen Medienmacht anfangen zu suchen, wenn man in einem fremden Gebiet nach Informationen sucht, und diesen Rat befolgte er.

Er hatte wirklich eine seltsame Frage, und die Redaktion war im Moment zu jung, um darauf antworten zu können, aber wenn er eine Weile wart…, ach, da kam er ja gerade, und Göte Jonsson war vermutlich der Einzige, der vielleicht etwas wusste.

Göte Jonsson war Chef vom Dienst und würde im nächsten Jahr in den Ruhestand gehen, ein Mann, der das meiste gesehen und gehört hatte und sich an Hindsekind erinnern konnte. So furchtbar lange war es ja noch gar nicht her, dass das Ferienlager geschlossen worden war, und das war nur gut so. Göte Jonsson gefiel die Vorstellung nicht, dass man Kinder wie eine Herde Kälber zusammengepfercht hatte.

Bilder? Nein, damit konnte die Zeitung nicht dienen, obwohl man das vielleicht vermuten sollte. Das Sommerlager hatte einen Vertrag mit einem ortsansässigen Porträtfotografen gehabt. Mal drüber nachdenken ... Wenn Wide ein Weilchen Geduld hätte, würde er ein bisschen rumtelefonieren.

»Sehr nett von Ihnen.«

»Sind Sie übrigens selber Smaländer? Da ist etwas in Ihrer Sprechweise ...«

»Ich hab ein paar Jahre in Sävsjö gewohnt.«

»Ach du Scheiße.«

»Wieso?«

»Sind Sie kürzlich mal dort gewesen?«

»Nein.«

»Fahren Sie hin, dann werden Sie sehen.«

»Sävsjö kann sich wahrscheinlich nicht mit Värnamo messen.«

»Nichts kann sich mit Värnamo messen. Värnamo ist der Mittelpunkt. Jönköping hat zum Beispiel den Ruf, Smålands Jerusalem zu sein, aber wir hier halten den Weltrekord freier Kirchen.«

»Wirklich?«

»Bei Gott, so ist es. Ich bin nicht religiös, aber man kriegt einen Zorn, wenn Recht nicht Recht ist. Wir sind die Besten hier in Värnamo, wenn es um Gott geht, vielleicht sogar die Besten auf der ganzen Welt. Die Leute kapieren es bloß nicht.«

»Was für eine Sünde.«

»Sünde? Nein, ich rede von Gottes Güte. Mit Sünde beschäftigen wir uns hier nicht.«

Göte Jonsson war offenbar ein Weltmeister im Zynismus, aber jetzt entschuldigte er sich und telefonierte eine Weile.

»›Natanaels Porträt‹, beim alten Polizeigebäude. Sie haben Glück.«

»Scheint so.«

»Schöner Name für eine Firma, was? Und der Alte ist im Augenblick sogar im Laden. Er hat ihn gegründet und wird ihn an seinem letzten Tag mit in den Himmel nehmen. Wenn einer ein gutes Porträt vom Herrn machen kann, dann ist es Natanael.«

Der zukünftige himmlische Hoffotograf wartete hinter dem Tresen, als Wide, Jonssons Anweisungen folgend, den Marktplatz und die Kreuzung überquerte und die wenigen Schritte bis zu dem Schild »Porträt« ging, das ihm in grün schimmerndem Reklamelicht durch den düsteren Nachmittag entgegenleuchtete, und den Laden betrat.

Dieser Mann hatte die Kinder da draußen fotografiert. Es war überhaupt seine Idee gewesen.

»Eigentlich sollte damals jedes Kind ein Foto von der ganzen Gruppe mit nach Hause nehmen, aber mit den Bestellungen war das so eine Sache.«

»Wollten nicht alle eins haben?«

»Doch, schon, aber wer sollte sie bezahlen?«

»Sie bekamen die Bilder nicht geschenkt?«

»Wer sollte sie ihnen schenken? Da draußen herrschte nicht gerade Überfluss. Soweit ich verstanden habe, kamen manche Kinder aus schrecklich armen Verhältnissen. Schrecklich arm, ein Elend war das zu der Zeit«, sagte der kleine Mann, der vor Wide stand, und fügte mit einer Grimasse hinzu: »Und heute ist es kaum besser.«

Natanael Maars war mager und dunkel. Wide vermutete, dass er an die siebzig war, aber er bewegte sich flink und sicher, und in seinen Augen war eine Schärfe, die klare Antworten auf Wides Fragen versprach.

»Ich würde gern einige Fotos von früher sehen, falls das möglich ist.«

»Ja?«

»Und zwar vom Sommer 1961 und '62.«

»Das ist lange her.«

»Haben Sie damals mit dem Fotografieren angefangen? Mit Kinderfotos?«

»Hhmm ... ja, das habe ich.«

»Sind noch Negative vorhanden?«

»Natürlich gibt es Negative. Hier herrscht Ordnung.«

»Ich würde die Bilder von diesen beiden Sommern gern kaufen.«

»Zwei Bilder.«

»Ja.«

»Heute ist das nicht zu schaffen.«

»Aha.«

»Morgen früh, um neun können Sie sie abholen.«

»Das wäre prima.«

»Größe?«

»Die Entscheidung überlasse ich Ihnen, A4 oder so.«

»Darf man fragen, wofür Sie die brauchen?«

Was sollte Wide antworten? Dass er sich auf einer Suche in der Vergangenheit befand? Er sprach von der Atmosphäre des Sommerlagers, ließ aber mehr aus, als er sagte. Natanael Maars wiegte den Kopf.

»Ich hab mich da draußen nie wohl gefühlt. Für die Kinder mag es ja einen Moment nett gewesen sein, als ich die Kamera aufstellte und sie sich zusammendrängelten und kicherten, aber wirklich fröhlich ging es dort nicht zu. Das war ein Ort, wo sich niemand wohl fühlte.«

Wide hatte sich auf eine Übernachtung eingestellt: Unterhose, Strümpfe, T-Shirt, ein hellblaues Baumwollhemd und Ersatzjeans. Ein Necessaire mit den bescheidenen Hygieneartikeln eines Mannes. Hemingways »The First Fortynine Storys«, die er kürzlich bei einem Buchhändler zu Hause gefunden hatte. Er stellte das Auto auf dem Parkplatz des Stadthotels ab, nahm die Tasche, die aus einem kräftigen blauen Gewebe bestand, und buchte ein Zimmer mit Fenster zum Marktplatz, auf dem sich um diese Zeit, halb sechs, nur wenige Menschen bewegten.

Er schüttelte sich die Schuhe von den Füßen, zog die Jacke aus und ließ sie auf den Boden fallen, streckte sich auf dem Bett aus und spürte, wie seine Muskeln erschlafften. Er schloss die Augen, öffnete sie wieder, sah auf die Uhr: zwanzig vor sechs. Wenn er den letzten Kurzfilm in seinem Leben rasch rückwärts laufen ließ, würde er in Schuhe und Kleider schlüpfen und es gerade noch zum Schnapsladen schaffen, falls es in diesem frommen Ort einen gab. Er blieb still liegen, die Gelüste in Gedanken und den müden Körper daneben ausgestreckt, und bevor er eine endgültige Entscheidung getroffen hatte, war er eingeschlafen.

Wide hatte von Körpern geträumt, die auf dem Wasser trieben, und erwachte von einem Zucken in seinem rechten Bein. Über seinem Kopf brannte die Bettlampe, er lag still und war vier Sekunden lang vollkommen desorientiert. Dann stellten sich seine Augen auf das Zimmer ein, alles gedämpft grau, und ihm wurde klar, wo er sich befand. Er setzte die Füße auf den dünnen Teppichboden und stand auf, zog sich aus und ging nackt ins Bad. Dort konnte er den Lichtschalter nicht finden, tappte zurück in den dunklen Vorraum und entdeckte die Schalter vor der Badtür. Er knipste das Licht an, das ihn blendete.

Wide steckte den Stöpsel in die Badewanne und ließ heißes Wasser einlaufen. Er stellte sich vor die Toilette und leerte seine Blase. Er schien minutenlang zu pinkeln und hatte ein Gefühl, als hätte er nicht mehr gepinkelt, seit er Göteborg verlassen hatte. Aber er hatte nichts weiter getrunken als den

Kaffee bei Siv Karlsson und nicht mehr gegessen als ihre Käsebrote. Die dicke Butterschicht auf dem Brot hatte ihn am Leben erhalten.

Er spülte, wusch sich nachlässig die Hände, ging noch einmal ins Zimmer und öffnete die Minibar. Wide nahm die kleine Whiskyflasche und ein Bier heraus, schraubte den Deckel ab und goss Johnny Walker Black Label – ein typischer Hotelwhisky – in eins der hohen Gläser, die in Plastik gehüllt auf dem Kühlschrank standen. Daneben sah er den Flaschenöffner. Er nahm die Bierflasche und das Whiskyglas mit ins Bad und stellte das Wasser ab. Die Badewanne war zu einem Drittel gefüllt. Flasche und Glas stellte er auf den Boden und steckte einen Fuß ins Wasser. Es war heiß. Langsam tauchte er den Fuß ganz ein, dann den anderen, und als er in der Wanne stand, senkte er den Körper langsam in das blau schimmernde Wasser, bis es an seinen Hoden brannte. Er richtete sich ein Stückchen auf und senkte sich dann wieder hinein, diesmal ein bisschen tiefer und noch ein bisschen, und schließlich saß er in der Wanne, lehnte sich zurück, und als sein Kopf den Rand berührte, atmete er die angenehmen Dämpfe im Raum ein und tastete nach der Bierflasche auf dem Boden.

Sein Körper war weich und warm, als er sich rasierte; er wechselte die Kleidung und verließ das Zimmer. Es war fast halb zehn. Aus dem Restaurant, zwei Stockwerke unter ihm, hörte er leise Musik.

Wide ging nach unten, durchquerte die Lobby und betrat das offene Lokal, das von Tischlampen erleuchtet war. Der begrenzte Schein warf Halbkreise über die Tischkanten auf den Boden. Er setzte sich an einen Tisch für zwei Personen und bestellte ein Bier. Der Kellner hatte ihn schon kommen sehen, und als das Bierglas vor ihm stand, las Wide die kurze Speisekarte und bestellte eine Maräne. Dann hob er den

Blick. Im Restaurant saßen mehr Gäste, als er vermutet hatte, überwiegend Männer in seinem Alter, vermutlich Vertreter. Sie steckten in Anzügen, die offenbar zu ihrem Outfit gehörten, das sie immer noch trugen, obwohl das Reisen und Zum-Kauf-Überreden für diesen Tag beendet war. Er sah sich diskret um. An einer langen Tafel neben einer etwas erhöhten kleinen Bühne saß eine Gruppe Frauen, die etwas zu feiern schien. Eine der Frauen erhob sich und hielt eine Rede, aber Wide konnte sie von seinem Platz aus nicht verstehen. Das Orchester machte gerade eine Pause, aber das Gemurmel der Gäste erstickte die Worte. Alle Männer, die er sah, trugen Anzüge, weiße Hemden und Schlipse. Wide registrierte es, aber er fühlte sich nicht fremd in seinem grauen T-Shirt, dem hellblauen Hemd, schwarzen Jeans und schwarzen Boots. Jetzt brachte der Kellner den Fisch. Er schmeckte ausgezeichnet.

Nach dem Essen blieb Wide noch eine Weile beim Kaffee sitzen, Alkohol wollte er keinen mehr. Er sah die Band zurückkehren und hörte kurz darauf wieder die Musik: Sie handelte von Liebe und ähnlichen Beziehungen, war mit den richtigen falschen Phrasen vertont und wurde begleitet vom Bass. Wide hatte keine besondere Meinung über diese Musik, außer dass sie ihm missfiel. Aber er verstand ihre Funktion, und er sah sie jetzt auch, als Männer und Frauen auf dem kleinen schachbrettartigen Tanzboden aufeinander zutraten für einen Tanz der späten Jahre.

Er zahlte und stand auf. Da sah er, wie die lange Tafel mit den Damen von Herren in Sakkos umschwärmt wurde, die alle scharfe Falten auf dem Rücken hatten. Es war, als ob eine Horde Drohnen den Duft von Honig geortet hätten, oder von Weibchen. Als Wide gerade gehen wollte, stieß er leicht mit einem Mann zusammen, der sich dem Tisch der Damen auf etwas unsicheren Beinen näherte, den Blick auf ein bestimmtes Ziel gerichtet, und Wide überlegte, ob der Mann wohl gerade übte, was er sagen würde, wenn er an den Tisch kam. Lieber Gott, lass mich nicht eine geile, angetrunkene Drohne im Anzug in einem Stadthotel werden, wenn ich einmal älter bin, dachte Wide und nahm den Fahrstuhl zu seinem Zimmer hinauf.

Er setzte sich an den Schreibtisch, knipste alle Lampen aus, nur die über dem Tisch nicht, nahm einen Stift zur Hand und dachte über den Tag nach.

Er war sich noch nicht im Klaren darüber, was er da gesehen hatte. Darüber musste er schlafen und nachdenken. Er zog einen Bogen Hotelpapier heran und notierte das Datum darauf, so, wie es ein Dichter machen würde. Dann schrieb er:

Vor dreißig Jahren

ich habe die jahre rückwärts gezählt
im takt der lamellen
hab die abzweigung verpasst

jetzt sind wir angekommen
einige nachzügler der sonne leuchten in deinem haar
die strahlen bündeln sich
oben auf deinem kopf

niemand ist zu hause
aber das habe ich auch nicht erwartet
eine tür schlägt im takt zu
speedy gonzales
der plötzlich in meinem kopf tönt
you better come home
töntesinmeinemkopf

im erdgeschoss suche ich die wände mit blicken ab
über dem südlichen türrahmen
sehe ich das foto
die ganze familie versammelt
ich sitze auf einem ast, nur das gesicht ist zu sehen
einige strahlen leuchten in meinem weißen haar

ihr wart so viele, sagst du

Wide legte den Stift weg und las das erste Gedicht, das er in seinem Leben geschrieben hatte, falls es ein Gedicht war. Er lächelte, sein Gesicht straffte sich, er rieb sich die Stirn und spürte wieder die Müdigkeit im Körper. Dann zerriss er das Blatt in Streifen und warf es in den Papierkorb, in dem nur der Deckel der Bierflasche lag.

23

Kajsa Lagergren hatte es zunächst für Mord gehalten. Aber Au Shan Yew würde überleben, auch wenn das eher Zufall als Berechnung war. Es gab ein nächstes Mal.

Die widerstandslose Gesellschaft, der die schwarzen Masken begegneten, war eine Art Ermunterung. Wie weit konnte man gehen? Wie weit erlaubten sie einem zu gehen, ehe es zu spät war? Der Überfall auf den chinesischen Laden, der letzte, war so brutal gewesen, dass sich kritische Stimmen in der Stadt erhoben. Die *Göteborgs-Posten* hatte ein Bürgertelefon eingerichtet, bei dem die so genannte Allgemeinheit ihre Meinung äußern konnte.

Ard war in die Redaktion geladen worden, um die Anrufe in seiner Funktion als Kommissar vom Gewaltdezernat entgegenzunehmen; er hatte sich in jedem Winkel des Präsidiums zu verstecken versucht, aber gegen seine Vorgesetzten hatte er keine Chance gehabt. Jemand hatte auch Kajsa vorgeschlagen, schließlich war sie mit dem Fall operativ befasst, aber Sten hatte gesagt, er wolle sie zwar in die Zeitungsredaktion mitnehmen, aber nur, damit sie zuhören könne. Und die Einladung hatte sie natürlich nicht ausgeschlagen. Nachdem sie sich mit der Idee vertraut gemacht hatte, fand sie es gut, für ein paar Stunden von der entsetzlichen Mordermittlung abgelenkt zu werden. Während dieser zwei Stunden, in denen sie den Gesprächen gelauscht hatte, konnte sie die wachsende Verstimmung in den Gesichtern der Journalisten und in Ards Gesicht beobachten, und hätte sie einen Spiegel zur Hand gehabt, dann hätte sie auch den Ekel in ihrem eigenen Gesicht gesehen.

»Wollen wir abbrechen?«, hatte die Chefin vom Dienst nach einer Stunde gefragt, aber Ard hatte abgewinkt und weiter in den Hörer geredet: Nein, er finde nicht, dass die Polizei sich anderen Aufgaben widmen sollte, als Schweden zu jagen, die das Ihre täten, um die Einwanderer zu bremsen; nein, er finde nicht, dass das Land von Schwarzköpfen okkupiert werde; nein, er denke nicht daran, seinen Job aufzugeben; nein, er glaube nicht, dass diejenigen, die ausgewiesen worden waren, jetzt im Luxus zu Hause lebten; nein, er glaube nicht, dass Kurden nicht mehr als kahle Wände und eine Glühbirne an der Decke brauchten und ihre Notdurft verrichteten, wo sie gingen und standen; ja, er glaube an das Recht jedes Einzelnen auf ein anständiges Leben – *aber das ist mehr, als ich dir Scheißkerl wünsche*, dachte er nach dem Gespräch mit einer männlichen Stimme, die angefangen hatte, »*Vergasen, vergasen*« zu schreien, bevor Ard den Hörer aufgeknallt hatte.

»Was machen wir damit?«, hatte die Chefin vom Dienst gefragt, nachdem zwei Stunden so langsam vorangekrochen waren wie Kakerlaken über einen Esstisch. Die Redakteurin sammelte ergeben die Abschriften ein; sie sah aus, als hätte sie die Papiere am liebsten gleich wieder fallen lassen.

»Na ja, es gab doch auch andere Stimmen«, sagte Ard und fing an, nach einem Beweis zu suchen.

»Nicht viele«, wandte Kajsa Lagergren ein, aber zum Ende

hin hatte sie mehrere gehört, die so klangen, als kämen nun allmählich andere Aspekte zum Zuge.

»Die Entscheidung muss ganz schön schwer sein.« Ard wandte sich zu der Redakteurin um, die die Verantwortung dafür hatte, wie das Material ausgewertet wurde.

»Es sind auch anständige Stimmen dabei«, sagte sie, »oder wenigstens welche, die vernünftig zu argumentieren versuchen.«

»Das ist eine Frage der Ethik.«

»Ja, der Urteilskraft. Das Abhören von ›Volkes wahrer Stimme‹.«

Gegen halb elf verließen Sten Ard und Kajsa Lagergren die Redaktion im fünften Stock. Sie blieben eine Weile vor der Glaswand mit dem weiten Blick auf Hisingen stehen. Die Lichter wie Sterne oder tausend Stimmen, dachte Kajsa Lagergren und sehnte sich nach ihrem Bett und gelöschtem Licht und der Stille der Nacht.

Jonathan Wide erwachte eine halbe Stunde bevor der Weckruf von der Rezeption kam. Er blieb eine Weile mit dem Schlaf in Körper und Seele liegen, und als er die Füße auf den Teppichboden setzte, fühlte er sich ausgeruht und bereit.

Der Frühstücksraum war hell, und Wide war erstaunt, dass er so gut besetzt war wie die Tanzveranstaltung am vergangenen Abend. Er sah einige glänzende Gesichter, gut rasiert, aber mit einem rosa Schimmer in den Augen, der verriet, dass es am Abend spät geworden und zu viel Alkohol im Spiel gewesen war; er würde seinen Tribut fordern, wenn er in den schweren Stunden am Nachmittag den Körper verließ: *Bye-bye* für diesmal, wir sehen uns wahrscheinlich wieder, auch wenn du's im Augenblick nicht glauben magst.

Wide war stolz, er hatte ein Gefühl wie ein Trinker, der den richtigen Entschluss zur richtigen Zeit gefasst hatte. Schon zu häufig hatte er reuevoll gefrühstückt mit der Übelkeit im Magen, die zum Katerzentrum des Gehirns aufstieg. An diesem Morgen konnte er mit klaren Augen und kräftigem Appetit das Frühstücksbüffet von Värnamos Stadthotel genießen. Aber gleichzeitig schämte er sich. Wer war er denn, dass er sich anmaßte, Urteile zu fällen wie am vorigen Abend über die Suche der Menschen nach einem bisschen Freude auf dem Tanzboden zu Musik, die nicht seinem Geschmack entsprach? Es waren Leute wie er. Er war nichts Besonderes.

Fünf Minuten nach neun machte er sich auf den Weg zu Natanael Maars, der ihn schon erwartete. Auf dem Tresen lag ein Kuvert.

»Da sind sie.«

»Das ging ja planmäßig.«

»Natürlich. Außerdem sind es gute Bilder, klar und scharf.«

»Hervorragend.«

»Möchten Sie sie sofort sehen?«

Wide war sehr neugierig, aber er brauchte Ruhe, wenn er die Bilder zum ersten Mal studierte.

»Ich schau sie mir im Hotel an.«

»Wie Sie wollen.«

Wide kehrte ins Hotel zurück, setzte sich aufs Bett, stand jedoch sofort wieder auf und ging zum Schreibtisch. Er nahm eine Mappe aus seiner Tasche, breitete Passbilder und die Bilder der Kinder aus, denen der Tod dann schon in ihren mittleren Lebensjahren begegnen sollte, und öffnete dann das Kuvert des Fotografen.

Er hielt ein Bild hoch und drehte es um: Hindsekind 1961. Ein ordentlicher Stempel. Dann betrachtete er das Foto: Kinder im Badezeug, einige mit Bällen in den Händen; Jungen und Mädchen. Bevor er jedes einzelne Gesicht studierte, zählte er: zweiundfünfzig Kindergesichter, acht erwachsene

Gesichter, lauter Frauen. Im Hintergrund: viel Laubwerk, links Wasser, das zwischen den Beinen von zwei Jungen hindurchschimmerte, die am Rand der Gruppe standen. Einer der Jungen war im Profil zu sehen und schien etwas zu sagen, als das Bild aufgenommen wurde. Der andere schaute geradeaus, genau in die Kamera. Es war Rickard Melinder.

Wide hatte gewusst, dass Melinder auf einem dieser Bilder sein würde, aber er zuckte trotzdem zusammen.

Sorgfältig musterte er die anderen. Nichts. Er ging von links nach rechts über die vier unregelmäßigen Reihen von Kindern, entdeckte aber niemanden mehr, bei dem er erneut hätte zusammenzucken müssen.

Er legte das Foto hin, nahm das andere, drehte es um und stellte fest, dass es ein Jahr später aufgenommen worden war, 1962.

Als Erstes zählte er die Gesichter: sechsundvierzig, ein paar weniger im Vergleich zum Jahr davor. Er suchte von rechts nach links und zuckte noch einmal zusammen. Jedenfalls fühlte es sich so an. Rickard Melinder stand ungefähr an derselben Stelle, wo er ein Jahr zuvor gestanden hatte, den Blick genauso geradeaus gerichtet. Neben ihm stand Bengt Arvidsson, der Junge aus Mariannelund, den auf einem Hügel im westlichen Göteborg ein Eisenrohr in den Nacken getroffen hatte.

Ihm fielen die Zwillinge auf, die ganz vorn vor den Kindern saßen, zwei Jungen, und über ihnen drei Mädchen und dahinter noch fünf Mädchen; Augen, die in die Sonne blinzelten, Badekleidung, die auf eine Weise lose herunterhing, wie sie das nur in den frühen sechziger Jahren tun konnte.

Rechts, ganz außen, war ein Mädchengesicht, ein Stück vom Arm einer der jungen Frauen zu sehen, aber es reichte Wide, um Ulla Bergsten – als Erwachsene Ulla Torstensson – zu identifizieren.

So war es, und er spürte ein Frösteln auf seiner Kopfhaut. Hier waren sie versammelt gewesen. Kaum vorstellbar, dass sie sich erst später getroffen hatten. Bisher hatten Ards Ermittlungen keine anderen Berührungspunkte aufgedeckt, doch jetzt stand fest, dass die drei Opfer einmal eine relativ lange Zeitspanne unter demselben Dach miteinander zugebracht hatten.

Wer waren all die anderen auf dem Foto? Es lohnte den Einsatz, sie zu finden. Die erwachsenen Frauen: Er hatte schon vorher an sie gedacht, jetzt hatte er die Gesichter und hoffentlich auch bald die Namen, wenn der Sohn des Leiters aus Asien heimkehren würde – oder wo der sich gerade aufhielt. Der konnte die Papiere hervorholen, und wenn er es nicht konnte, dann würde er ihn dazu drängen, sich das Foto so lange anzuschauen, bis seine Erinnerung zurückkehrte. Die Kinder: Befand sich unter ihnen ein erwachsener Mörder? Das war ein unheimlicher Gedanke.

Jonathan Wide checkte aus, fuhr vom Hotelparkplatz, steuerte wieder am Gymnasium vorbei und dann nach links auf der 127 in nordöstlicher Richtung. Er kam an der Abzweigung nach Hindsekind vorbei und erreichte nach fünf Kilometern eine Anhöhe, von der er rechts einen weiten Blick über einen Golfplatz hatte und an dem lang gezogenen Abhang in der Ferne einen See ausmachte: den Hindsen. Von hier aus sah er im milchgrauen Schein des kurzen Tages, der in Dämmerung überging, wie ein Stück gesprungenes Glas aus. In der Nacht hatte es geschneit, nicht viel, aber die Temperatur und die Höhenlage hatten dafür gesorgt, dass hier noch stellenweise dünne Schneeflecken auf den Grünflächen und Sandbunkern des Golfplatzes lagen. Wide fuhr weiter durch Wald und über Hügel, durch ein ausgedehntes Moor; nach zwanzig Kilometern kam er durch den Ort Vrigstad, wo es einen Festplatz gab, auf dem er als Fünfzehnjähriger zweimal Prügel bezogen hatte, und als er wenig später mit dem Fußballverein Sävsjö FF hergekommen war, hatte man ihm fast ein Bein gebrochen. Vielleicht hatte all das zu seinem Entschluss beigetragen, die Gegend für immer zu verlassen.

Jetzt war er wieder hier. Wide fuhr die zwölf Kilometer bis Sävsjö und bog von der 127 ab, bevor die Uhr auf dem Armaturenbrett zwölf anzeigte.

Er war weggezogen. Seine Mutter war gestorben. Wie lange hatten sie hier gewohnt? Sieben Jahre? Er hatte sich nie heimisch gefühlt. An dem Ort an sich war nichts auszusetzen gewesen, soweit er sich erinnern konnte. Eher stimmte mit ihm etwas nicht, mit seiner Familie oder vielmehr mit ihrer Geschichte: Sein dänischer Vater hatte eine Bitterkeit mit sich herumgeschleppt, die ihren Ursprung im Zweiten Weltkrieg hatte; erst als Erwachsener hatte Wide die Zusammenhänge begriffen. Jonathan Wides Großvater war ein Mitläufer der Nazis gewesen und hatte mit der deutschen Okkupationsmacht kollaboriert; nach dem Krieg hatte Wides Vater seine Heimatstadt Fredrikshavn verlassen, da die Schikanen und Repressalien gegen ihn kein Ende nahmen. Sie waren in Schweden gelandet, aber erst nach dem Tod seines Vaters und als Wide noch nicht in die Schule ging, war seine Mutter mit ihm nach Sävsjö gezogen.

Er erinnerte sich an den Bahnübergang, aber als er ihn überqueren wollte, gab es ihn nicht mehr. Er musste in die andere Richtung fahren, an einer Bushaltestelle und einem Zeitungskiosk vorbei und ein Viadukt hinauf, das neu aussah. Es führte über die Bahngleise und zu einer Straßenkreuzung beim Kaufhaus. Hier fuhr er zweihundert Meter weiter ostwärts und bog nach rechts in die Tegnérgatan ab. Vierhundert Meter weiter sah er das einstöckige Mietshaus, in dem er einen Teil seiner Kindheit verbracht hatte. Er wusste, dass es damals eine grüne Fassade gehabt hatte, aber mittlerweile hatte man es modernisiert, Garagen angebaut, das Gebäude hellgelb gestrichen und mit neuen Balkons versehen. Er fand, dass es gemütlich aussah – so hatte er sein Zuhause nie empfunden.

Zum ersten Mal, seitdem er nach Westen gegangen war und sich bei einer älteren Dame im Stadtteil Olivedal in Göteborg eingemietet hatte, war er hier, in dieser Straße und in dieser Stadt.

Er wendete in der Auffahrt des Hauses und fuhr denselben Weg zurück. Auf dem alten Vrigstadvägen bog er hinter dem Hügel rechts ab, dann sofort wieder links und fuhr die Skolgatan entlang zwischen gut gepflegten älteren Holzvillen bis zur Västra-Schule. Er war erstaunt gewesen, als er erfuhr, dass sie noch existierte. Er parkte das Auto, zog den Zündschlüssel ab, stieg aus und schloss ab. Er wurde hier erwartet.

24

Aus der Turnhalle hörte er Rufe und dumpfe Aufschläge von einem Ball, der gegen die Wand geworfen wurde, die zur Skolgatan ging. Die Fensterscheiben waren beschlagen.

Er atmete die gute Luft ein, sie roch nach einer Stunde Autofahrt sauber und frisch. Ja, hier auf dem Hochland war die Luft tatsächlich sauber und frisch. Er wusste, dass Göteborg seine Lungenkranken viele Jahre lang hierher in das Sanatorium geschickt hatte, das auf der anderen Seite des Vrigstadvägen lag.

Wide spürte Kälte im Wind. Es hatte angefangen zu regnen, ein Regen, der sich trocken auf der Haut anfühlte, und als er die Hand ausstreckte, sah er, dass es kleine Hagelkörner waren, die von oben herabfielen. Er ging schnell auf das niedrige gelbe Gebäude zu, und die Dichte der Hagelkörner und das Geräusch verstärkten sich, wie ein gedämpftes Brüllen.

Er öffnete die Tür, der Empfang war leer. Wide trat sich die Schuhe auf der dicken Fußmatte ab, und als er einen Schritt auf die kurze Bank zu machte, die den Raum teilte, wurde am hinteren Ende eine Tür geöffnet und eine ältere Frau kam herein. »Oh«, sagte sie, als sie die weiße senkrechte Fläche vor dem Fenster sah. Sie drehte sich zu Wide um.

»Wie Bindfäden. Haben Sie dieses Wetter mitgebracht?«

»Scheint so.«

»Bitte, kommen Sie herein.«

»Danke.« Wide betrat den Raum hinter der Bank: zwei Schreibtische, Papiere darauf, eine elektrische Schreibmaschine und ein Computer, dessen Marke er nicht erkennen konnte, Ordner auf dem Tisch und Ordner in den Regalen entlang der Wände.

»Ich heiße Jonathan Wide. Ich habe vor einigen Tagen angerufen.«

»Berit Wideberg. Dann haben Sie mit mir gesprochen. Sie sind Detektiv? Ja, ich erinnere mich. Ihr Name ist mir aufgefallen.«

»Wirklich komisch, vielleicht sind wir entfernt miteinander verwandt?«

»Könnte durchaus sein.«

Sie fragte nicht nach seinem Ausweis, und das war gut, das verlieh dem Ganzen einen weniger offiziellen Charakter.

»Sie wollten mit unserem früheren Direktor sprechen, Nils-Ewert Bengtsson.«

»Ja.«

»Er wohnt ganz in der Nähe. Wir haben verabredet, dass ich ihn anrufe, wenn Sie da sind.«

»Hoffentlich bin ich pünktlich.«

»Auf dem Kalender steht gegen zwölf, jetzt ist es zwölf.«

»Das ist ja prima.«

»Möchten Sie eine Tasse Kaffee? Ich habe gerade welchen gekocht.«

»Danke, gern.«

»Bitte sehr, dort drinnen.« Sie zeigte zur offenen Tür,

durch die sie gerade gekommen war. »Dann ruf ich also Herrn Bengtsson an.«

Jonathan Wide betrat einen Raum, der vermutlich das Lehrerzimmer war. Einige Sofas, die neu wirkten, einige ältere Stühle, frische Rosen auf zwei Tischen – er fragte sich, ob es gerade einen Grund zum Feiern gab. Neben dem breiten, hohen Fenster ein Servierwagen: Tassen, Teller, Löffel, eine Thermoskanne, ein kleiner Milchkrug, eine Zuckerschale, ein Teller mit Hefegebäck, offenbar selbst gebacken, denn die Stücke waren sehr unterschiedlich geformt. Er goss Milch in eine Tasse, pumpte Kaffee aus der Thermoskanne, legte ein Hefestück auf einen Teller und stellte ihn auf einen der Tische.

An der Wand hing eine große Karte von Schweden. Wide trat näher heran und verfolgte darauf seine eigene Reise. Er hatte gerade Jönköping erreicht, als hinter ihm jemand hereinkam. Er drehte sich um. Es war ein großer und sehr magerer Herr in einem grauen Anzug mit Weste. Er trug eine Brille mit Horngestell. Seine nach hinten gekämmten Haare waren schlohweiß und dicht. Er streckte Wide die Rechte hin.

»Nils-Ewert Bengtsson. Sie müssen der Detektiv aus Göteborg sein.«

»Jonathan Wide. Guten Tag.«

»Willkommen in Sävsjö.«

»Danke.«

»Sie haben erwähnt, dass Sie einmal hier gewohnt haben.«

Wide hatte kurz von seinem eigenen Hintergrund erzählt, in der Hoffnung, dass es ihm die Möglichkeit erleichterte, einen fremden Menschen zu treffen, Fragen zu stellen.

»Einige Jahre als Kind, kurze Zeit als Jugendlicher.«

»Aber nicht in diesem Viertel. In meine Schule sind Sie nicht gegangen.«

»Nein, meine war auf der anderen Seite der Bahngleise.«

»Das wilde Hinterland«, bemerkte der alte Direktor lächelnd. Er trug seine einundachtzig Jahre fast erschreckend gut.

»Ist das Ihr Kaffee? Nehmen Sie ihn mit und gehen wir in mein Büro«, sagte er und ging voran, einen kleinen Korridor entlang zu einem Zimmer ganz am Ende. Daneben befand sich die Bibliothek, wie Wide nach einem Blick durch eine Glasscheibe zwischen Korridor und Raum festgestellt hatte.

»Hier. Es ist nicht sehr groß, aber sie überlassen es mir, wenn ich es brauche.«

»Sie arbeiten hier?«

»Ja, wenn man es so nennen will. Ein bisschen für den Heimatverein und die Stadtbibliothek. So ist es ja früher schon gewesen. Jetzt planen wir ein neues Buch über die Stadt in der Nachkriegszeit und da spielt unsere Schule auch eine Rolle.«

»Haben Sie lange hier gearbeitet?«

»An der Västra? Das kann man wohl sagen. Ich habe Mitte der vierziger Jahre angefangen, fünfundvierzig, direkt nach dem Krieg. Ich bekam eine zeitlich begrenzte Vertreterstelle, und ich wollte auch weg, schließlich war ich noch blutjung. Aber dann bin ich doch geblieben. Das ist mein Leben, junger Mann!«

»Ein Leben in Sävsjö.«

»In Sävsjö und in dieser Schule. Ein paar Jahre später haben sie mich zum Direktor ernannt, vermutlich, weil es nach dem Krieg nicht genügend Leute gab«, sagte der Mann, und Wide sah, dass Humor in seinen Augen aufblitzte.

»Aber was erzähle ich Ihnen da. Sie wollten mir Fragen stellen.«

»Wie ich schon am Telefon sagte, brauche ich Informationen über eine frühere Schülerin, Ulla Bergsten.«

»Ich versteh schon, warum. Eine schreckliche Geschichte. Entsetzlich.«

»Sie war Schülerin dieser Schule.«

»Das macht die Geschichte ja so entsetzlich, wenn ich das so ausdrücken darf. Wenn man davon hört ... darüber liest ...«

Wide wartete darauf, dass der Mann weitersprechen würde, aber er schwieg. Vor der geschlossenen Tür hörte Wide Kinder vorbeirennen, Getrappel und Wortfetzen, die durch die Wand drangen. Fünf Sekunden später war es wieder still. Der Hagel gegen die Fensterscheiben hatte aufgehört.

»Ich weiß, was Sie jetzt denken.«

Nils-Ewert Bengtsson sah Wide amüsiert an.

»Wie bitte?«

»Ich weiß, was Sie denken. Sie denken, an mehr kann sich der Alte nicht erinnern.«

»Keineswegs.«

»Aber Sie hätten Recht, wenn Sie es gedacht haben. Nicht vollkommen, aber ein wenig. Ich mag ja ganz munter für mein Alter wirken, aber mit meinem Gedächtnis ist es nicht mehr weit her.«

Wide schwieg.

»Vielleicht enttäusche ich Sie – die lange Fahrt, die Sie auf sich genommen haben. Aber stellen Sie Fragen, mal sehen, was mir dann noch einfällt. Außerdem habe ich mich ein wenig vorbereitet.« Der Mann erhob sich und ging zu einem Bücherregal, holte einen Ordner heraus, kehrte zurück und zog etwas aus einer Plastikhülle, die in dem Ordner steckte.

»Auch wir hier im Westen haben unsere Schüler im Bild festhalten lassen«, sagte er und hob das Blatt ein wenig hoch. »Ich unterrichtete diese Klasse ... Hier ist sie.«

Er hielt ein Bild hoch. Wide erhob sich, ging um den Schreibtisch herum, stellte sich neben den alten Mann und beugte sich vor. Ein langer, knochiger Zeigefinger tippte auf das Gesicht eines Mädchens.

»Das ist Ulla Bergsten.«

Sie war es, Wide erkannte sofort die Züge, die sich im Lauf der Jahre vertieft und verbreitert hatten – und schließlich mit grausamen, wahnsinnigen Schnitten zerstört worden waren. Er schüttelte die Erinnerung ab und betrachtete wieder das Mädchengesicht auf dem Klassenfoto vom Frühling 1962: Denselben Blick unter der Tolle, das kleine, schiefe Lächeln hatte er auch auf dem Foto vom Sommerlager gesehen.

»Ein etwas anstrengendes Kind.«

Wide richtete sich auf und kehrte mit dem Foto in der Hand zu seinem Stuhl zurück. Er sah dem Mann gegenüber ins Gesicht.

»An so viel kann ich mich tatsächlich erinnern. Sie war natürlich eine meiner Schülerinnen, aber das heißt nicht, dass ich mich besonders gut an sie erinnere. Wir haben uns manchmal in einer anderen Funktion getroffen – in einer meiner anderen Funktionen.«

Wide wartete. Draußen hatte es wieder angefangen zu regnen oder zu hageln; er hörte das Geprassel gegen die Fensterscheiben, schaute aber nicht hin.

»Sie kam aus schwierigen Verhältnissen, wie man so sagt. Die kleine Ulla wäre am liebsten nicht in die Schule gegangen, und deswegen musste ich manchmal in meiner Eigenschaft als Direktor ein ernstes Wort mit ihr reden.«

Wide hörte zu.

»Wenn sie wollte, erbrachte sie ziemlich gute Leistungen, glaube ich. Aber sie wollte nicht. Sie war anders als die meisten anderen. Ich glaube, sie trieb sich auch viel mit Jungen aus einem anderen Stadtteil herum.«

»Dem südlichen Hinterland.«

»Vielleicht, eine kleine Clique, ich habe nie nachgeforscht.«

»Musste sie eine Klasse wiederholen?«

»Ich weiß noch, dass wir es erwogen haben. Aber was hätte das gebracht? Es hätte die Einstellung des Mädchens zur Schule nicht verändert.«

»Was ist mit ihr passiert?«

»Das wissen Sie besser als ich.«

»Ich meine vorher. Bevor sie erwachsen wurde.«

»Da hört meine Erinnerung auf. Sie ist nach der Sechsten abgegangen. Ich habe mich ein bisschen umgehört, seit wir miteinander telefoniert haben, aber in der Stadt gibt es keine Angehörigen mehr. Sie hat bei ihrem Vater gelebt, keine Geschwister. Der Vater war damals schon alt, er ist mittlerweile gestorben. Wir haben damals mit den Sozialbehörden verhandelt; ich glaube, die wollten das Mädchen der Fürsorge übergeben, weil der Vater trank. Aber ich glaube, sie ist dann doch bei ihm geblieben.«

Erneut betrachtete Wide das Foto. Die Körperhaltung des Mädchens wirkte wie »auf dem Sprung« – fort von der Klasse, der Schule und dem Fotografen. Er schaute sich die anderen Gesichter genauer an.

Und sein Blick blieb an einem Gesicht in der oberen Reihe hängen, ganz außen rechts. Es war ein Junge, der die anderen um ungefähr fünf Zentimeter überragte. Zwischen ihm und dem nächsten Kind war ein kleiner Abstand. Der Junge schaute auf etwas unterhalb der Kamera, er hatte den Kopf leicht vorgebeugt. Wide betrachtete das Gesicht lange. Er spürte, dass ihn eine Gänsehaut überlief, genau wie im Hotelzimmer in Värnamo, als er Rickard Melinder erkannt hatte. Dasselbe Frösteln auf der Kopfhaut, unter dem Haar. Und wie Pfeile schoss die Kälte vom Schädel bis zu den Fußsohlen. Dieses Gesicht erkannte er wieder. Er hatte es im Herbst im Botanischen Garten in Göteborg gesehen, und ihm war, als ob es Jahre her wären.

Über Stirn und Augen lag ein tiefer, dunkler Zug, den Wide nicht vergessen konnte. Deshalb hatte er sich ihm eingeprägt. Er hatte sogar davon geträumt. Das war er. War er ihm hier begegnet, in dieser Stadt, als Kind? Stammte die Erinnerung von hier?

»Wer ist das?«

Wide schob das Bild über den Schreibtisch und zeigte auf das Gesicht. Nils-Ewert Bengtsson beugte sich vor und richtete sich dann mit einem bitteren Zug um den Mund auf.

»Warum wollen Sie das wissen?«

»Wie bitte?«

»Warum fragen Sie nach ihm?«

»Ich bilde mir ein, ihn zu erkennen.«

»Aus der Kindheit?«

»Ja, oder aus Göteborg. Vielleicht habe ich ihn dort gesehen, als Erwachsenen.«

»Das ist nicht möglich.«

Wieder sagte Wide: »Wie bitte?«

»Das ist nicht möglich, weil dieses Kind, das Stig Thisenius hieß, nie erwachsen geworden ist.«

»Aber ich hab ihn do...«

»So etwas vergisst man nicht. Es war eine schreckliche Geschichte, noch eine schreckliche Geschichte in diesem Zusammenhang. Ein entsetzliches Unglück.«

Wide wartete, während der alte Mann nach Worten suchte.

»Wenn es ein Unglück war. Manche behaupten, es war Selbstmord. Aber darüber bekommt man ja nie vollständige Gewissheit.«

»Was ist passiert?«

»Ein Zug oder was es nun war ... ein Jahr nachdem dieses Foto aufgenommen wurde. Es ist irgendwo im Norden passiert, dort gibt es einen Abhang zu den Gleisen hinunter. Ein paar Kilometer außerhalb der Stadt, keine Häuser, niemand, der etwas gesehen hat.«

»Niemand war in der Nähe?«

»Nicht, soviel man weiß – oder damals wusste.«

»Aber er war es?«

»Daran besteht kein Zweifel.«

Wide war nicht sicher, ob er schon hier gewohnt hatte, als es passierte, aber es musste ungefähr zu dieser Zeit gewesen sein. Erinnerte er sich deshalb an das Gesicht? Hatte er es in der Zeitung gesehen? Das musste er überprüfen. War es den Aufwand wert? Er wollte es wissen, aber was würde das bringen? Er war verwirrt. Er hatte dieses Gesicht – allerdings gereift, erwachsen – an einem Tag in Göteborg gesehen. Er war sich ganz sicher. Und doch war es nicht möglich. Er musste jemand anderen gesehen haben.

»Stig war auch so ein Kind, das anders war als die anderen«, bemerkte Nils-Ewert Bengtsson und unterbrach Wides Gedankenkette. »Er blieb sehr für sich. Man kann ja sogar auf dem Foto sehen, dass er da ein bisschen abseits steht.«

»Und wie äußerte sich das Anderssein sonst?«

»Er schien nicht mit den anderen zusammen zu sein. Ich hatte den Verdacht, dass er gemobbt wurde. Das gab es zu der Zeit auch schon, aber nicht an meiner Schule. Und das sage ich nicht, um diese Schule schönzureden.«

»Warum haben Sie dann den Verdacht, dass er gemobbt wurde?«

»Nun, er kam oft zu spät und hatte keine Erklärung dafür. Seltsam, dass ich mich daran erinnere. Vermutlich hängt das mit dem Unglück zusammen. Schließlich kam er gar nicht mehr. Was für eine Tragödie. Seine Eltern brachen zusammen, ich habe ein wenig mit ihnen gesprochen. Es waren Pflegeeltern.«

»Wohnen sie hier?«

»Die Mutter ist an Krebs gestorben, glaube ich, aber ich bin nicht sicher. Der Vater … ich weiß es nicht. Ich kann Ihnen die alte Adresse geben. Übrigens kann ich auch bei der Behörde anrufen.«

Es regnete immer noch, als Wide das Schulgebäude verließ, und obwohl es noch nicht einmal zwei war, begann es schon zu dämmern.

Er fuhr auf der Skolgatan zurück zur Stadt hinunter, überquerte das Viadukt und sah den Bahnhof dort unten liegen. Jetzt war er verlassen, vernagelt. Nils-Ewert Bengtsson hatte wehmütig vom Schicksal der kleinen Bahnhöfe gesprochen, nachdem die neuen schnelleren Züge aufgekommen waren und es keine wärmenden Aufenthaltsräume mehr gab für jene, die die wenigen Züge benutzten, die noch nach dem alten Zeitplan hielten.

Links sah Wide das Gemeindehaus, parkte auf dem Platz auf der anderen Straßenseite und suchte dann den Bearbeiter, mit dem der ehemalige Direktor gesprochen hatte, bevor Wide sich auf den Weg gemacht hatte.

Es war eine Bearbeiterin, wie sich herausstellte, aber sie wusste nicht viel, hatte die Sache jedoch erstaunlich schnell überprüft.

Stig Thisenius' Mutter war an Krebs gestorben. Der Vater lebte mehr schlecht als recht, eine frühzeitig einsetzende Demenz machte die Kommunikation mit ihm unmöglich.

Er verließ das Gebäude. Einen Besuch hatte er noch vor sich. Rickard Melinders Mutter war von der Kripo in Eksjö verhört worden, und das hatte die Trauer der alten Frau nicht gerade gelindert. Als Wide von Göteborg aus telefonisch ein

Treffen mit ihr verabreden wollte, war er sich vorgekommen wie ein Elefant im Porzellanladen. Sie hatte nichts versprochen. Er war nicht einmal sicher, ob sie überhaupt begriffen hatte, was er sagte.

Er setzte sich ins Auto, zog den Zettel aus der Brusttasche und suchte den Weg zu der Adresse in einem stillen Viertel im Süden. Es war ein Siedlungshaus in der Björkängsgatan, mit grünem Eternit verkleidet. Wide kannte sich aus: Ein wenig weiter südwärts über den Nässjövägen hinweg, der parallel verlief, lag ein Waldstück, dessen Namen er vergessen hatte. Dort hatten er und seine Freunde Indianer gespielt. War es wirklich hier gewesen? Vielleicht noch etwas näher zum See und der Festung. Hatte Rickard Melinder damals hier gewohnt? Wide konnte sich nicht daran erinnern, auf ihn gestoßen zu sein, weder als »Indianer« noch als »Weißer«.

Er drückte auf einen verrosteten Klingelknopf und wartete. Er klingelte noch einmal. Zwei Minuten später wurde die Tür geöffnet. Wide sah einen dünnen Arm und ein mageres Gesicht im Dunkel des Vorraums. Es roch nach gebratenen Zwiebeln. Er stellte sich vor.

»Ich habe doch gesagt, dass ich nicht darüber reden will.«

»Ich dachte …«

»Ich habe schon mit der Polizei gesprochen.«

Wide zeigte ihr seinen Ausweis.

»Es geht um …«

»Gehen Sie! Könnt ihr eine alte Frau nicht in Frieden lassen? Bitte gehen Sie.«

Wide sagte »Danke« und »Entschuldigung« und machte kehrt. Er setzte sich in sein Auto und fuhr zu der Tankstelle am Vetlandavägen. Dort kaufte er sich zwei Bananen, einen Liter Mineralwasser und eine 100-Gramm-Tafel Schokolade. Er füllte die Scheibenwaschanlage auf, tankte fünfundzwanzig Liter Benzin, kontrollierte das Öl und fuhr weiter. Bei einem Stoppschild musste er halten und sah Enten vom See abheben und nach Südwesten fliegen.

Wide bog nach Westen auf die 127 ein. Er wollte nach Hause.

25

Als er bei der Abzweigung Kallebäcksmotet den Fuß vom Gaspedal nahm, begrüßten ihn die Lichter der Halbmillionenstadt. Von hier oben sah Göteborg aus wie ein Tal voller verstreuter kleiner Sterne. Er wusste, dass das Bild bei Tageslicht anders aussah: Die Stadt war wie ein breiter Strauß stachliger Blumen, die Gebäude abwechselnd wie Unkraut und gezüchtete Pflanzen *von Kortedala – bis Långedrag*!, wie der Kerl von einem der lokalen Musiksender in Wides Autoradio gerade ausrief. Der alte Kasten war zu neuem Leben erwacht, ganz plötzlich. Wann hatte er das letzte Mal so gut funktioniert? Vielleicht hing das mit dem Salzgehalt der Atmosphäre zusammen. Oder mit dem Schnee in der Luft, dachte Wide. Das Zentrum war mit Schnee bedeckt. Seit er den sicheren Hafen verlassen hatte, war es Dezember geworden: Sieh mal einer an, was Göteborg für Anstrengungen machte, um das bevorstehende Fest der Freude und des Lichts zu feiern.

Majorna war ein weißer Stadtteil. Der erste Schnee der Saison, der mehr als eine Stunde liegen blieb, überzog die guten und die bösen Orte mit derselben Schicht Unschuld.

Wer heute Abend einen Mord begeht, muss in seinen eigenen Spuren rückwärts gehen und sie mit einem Tannenzweig verwischen, dachte Wide. Er fühlte sich erschöpft nach der anstrengenden Fahrt durch die Dunkelheit und bei Glätte, hinter Scheibenwischern, die ihr Bestes gegeben hatten.

Seine Wohnung wirkte behaglich. Leute, die nie verreisten, brachten sich um das Erlebnis der Heimkehr, dachte er. Er war eine Nacht weg gewesen. War das nicht lange? Wide wurde bewusst, dass er seine Wohnung seit der Scheidung kaum mehr als für eine Nacht verlassen hatte. Das letzte Mal im vergangenen Sommer – eine Reise nach Jütland –, aber daran wollte er jetzt nicht denken.

Er war in etwas hineingezogen worden, was ihn nicht losließ. Oder wollte er nicht loslassen? Das hatte nichts mit seiner alten Heimat zu tun. Er war nicht sentimental, nicht so, jedenfalls. Es war etwas anderes. Vielleicht waren es die Bilder in seinem Kopf von all den jungen Menschen, die ihn antrieben, weiterzusuchen. Oder war es nur der Spürhund in ihm, der sich nicht um Kosten scherte und seine eigenen und die Spuren anderer verfolgte? Vielleicht wollte er sich nur beweisen, dass er immer noch nicht am Ende war.

Er hatte noch den Rest einer halben Flasche Black Ribbon und wärmte sich mit dem Whisky auf dem Stuhl neben dem Bett auf, während Larry Garner *Another Bad Day* krächzte, aber Wide erkannte bald, dass Blues an diesem Abend nicht seine Musik war, und trotz der anstrengenden Fahrerei war der Tag vielleicht gar nicht so schlecht gewesen. Er stellte den Anrufbeantworter an, während er noch Alkohol im Mund hatte.

Es war das zweite Mal – oder das dritte? Nein. Das zweite. Was machte sie hier? Oder hatte er sich in der Person getäuscht?

Das erste Mal hatte er sie in der vergangenen Woche gesehen. Er wusste es, weil nicht so viele Leute in die Pizzeria kamen, und er hatte ein gutes Personengedächtnis.

Diesmal war er sofort an der Tür umgekehrt, als er sah, dass sie sich mit dem netten dunklen Mann hinter dem Backtisch unterhielt. Warum hatte er mit *ihr* gesprochen? Wo *er* doch mit dem Mann sprechen wollte! Dazu war es nicht gekommen, aber das war wahrhaftig nicht seine Schuld.

Er war noch eine Weile herumgewandert und dann zurückgekehrt. Da meinte er, sie in einem Auto in einer Seitenstraße sitzen zu sehen. Er ging auf der anderen Straßenseite daran vorbei und las den Straßennamen – Delfingatan, nur damit er es wusste. Wieso hatte er das eigentlich nicht gewusst, obwohl er schon so lange hier wohnte?

Es war sonderbar, dass jemand vor einer Pizzeria wartete, der offenbar keine Pizza bestellt hatte. Das hatte er sofort erkannt.

Sie wollten ihn einfach nicht in Ruhe lassen. Entweder schickten sie ihm Frauen – wie die Frau mit dem Kind an der Straßenbahnhaltestelle – oder sie kamen selber.

Er würde sich still verhalten, denn es war vorbei; er hatte beschlossen, dass es vorbei war. Er hatte *damit* etwas in seiner Wohnung gemacht, und das war eine gute Sache. Die hatte ihm den Frieden gebracht. Es war so gut geworden, dass er es gerne jemandem gezeigt hätte, aber so was konnte man ja nicht tun, das war ihm klar. Ha! Allein die Vorstellung, *das* jemandem zu zeigen …

Natürlich konnte sich ein Überfall auf ein Restaurant ereignen. Eigentlich hätte es schon längst passieren müssen, aber es war ja nicht sicher, dass es wieder passieren würde. Und wenn? Was konnte sie tun?

An einigen Stellen hatte sie eine diskrete Bewachung postiert und sie saß hier. Sie hatte zuerst mit dem Mann dort drinnen darüber reden wollen, es sich dann aber anders überlegt. Was konnte sie ihm schon raten? Sein Restaurant zu schließen? Er war ja nicht blind oder taub, er wusste es sowieso, wie alle Fremden.

Kajsa Lagergren dachte an die Stunden in der Zeitungsredaktion. Einer der Anrufer hatte von *political correctness* gesprochen. Es war immer noch *politisch korrekt*, Einwanderer zu mögen und jene nicht zu mögen, die Einwanderer ablehnten; aber das würde sich ändern, es hatte schon angefangen. Dann sitzt ihr da mit eurem korrekten Denken!, hatten sie zu hören bekommen. Das Volk denke anders und jetzt würde das Volk entscheiden. Lebte man etwa nicht in einer Demokratie? Aber die würde verschwinden, wenn die Schwarzköpfe mehr zu sagen bekämen. Wäre er, Sten Ard, denn nicht Kommissar? Wisse er nicht, dass die meisten Verbrechen von Menschen mit hässlichen Namen begangen würden?

Und so weiter. Aber sie dachte auch an die anderen Stimmen, die vom Widerstand schwedischer Mitbürger gegen Ausweisungsbeschlüsse gesprochen hatten, von einer kleinen Bewegung, mit deren Hilfe Flüchtlinge vor der Deportation gerettet worden waren. Wie vor dem Krieg in Europa. Eine Widerstandsbewegung. Ihr war das nichts Neues. Die Polizei geriet in die schwierige Position zwischen zwei Stühlen. Aber wenn die Behörden härter durchgriffen, dann würde auch der Widerstand von Gruppen härter, die auf Korrektheit Wert legten. Wie lange wollten sie das durchhalten? Ein Anzeigesystem war schon geschaffen. Es war eine neue Zeit – oder die neue alte?

Sie hatte bei der Bestellung mit dem Besitzer dort drinnen über alles Mögliche geredet und den großen Mann bemerkt, der hereingekommen und sofort wieder umgekehrt war. Ein Menschenscheuer? Oder plötzlich geänderte Pläne?

Als sie im Auto über ihre Karte nachgedacht hatte, meinte sie, den Mann wieder gesehen zu haben; er lief auf der anderen Straßenseite vorbei. Er war groß und ging leicht vornübergebeugt, als trüge er einen Rucksack oder so etwas Ähnliches. Aber als sie seinen Gang aus den Augenwinkeln verfolgte, sah sie auf seinem Rücken nichts weiter als die Bewegungen seines Dufflecoats.

»Das ist gut. Du hattest Recht.«

»Jetzt haben wir den Zusammenhang.«

»In Mariannelund sind wir auch fündig geworden. Bengt Arvidsson ist in einem Sommerlager gewesen – an diesem Ort am Värnamosee.«

» In Hindsekind.«

»In Hindsekind. 1962 war das.«

»Genau.«

»Und dann bekommen wir von dir die Bestätigung mit der Frau – dem Mädchen. Trotz des Brandes.«

Es war einige Stunden später, nachdem Wide in die Stadt zurückkehrt war, aber immer noch derselbe Abend. Sie saßen in Ards Haus in Kungssten, auf der Ekebäckseite, in dem Raum, den Ard seine Bibliothek nannte, in teuren Ledersesseln, die Ard unter Seelenqualen gekauft hatte. Ihm war es nicht um das Geld gegangen. Es war eher ein sozialer Widerwille, der Widerwille eines Menschen, der aus einem Milieu stammte, wo man sich Luxus versagte. Aber Sten Ard und seine Frau Maja hatten sich rasch an das Leder gewöhnt, ihre Gäste ebenso, und Wide ließ einen Talisker zwischen den Fingern kreiseln und genoss den herben, guten Ledergeruch und gleichzeitig den starken Duft nach Rauch, der vom Maltwhisky aufstieg.

»Verdammt viele Gesichter.«

»Das ist ein Anfang – mehr als ein Anfang, Sten.«

»Vielleicht bringt uns das einer Lösung näher. Hoffentlich.«

»Wie meinst du das?«

»Hast du auch schon einmal daran gedacht, dass der Mörder vielleicht hinter einer besonderen Person her ist? Einer von den dreien. Dass der Mord an den anderen beiden nur eine Art Verschleierung war, eine Ablenkung von dem, um was es in Wirklichkeit geht?«

»Natürlich.«

»Aber du glaubst nicht daran?«

»Nein, jetzt noch weniger, seitdem ich in Småland war.«

Ard schwieg. Er wartete darauf, dass Wide weitersprach.

»Es ist ein grässlicher Ort. Ich habe das Grausen gekriegt. Oder vielmehr – das Grausen ist hinterher gekommen.«

»Hm. Warum hast du keinen Kontakt zur Polizei in Värnamo aufgenommen? Die hätten auf der Stelle rausfahren und eventuelle Spuren des Einbruchs sichern müssen.«

Sie hatten darüber gesprochen. Die offene Haustür. Die Deckenstapel neben dem Speisesaal.

»Manchmal ist es nicht richtig, das eigentlich Richtige zu tun. Ich brauchte noch einen Tag. Als ich Värnamo verließ, war ich nicht sicher, ob ich zurückkommen würde, ob es wichtig wäre, noch einmal dort herumzugehen.«

»Daraus ist nichts geworden.«

»Nein, mir schien, ich brauchte es nicht mehr.«

»Ja, jetzt ist es zu spät. Jetzt ist die Polizei da draußen und bestimmt betrachtet sie die Sache mit einer gewissen Skepsis. Einbrüche sind nichts Ungewöhnliches auf dem Lande. Aber die Decken sind sichergestellt worden.«

»Was machst du, wenn sich daran Spuren derselben Erde nachweisen lassen?«

»Was ich dann mache? Dasselbe wie jetzt, Jagd nach neuen Namen, Adressen und Angehörigen. Wir kommen nicht schneller voran – es sei denn, man würde mir das gesamte Personal des Präsidiums zur Verfügung stellen.«

Wide lehnte einen zweiten Whisky dankend ab; er hatte noch gar nicht aus dem Glas getrunken, das er in der Hand hielt. Ard hob den Kopf.

»Ich hab ein weiteres Gespräch mit Henrik Bjurlinge gehabt.«

»Melinders Partner?«

»Ja. Ich hab ihm klar gemacht, dass wir mit seinem Alibi nicht zufrieden sind, oder besser gesagt, mit dem Fehlen eines Alibis.«

»Ihm mit Untersuchungshaft gedroht?«

»So was entscheide ja nicht ich, sondern der Staatsanwalt.«

»Du gemeiner Kerl.«

»Ja.«

»Hat er es mit der Angst zu tun bekommen?«

»Und ob. Genau wie andere Leute will er sich nicht mit der Gesellschaft anlegen, unschuldig oder nicht.«

»Hatte er was Neues zu sagen?«

»Es hat eine Weile gedauert, aber er hat ein Alibi.«

»Ein anderer Mann?«

»Woher weißt du das?«, fragte Ard, aber ihm war bewusst, dass der Grund ziemlich klar war.

»Der Grund ist ja ziemlich klar – vorausgesetzt, er hat es nicht getan.«

»Ja.«

»Warst du – diskret?«

»So diskret wie möglich. Dinge, mit denen Menschen sich beschäftigen, pflegen an die Oberfläche zu treiben. Plötzlich steht ein Polizist vor der Tür und fragt nach dem Herrn des Hauses, und die Hausfrau will wissen, was passiert ist.«

»Aber so war es diesmal nicht.«

»Nein. Der andere war allerdings ein Herr des Hauses. Außerdem noch ein ziemlich hoch stehender. Bjurlinge sträubte sich lange, aber schließlich musste er uns den Namen nennen.«

Wide nahm schließlich einen Schluck.

»Wir leben in einer Zeit der Abweichungen. Das ist einerseits gut.«

»Wie meinst du das?«

»Es ist nötig, um dem kleinen Mann klar zu machen, dass nicht alles gleich aussieht. Dass Menschen unterschiedlich sind oder von der Norm abweichen, aber dass sie deswegen noch lange nicht böse sind.«

Ard applaudierte im Stillen, nahm das Glas vom Tischchen und prostete Wide zu.

»Du bist ein guter Mensch, Wide.«

»Ach, sei still.«

»Die Gesellschaft braucht dich. Ich brauche dich. Dieser Fall braucht dich, wie du soeben bewiesen hast. Dies ist ein Fall der Abweichungen.«

»Weißt du, was ich glaube?«

»Nein.«

»Wir haben es hier mit einem Opfer zu tun, das Jäger geworden ist, und einem Jäger, der Opfer geworden ist.«

»Könnte sein.«

»Und die erste Jagd begann vor mehr als dreißig Jahren.«

»Wenn es mehr als eine Jagd war.«

»Es muss die erste gewesen sein.«

»Ja.«

»Was machst du jetzt, Jonathan?«

»Ich muss mit ein paar Gedanken ins Reine kommen. Und ein Gesicht verdrängen, ein totes. Es will einfach nicht verschwinden.«

»Da ist noch etwas, was du tun willst.«

»Ach?«

»Du kommst Samstagabend her und isst mit uns.«

»Besonderer Anlass?«

»Ist der nötig? Aber es gibt tatsächlich einen. Der bescheidene Anlass ist mein fünfzigster Geburtstag. Den hab ich nächste Woche noch mal, aber wenn es dann in unserem Fall brisante Entwicklungen geben sollte, dann verschiebe ich ihn, bis wir einen Fortschritt erzielt haben.«

»Also nur ein kleines Mittagessen.«

»Ein sehr kleines. Du bist eingeladen. Wir sind ganz unter uns – du, ich und Maja und eine junge Frau aus unserer Abteilung, mit der ich gut zusammenarbeite. Du hast sie kennen gelernt, kurz bevor du uns verlassen hast: Kajsa Lagergren.«

26

Sten Ard hatte sich von den Morden distanziert, auf diese Weise versuchte er, damit fertig zu werden. D-i-s-t-a-n-z: sich von einem Ereignis so weit wie möglich entfernt halten, um sein ganzes Ausmaß zu erkennen. Hoch oben auf dem Abstraktionspfad wandern, die ganze Perspektive sehen. Der Horizontlinie vom höchsten Punkt folgen. *Basic*, wie Ove Boursé gesagt hätte.

Von dort würde er die Scheiben der Wirklichkeit eine nach der anderen abschneiden, die einzelnen Teile durchdenken. Und dann: den Pfad bis zum Bodenschlamm hinunterklettern, falls es sein musste, bis zum gefrorenen Grund, den die Erde nie freigab, wenn Verbrechen und Schuld genügend tief reichten.

Es war, als ob die *Tat* an sich in prähistorischer Zeit geschehen wäre. War seine Distanz zu groß? Adrenalinschübe rasten durch seinen Körper, zurückgehalten von seiner Professionalität; aber er musste sich eingestehen, dass Anflüge von Zerstreutheit gewisse Tage im Dunkeln ließen während der Ermittlung. Vielleicht waren es die Art des Mordes und der Wahnsinn, der damit verbunden war. Oder die Dramatik, der rasche Verlauf – und dann das Schweigen. Und die bedrückende Ermittlungsarbeit. Die Enttäuschung, immer gegenwärtig, aber in wechselndem Ausmaß. Die Forderungen, die von oben ständig an die operative Verantwortung gestellt wurden – und ihm war bewusst, dass er nie frei davon sein würde, nie zu den oberen Rängen gehören würde. Diesen Wunsch verspürte er auch gar nicht. Aber in Momenten wie diesem, als er mit einer neuerlichen Anfrage von der Polizeidirektorin dasaß, die sich zwischen den Zeilen erkundigte, warum sich nichts tat … In Momenten wie diesem wünschte er sich größere Verantwortung – was in der Praxis weniger Verantwortung bedeutete – und einen Stuhl, von dem einen fast nichts mehr vertreiben konnte, wenn man sich erst einmal darauf niedergelassen hatte.

Sie hatten ein Profil, oder vielmehr mehrere. Sie arbeiteten. Sie hatten ein Phantombild, das der doppelt sehende und doppelnamige Obdachlose ihnen geliefert hatte. Er war mit einem weiteren Bericht wiedergekommen, und sie hatten ein neues Bild erstellt, das dem anderen ähnlich sah. Sie hatten den Zeugen ernst genommen. Das Problem bestand darin, dass es sie in Labyrinthe führen könnte. Der Mann, den sie ausgehend von dem digitalisierten Bild suchten, war vielleicht gar nicht ihr Mann. Die Spuren an den Decken mussten nicht bedeuten, dass ein und dieselbe Person Besitzer aller Decken war. Und so weiter, und so weiter.

Außerdem lag ihnen das psychologische Profil eines Menschen vor, der von heftigem Zorn getrieben wurde. Aber darauf wäre Ard auch von allein gekommen. Das erkannte jeder Normalbegabte. Der Täter nahm *Trophäen* seiner Opfer mit, und das war bei Serienmorden nichts Ungewöhnliches. Der Unterschied bestand natürlich in der Art der Trophäen, aber das änderte nichts an der Sache.

Dem psychologischen Profil zufolge bestand die Absicht

des Mörders in diesem Fall darin, die Opfer der Fähigkeit zu berauben, den Gepeinigten jemals wieder dem auszusetzen, was einmal geschehen war und was ein definitives Ende haben sollte. Der Gepeinigte war Peiniger und Rächer geworden. Die Opfer konnten weder sehen, hören noch erzählen, was vor Ewigkeiten geschehen war. Die *Sinne* und die *Fähigkeit* zur Kommunikation befanden sich jetzt in der Macht des Mörders.

»Wir haben es hier mit einem sehr kranken Menschen zu tun«, hatte er erfahren. Sten Ard war zu dem Zeitpunkt schon klar gewesen, dass die Person dringend qualifizierter Hilfe bedurfte. Die beste, die die Gesellschaft zu bieten hat, um das zusammenzufügen, was man getrennt hat, dachte er.

Was passierte eigentlich mit den ... Trophäen, den Teilen? Waren sie auf besondere Art arrangiert worden, in einem Zimmer, in dem es nach Angst und Verwesung stank? Dort einzutreten – danach sehnte er sich in diesem Moment am meisten und wünschte es sich gleichzeitig am allerwenigsten auf der ganzen Welt: die zwiespältige Begeisterung für die Polizeiarbeit, das Böse mit dem Guten verbinden in einer einzigen langen, verbrechensbekämpfenden Einatmung. Hinter Mundschutz.

Oder waren die Teile vergraben worden? Oder vielleicht in den Götaälv geworfen worden? Die Distanz. Es war wie früher, vor einigen Jahren, als Wide der antreibende Spürhund in seinem Team gewesen war. Wide mochte damals selbstzerstörerische Züge gehabt haben, wie jetzt, aber er war ein konstruktiver Polizist gewesen. Ard konnte beobachten, einordnen und manchmal lenken, wenn Wide auf dem Feld wütete. Eine kühlende Distanz, die ausgeprägte Fähigkeit, einen kühlen Kopf zu bewahren, wenn jemand anders seinen Schädel der Hitze aussetzte.

Wide konnte sich nicht raushalten, wollte es nicht. Er begann wieder ein richtiges Leben zu führen, Ard sah die Zeichen, auch wenn sie nicht unbedingt mit dem Alltag der Polizei zu tun hatten.

»Wie geht es ihm?«

»Besser als vor kurzem.«

»Wie schön.«

»Da bin ich mir nicht so sicher. Aber es ist jedenfalls eine Veränderung in irgendeine Richtung.«

»Ich habe ihn schon so lange nicht gesehen.«

»Er war diese Woche hier; Dienstag, glaube ich.«

»Der einzige Abend, an dem ich nicht zu Hause war.«

Sie standen in der Küche, draußen der Samstagnachmittag vor seinem Untergang und Sten Ard hier drinnen mit einem Glas weißem Montecillo. Er spürte die angenehme Kühle des Glases, das sich beschlagen hatte, nachdem er den Wein aus dem Kühlschrank genommen und sich eingeschenkt hatte. Maja hackte und schnitt an der Anrichte: Zwiebeln, Kartoffeln, Mohrrüben, Tomaten, Petersilie, Sellerie, Lauch.

Es gab die richtige Art, eine Bouillabaisse zu kochen, und es gab die anderen Arten. Maja Ard erhitzte Olivenöl in einem Schmortopf, ließ die Zwiebeln mit dem Fischkopf und einer Rückengräte drei Minuten anschwitzen; dann gab sie Kartoffeln, Thymian, Tomaten, ein wenig Rosmarin, Fenchelsamen, Petersilie, Apfelsinenschale, Lorbeerblätter, Mohrrüben, Sellerie, Lauch, Salz und Pfeffer dazu. Das Ganze musste zwanzig Minuten in Wasser und Weißwein sieden, die letzten beiden Minuten mit Safran, dann wurde der Fischkopf herausgenommen, der Rest passiert und die sämige Suppe in einen großen Topf gegeben. Später sollten darin verschiedene Fischteile, abhängig von ihrer Festigkeit, zusammen mit Schalentieren gekocht werden.

Das war die richtige Art.

»Und was erwartest du von dem Abend? Ich frag mich, ob es eine gute Idee war.«

»Wie meinst du das?«

»Unsere Gäste, Jonathan Wide und Kajsa Lagergren. Sie kenne ich ja nicht richtig, und bist du sicher, dass es Spaß macht, mit jemandem, den man überhaupt nicht kennt, zusammen an einen kleinen Tisch gesetzt zu werden?«

»Wir sind doch auch noch da, du und ich. Und die beiden sind sich schon mal begegnet.«

»Du verstehst, was ich meine.«

»Ich glaube, es ist eine ausgezeichnete Idee. Jonathan und Kajsa sind sich ähnlich. Sie werden einander verstehen.«

»Dieselbe Schwermut.«

»So würde ich es nicht nennen.«

»Lieber Skepsis?«

»Das passt schon besser.«

»Na ja, du bist von Natur aus skeptisch, Sten, aber mit Jonathan ist es nach der Scheidung schlimmer geworden. Und wenn ich es richtig verstanden habe, tanzt deine Kajsa auch nicht gerade heiter durchs Leben.«

»Es gibt viele, die so leben.«

»Ein paar Tanzschritte könnten nicht schaden.«

»Taffe Mädchen tanzen nicht.«

»Möchtest du solche Typen in deinem Team haben?«

»Ich hab bloß Spaß gemacht.«

»Ich weiß.«

»Kajsa Lagergren hat eine empfindsame Seele. Manchmal frage ich mich, ob sie überhaupt für die Fahndungsarbeit geeignet ist. Aber andererseits möchte ich ja genau solche Menschen haben.«

»Wer Gefühl hat, ist auch nachdenklich.«

»Ja. Diese Menschen sollten die Welt besitzen.«

Er war entspannter, als sie erwartet hatte. Der Mann, dem sie früher begegnet war, hatte Schwierigkeiten gehabt, länger als drei Sekunden in einer Stellung ruhig zu verharren.

Er war etwas kleiner, als sie ihn in Erinnerung hatte, kräftiger, ohne erkennbares Fett, aber mit einem riesigen Oberkörper, der in die Breite gehen würde, wenn er nicht aufpasste. Die dicken blonden Haare waren mit Haargel nach hinten gekämmt, was ihn jünger wirken ließ als die vierzig, der er sich näherte, wie sie wusste. Trotz des feinen Netzes von Krähenfüßen um seine Augen sah er etwa wie ein verlebter Fünfunddreißigjähriger aus, dachte sie und reichte ihm die Hand. Seine Hand war warm. Ihre war kalt, das musste er bemerkt haben. Er hielt ein Glas Wein in der Hand, und sie wusste, dass er Alkoholprobleme gehabt hatte. Aber Alkoholiker war er doch wohl nicht? Solche Typen stürzten vermutlich nach einem einzigen Glas ab.

Sie merkte sofort, dass Jonathan Wide ein schweigsamer Mann war, und sie mochte schweigsame Männer. Vor allen Dingen solche, die den Mut hatten, den Mund zu halten, wenn sie nichts zu sagen hatten – was im Prinzip hätte bedeuten müssen, dass die Welt voller stummer Männer gewesen wäre. Jetzt war sie ungerecht, schalt sie sich, und sie nahm zwei Schlucke von dem Wein, der nach Erde und weißer Sonne schmeckte. Und sie selbst: Wann hatte sie etwas zu sagen?

Sie saßen in der Küche, was auch zur Entspannung beitrug. Um sie herum duftete es nach Kräutern und Knoblauch und nach mehr von dieser Erde und der weißen Sonne. Sie spürte, dass sich ihre Nervosität legte, und das kam nicht vom Wein. Sie war gern mit reiferen Menschen zusammen. Ard war fünfzig, Wide vierzig und sie bald dreißig. Maja Ard hatte noch nicht Ards Alter erreicht, sie brauchte noch keinen Gehwagen, so einen, wie Jonathan Wide ihn wer weiß wo geklaut hatte. Mit dem war er in die Küche gekommen, wo Sten Ard mit einer Schürze stand und Majonäse schlug.

»Der ist von meinem Freund, dem Barbesitzer. Da hing der Wagen an der Decke«, sagte er jetzt, als Maja eine Suppenschüssel aus Steingut auf den Tisch stellte, den Deckel abhob und die Dämpfe durch den Raum schweben ließ.

Dann hatte Wide Ard eine Trilogie von William S. Burroughs überreicht. »Die Länder im Westen«, las sie auf dem Umschlag. »Damit du eine Perspektive im Dasein findest«, hatte er gesagt und fast verlegen ausgesehen.

Maja hatte sich gegen das selbstverständliche Geschenk für Sten, eine Flasche Maltwhisky, entschieden und ein fast genauso selbstverständliches gewählt: Lyrik. Sie hatte eine schön gestaltete Ausgabe mit den gesammelten Gedichten des Chinesen Bei Dao gekauft.

Es wurde ein gelungener Abend. Sie hatte befürchtet, sie würden nicht von dem Fall lassen können. Sie wusste, dass Wide von seiner Warte aus auch daran arbeitete; aber vielleicht brauchten sie alle eine kurze Auszeit.

Das Essen war ausgezeichnet: die Croutons mit Knoblauch eingerieben, die Suppe mit Fisch und Schalentieren in einem warmen Teller, eine Rouille mit Cayennepfeffer. Göteborg war eine der ersten Städte der Welt, wenn es um Fisch und Schalentiere ging.

Maja Ards Arbeitsplatz war gefährdet. Darüber hatte sie Witze gerissen, sie selbst hatte davon angefangen.

»Es ist nur gut, dass sie sich jetzt an die Verwaltung ranmachen.«

»Das nenne ich den totalen Durchblick«, sagte Wide und tauchte ein Stück Weißling in die Suppe.

»Irgendjemand muss ihn ja haben, auch wenn es einen Arbeitsplatz kostet.«

»Dich schmeißen sie nicht raus. Und wenn, dann betrachte es als Chance, all das auszuprobieren, wovon dich dein Mann bisher immer abgehalten hat.«

»Mit anderen Worten, alles, was das Leben lebenswert macht.«

Sten Ard grinste, sog an einer Krebsschere und legte sie in die Schüssel für die Schalen und Gräten, die mitten auf dem Tisch stand.

»Maja träumt von der Freiheit.«

Seine Frau lächelte und hob das Glas.

»Stoßen wir an auf die Freiheit.«

»AUF DIE FREIHEIT!« Sie nahmen einen Schluck Wein, und dann stießen sie noch einmal auf den Fünfzigjährigen an, und Kajsa hielt eine kleine Rede, die sie »Rhetorische Fragen« nannte; danach hielt Jonathan Wide eine noch kürzere Rede, die persönlich und witzig war.

Kurz vor eins hatten Wide und Kajsa sich verabschiedet und ein gemeinsames Taxi bestellt. Sie hatte sich geweigert, Geld von ihm anzunehmen, als sie vor Wides Haus hielten. Er hatte ihr noch einmal die Hand gegeben und sie hatten »Tschüs« und »Bis bald« gesagt.

Ein anderes Mal. Sie konnte es sich vorstellen, mit diesem Mann zusammenzusitzen und zu reden, über Arbeit und Leben und Tod und die Lappalien dazwischen.

Sie hatten freundlich Witze gerissen über Ard und seine ständige Sorge, sein Körper könnte steif werden, und Wide versuchte zu zählen, wie oft der Chef Genickstarre gehabt hatte, hatte es dann aber aufgegeben, und sie hatte gelacht.

27

Als sie aussteigen wollte, merkte sie, dass etwas nicht in Ordnung war: Der Sicherheitsgurt hatte sich an der Seite verhakt und sie blieb hängen. Als sie sich bückte, um den Gurt zu lösen, ergoss sich ein Schwall Regen vom Autodach auf ihren Kopf.

Das war ein feiner Start in den späten Nachmittag. Aber der Spaziergang vom Mariaplan zur Högsbogatan würde ihr gut tun. Kein Auto: Sie wollte unauffällig daherkommen. Die Regenkleidung war dicht, ließ aber Luft durch; in dem alten Gummizeug war es schlimmer gewesen. Nach einer Viertelstunde war einem der Schweiß in die Augen getropft. Geldautomaten waren ausgeraubt worden, während zwei Meter daneben ein Polizist stand und sich die Augen rieb.

Kajsa Lagergren hatte so eine *Ahnung* wegen der Pizzeria in der Högsbogatan; die Ahnung war so stark, dass sie sich fast darüber wunderte, dass die Pizzeria nicht schon eher von den Schwarzmasken heimgesucht worden war. Sie lag mitten im Bild: Sie könnte das Hakenkreuz vollenden.

Das Einzige, was sie hatten, war die vage Registrierung eines Autos, das nach einem unvollendeten Überfall in der südöstlichen Ecke des Kreuzes davongebraust war. Aber die Polizei war zu spät gekommen, wie immer in diesem Herbst. Kein Autokennzeichen, nur eine blaugraue Rauchwolke in der Nacht und eine Silhouette, deren Merkmale auf hundert Automarken zutreffen konnten, jetzt, wo auch die Autos ihre Persönlichkeit verloren. Das Design in der Autoindustrie erschwerte die Arbeit der Polizei. Hätten die das nicht berücksichtigen können, dachte sie ärgerlich und ging die Oxhagsgatan in westlicher Richtung entlang. Die Villen hier könnten ebenso gut in einer Kleinstadt stehen wie in der gefährlichen Großstadt, dachte sie. Keine Bewegung auf der Straße und nur ein schwaches Zischen des spärlichen Verkehrs parallel zur Kungsladugårdsgatan.

Kajsa Lagergren bog nach rechts in die Högsbogatan ein und näherte sich dem barackenähnlichen Restaurant. Sie sah, dass die Tür geschlossen war, und das sah sie zum ersten Mal. Der Herbst und der frühe Winter an der Westküste hatten nun also auch den Besitzer des Restaurants bezwungen.

Bei offener Tür konnte man ins Lokal hineinschauen, sonst war das im Herbst kaum möglich: Beschlagene Fenster und die Wärme von den Backöfen taten das Ihre. Sie hatte beschlossen, ein spätes Mahl einzunehmen. Falls etwas passierte, konnte sie sich schlimmstenfalls auf den Fußboden gleiten lassen; es war nicht gut, allein zu sein. Aber dort drinnen würde sie wohl sicher sein. Bis jetzt hatten die Neonazis nie zugeschlagen, wenn sich Kunden oder Gäste in dem Laden oder Restaurant aufhielten, das sie sich ausgesucht hatten. Die Schwarzmasken sind offenbar nicht hinter den unschuldigen weißen Schweden her, dachte sie und nahm den Duft von Kräutern und Tomaten wahr.

Sie legte die Hand auf die Türklinke. Plötzlich wurde die Tür aufgerissen, aber nicht von ihr, sondern von innen, und sie sah eine schwarze Maske vor sich und hörte ein »Was zum Teu…«, und etwas Hartes traf sie an der Seite am Hals und noch einmal an der Stirn; sie hörte rennende Schritte, die sich entfernten, und dann merkte sie nichts mehr.

Er hatte sie gesehen. Zuerst wollte er hineingehen, aber dann hatte er diese drei Männer bemerkt, die sich Masken über die Gesichter zogen, als sie durch die Tür gingen und sie hinter sich schlossen. Ihn hatten sie nicht gesehen. Er war den Hügel schräg von den Häusern heruntergekommen und hatte eine Sicht, die sie nicht hatten.

Er war stehen geblieben, weil er nicht wusste, was er machen sollte. Es war unangenehm in der Kälte. Er hatte keinen Mantel für den kurzen Weg angezogen; weit wollte er ja nicht gehen, aber hier zu stehen war nicht gut, sein Rücken wurde nass und er fröstelte.

Jetzt sah er *sie*. Sie kam von der anderen Seite und war auf dem Weg zum Restaurant. Er hatte Recht gehabt, hier war etwas im Gang; sie waren hinter etwas her, und das konnte *er* sein, aber warum die schwarzen Masken? Hatten sie einen Plan? Dann hätten sie doch nur abwarten müssen, dass er das Lokal betrat, aber er war ja schließlich kein Idiot, oder?

Jetzt ging sie auf die Tür zu, jetzt öffn… Was pass… Sie bekam einen *Schlag* und noch einen, sie fiel um. Das waren die drei, die rannten nach links und er sah das Auto verschwinden.

Wie klein sie aussah. Sie war es, und er spähte durch die offene Tür, konnte aber nichts hören und schaute sie wieder an.

Er begriff, dass sie in etwas hineingeraten war, was so nicht geplant war. Sonst wäre es zu offensichtlich gewesen: Ihn konnten sie nicht anlocken, indem sie dieses Theater inszenierten.

Er begriff. Sie war genau wie das letzte Mal hier gewesen,

auf der Jagd nach *ihm*, und jetzt war sie in das da geraten. Die Typen waren gewöhnliche Gangster, aber sie war etwas anderes. Er sah sich um, bückte sich, zog ihre Handtasche zu sich heran und öffnete sie, fand ihre Brieftasche, konnte aber keinen Ausweis entdecken.

Sie war eine von *denen*, und wenn sie aufwachte, würde sie immer noch hier sein und würde irgendwann wiederkommen. Es würde nie ein Ende nehmen. Das Einzige, was er wollte, war, dass es ein Ende nahm, oder, oder?

Die Gedanken schossen ihm durch den Kopf, zwischen den Ohren hatte er ein Gefühl wie von einer Ramme. Er schaute sich wieder um. Alles war dunkel und von oben fiel immer mehr Wasser; er sah die Lichter der Häuser auf dem Hügel, wo er zu Hause war. Er hörte ein Geräusch von drinnen, und ohne sich der Bewegung eigentlich richtig bewusst zu sein, hob er sie auf. Sie wog fast nichts, er blieb bei dem Fallrohr stehen, dann lief er mit seiner Last los. An der Giebelseite des Hauses zögerte er, umrundete sie und ging rasch hinein, in den Fahrstuhl, obwohl es ihm unangenehm war, mit dem Fahrstuhl zu fahren. Aber ihm war klar, dass es in diesem Augenblick nötig war. Er fuhr bis zum obersten Stock hinauf und stieg aus. Es war ganz still. Während er seine Tür öffnete, legte er sie sich über die Schulter. Drinnen schlug ihm die vertraute trockene Kühle entgegen. Er legte sie auf den Boden im Flur und schaute mit aufgerissenen Augen auf sie nieder. Erst jetzt wurde er ein wenig ruhiger. Sie war hier, aber er könnte nicht richtig erklären, wie sie hierher gekommen war, falls ihn jemand fragen würde. Doch es würde ihn niemand fragen, nur sie, und er würde antworten, wenn ihm danach zumute war.

Sie träumte, sie läge in einem Eisloch und fröre ganz entsetzlich. Dann träumte sie nichts mehr. Sie wurde wach, aber es war wie ein bewusstloses Wachsein, sie war nur ein wenig weggetreten. Es war ein hämmernder Schmerz über den Augen, der ihre Gedanken in Bewegung setzte. Als Nächstes merkte sie, dass es kalt war; der Traum hatte sie noch nicht losgelassen. Es war kalt und es gab kein Entrinnen vor der Kälte.

Dann erinnerte sie sich, dass sie vor einer geschlossenen Tür gestanden hatte. Und plötzlich war sie mitten in dem, was sie sich so oft ausgemalt hatte. Jetzt fiel es ihr wieder ein: Sie hatte einen Schlag bekommen. Sie erinnerte sich an die schwarze Maske. Die hatte etwas gesagt, ganz kurz.

Kajsa Lagergren hatte die Augen noch nicht geöffnet, sie wollte es nicht. Mit geschlossenen Augen fühlte sie sich sicherer, aber bald musste sie sie öffnen, musste jemanden bitten, das Fenster zu schließen.

Sie konzentrierte sich, das viele Training war ihr jetzt von Nutzen: psychisch, physisch. Die Gedanken kamen in Gang, widerwillig, aber sie kamen in Gang. Ihr wurde klar, dass sie im Krankenhaus war. Jetzt öffne ich die Augen und bitte sie, das verdammte Fenster zu schließen, dachte sie.

Das ist kein Krankenhaus, dachte sie ein Weilchen später. Die Decke über ihr könnte eine Decke in einem Krankenhaus sein. Nein, es ist doch ein Krankenhaus, dachte sie. Vielleicht die Intensivstation? Als sie den Kopf vorsichtig nach links zu drehen versuchte, musste sie ihn sofort in die alte Lage bringen, weil es so wehtat; sie versuchte es noch einmal und es schmerzte noch mehr. Sie sah nur eine kahle Wand, dasselbe auf der rechten Seite.

Sie hatte keine Kraft, den Kopf zu heben, um nach vorn zu schauen. Schräg oben, hinter ihr, sah sie den Teil eines Fensters, das ein Stück offen stand. Keine Vorhänge, aber Jalousien, durch die spärliches Licht von einer Straßenlaterne sickerte. Irgendwo im Raum brannte ein anderes Licht. Es war Abend oder Nacht oder Morgen oder Nachmittag. In dieser Jahreszeit kann man das nicht genau wissen, dachte sie, nicht ohne Uhr.

Sie lag auf dem Fußboden. Sie fühlte die Härte in ihrem Rücken. Sie lag auf einer Decke oder zweien, nahm einen süßsäuerlichen Geruch wahr, spürte den Teppich durch die dünne, raue Weichheit. Sie bewegte ihre Finger und Zehen wie in einem Reflex, dann Hände und Füße, und weiter kam sie nicht. Sie versuchte die rechte Hand zu heben, aber das ging nicht. Auch der linke Fuß ließ sich nicht bewegen. Sie probierte es mit einer kreuzweisen Bewegung in die andere Richtung, linke Hand-rechter Fuß, aber sie schaffte es nicht. Himmel, ich bin gelähmt, dachte sie. Lieber Gott, mit den Rückenwirbeln ist etwas passiert, deswegen haben sie mich so hart gebettet. Lieber Gott, lass mich wieder gehen können, ich will auch nie mehr beim Göteborg-Lauf oder überhaupt jammern, dachte sie, und dann verlor sie erneut das Bewusstsein. Nicht lange, dann war sie wieder da, und ein heißer Schreck durchfuhr sie, als das Wissen um ihre Lähmung zurückkehrte.

Kajsa Lagergren versuchte den Kopf nach links zu drehen, diesmal gelang es besser. Das Hämmern in den Schläfen und über den Augen hatte etwas nachgelassen. Sie drehte den Kopf, so weit es ging, und spähte nach schräg links unten, ohne dass die Pupille im Schädel verschwand. Es reichte, um einen kräftigen Ring aus Eisen oder ähnlichem Material, der im Fußboden verankert war, zu erkennen. Ihre Hand war mit einem dünnen, starken Seil daran festgebunden. Sie drehte den Kopf nach rechts und sah auf der anderen Seite das Gleiche. Sie versuchte die Füße zu heben und begriff nun, dass der Widerstand, den sie in den Schenkeln und im Gesäß empfand, daher rührte, dass sie die Füße im Grunde heben *konnte*, etwas sie jedoch daran hinderte. Sie war nicht gelähmt und das Wissen überschwemmte sie mit Freude. Das war die erste Reaktion. Die zweite war eine andere. Die Freude erlosch, als sie einen schwachen Schatten im Raum wahrnahm. Jemand verursachte ein Geräusch, das laut kratzte, da es durch den Fußboden direkt in ihr Ohr zehn Zentimeter über der Oberfläche geleitet wurde.

Wide hatte einen Bericht bei einem Auftraggeber abgeliefert und fühlte sich wie der Bote des Teufels. Er wollte nicht gern persönlich berichten, dann schon lieber per Brief, Fax oder E-Mail. Aber es gab Leute, die trauten dem geschriebenen Wort nicht, und diesmal war er an so jemanden geraten.

Für einen, der interessiert und wach war, gab es viel in den Augen zu lesen. Bei dieser Frau blitzte bevorstehende Einsamkeit auf wie eine Leuchtgranate in der Nacht, soweit Wide sehen konnte. Aber er war nicht daran interessiert, weiter zu sehen als bis hierher, und entzog sich, bevor die Situation richtig unangenehm und erniedrigend werden konnte.

Einmal hatte ein Mann versucht, seinen Hund auf ihn zu hetzen, einen Golden Retriever, der zum Glück mehr Verstand hatte als sein Herrchen. Ein anderes Mal hatte eine Frau das Fenster geöffnet und Anstalten gemacht, aufs Fensterbrett zu klettern, jedoch mitten in der Bewegung innegehalten, als Wide sich nicht rührte. Wieder ein anderes Mal: Die Frau hatte an ihren Haaren und ihrer Kleidung gezerrt und angefangen, ihren Rock aufzurollen wie eine zweite Haut, und gezischt: *»Fick mich, Fick mich jetzt, du Scheißkerl«* – Ersatz-Rache und Revanche. Und Wide hatte die Szene rasch verlassen und die Verzweiflung konstatiert, als der Rock hinter ihm wieder heruntergezogen wurde.

Zur Hölle mit dieser Branche. Wie oft würde er das noch sagen müssen, bevor auch er in einem Käfig im Zoo landete? Für eine Weile tat Fluchen gut und wärmte, aber dann wurde es kalt und unbehaglich. Ungefähr, wie wenn man sich in die Hosen pinkelt, dachte er, während er vor der Rinne stand und darauf wartete, dass der Mann neben ihm weggehen würde, damit er sich in Ruhe entleeren konnte. Beim Pinkeln gedrängt an der Rinne zu stehen wie auf einer Tribüne – das mochte er nicht, und er vermutete, dass er mit diesem Gefühl nicht allein war. Pissrinnen. Zur Hölle mit ihnen.

Es war nicht das Bier, da er keins getrunken hatte. Peter Sjögren trank Bier, aber Wide hatte sich für Wasser entschieden, und er hoffte, die Entscheidung den ganzen Abend durchzuhalten.

»Du bist also in die alte Heimat zurückgekehrt«, sagte Sjögren, als Wide zurückkam und sich ihm gegenüber an den Ecktisch setzte.

»Ja. Teilweise war das eine Reise in die Vergangenheit.«

»Teilweise?«

»Ich hatte geglaubt, es würde mich mehr ... berühren, nicht nostalgisch oder so, aber stärkere Gefühle hervorrufen für das, was gewesen ist.«

»Du hast nicht lange genug *in the old country* gewohnt.«

»So wird's wohl sein.«

»Guck mich an. Bei mir kann man von starken Banden sprechen.«

Wide sah Peter Sjögren an. Er fragte sich, ob der Mann nach seinem Wegzug auch nur ein einziges Mal wieder dort gewesen war. Göteborg war sein Zuhause, aber Wide bezweifelte, dass Sjögren es auch so empfand. Peter Sjögren schien nirgends zu Hause zu sein, höchstens vorübergehend in der Kneipe, und Wide spürte plötzlich Trauer, als er den Freund aus der Kindheit betrachtete. Vielleicht empfand Sjögren dasselbe, wenn er Wide ansah.

»*Heimat*. Wogende Steinmauern, der Pflug, die Sense, der

Hammer, die Sichel und die Axt, die die Finger in Blut tauchten. Erinnerst du dich an die Heufuhren in Torset, Jon?«

»An eins erinnere ich mich jedenfalls.«

»Als wir auf die Stierweide gefallen sind.«

»Als *ich* auf die Stierweide gefallen bin und du die Pforte sorgfältig geschlossen hast. Von außen.«

»Hat sich das so abgespielt?«, fragte Peter Sjögren mit einem schwachen Grinsen. Dann wurde sein Gesicht ernst. Er nahm einen Schluck Bier und stellte das Tulpenglas ab.

»Mensch, du hast mich dazu verführt, alte Fotos anzusehen, und das hab ich mit gemischten Gefühlen getan.«

»Die große Wehmut.«

»Das nicht gerade, aber ich musste an die letzten Schultage vor den Sommerferien denken. Da kann man vielleicht von Wehmut reden. Ich weiß nicht. Wir sitzen in der Kirche, und das Chlorophyll dringt fast durch die Mauern, so grün und schön ist es. Die Sonne wartet in der schönen Sommerzeit, und man soll rausstürzen und die Gaben vom lieben Gott annehmen. Aber haufenweise lagen solche Gaben ja nicht gerade herum.«

»Es gab doch die eine oder andere Heufuhre.«

»Die haben uns ein falsches Bild von der Wirklichkeit vermittelt.«

»Darüber hast du also nachgedacht.«

Peter Sjögren nahm noch einen Schluck, bekam einen anderen Glanz in die Augen.

»Es ist wie mit den Medien. Deren Bilder von der Wirklichkeit geben auch nicht die Realität wieder.«

»Nein, bei Gott nicht«, pflichtete Wide bei und goss sich den Rest Wasser aus der Flasche ein. »Wenn es so wäre, würde die Menschheit aus Männern in den Fünfzigern bestehen, die eine Halbglatze haben und blank gewetzte, billige, dunkle Anzüge tragen.«

»Ich meine, dass Medien, wir, *ich*, wenn man sich so weit raushängen will, Bilder schaffen, die gefährliche Erwartungen hervorrufen. Die Journalisten haben sich selbst eine Institution geschaffen. Das ist doch schäbig, nicht? Journalisten sind keine gut schreibenden Flaneure mehr. Und das ist schade. Ich möchte so einer sein.«

»Ein gut schreibender Flaneur?«

»Wenigstens ein Flaneur.«

»Dann ist es wohl an der Zeit, die richtige Welt willkommen zu heißen.«

»Vielleicht.«

»Ihr habt eine Welt geschaffen, in der sich die Gesellschaft in den Medien abspielt.«

»Hhmm.«

»Ach, ich weiß nicht. Aber es gibt viel da draußen, hier draußen, was nicht in den Zeitungen oder im Fernsehen auftaucht. Das richtige Leben.«

»Ja.«

»Das richtige, armselige Leben. Das Leben der Opfer«, fuhr Wide fort und bekam eine neue Flasche Vichy Nouveau auf den Tisch gestellt, »und wenn die Journalisten, oder wie sie sich nun nennen, weiterhin der Macht ihre kleinen pathetischen Stiche versetzen, können die Politiker sich als Opfer darstellen.«

»Das ist wohl schon passiert.«

»Ja. Aber das Gerede über mediale Macht nimmt zu, und dann wird es gefährlich, eine Meinung zu haben.«

»Wer von uns beiden hat denn nun nachgedacht?«, fragte Peter Sjögren und zeigte seine Zähne.

»Manchmal ist ein Degen gut, aber es gibt tatsächlich auch Schwerter«, sagte Jonathan Wide. »Dein Satz mit den Flaneuren ist jedenfalls gut. Ich kann mich nicht erinnern, je etwas Lesenswertes in deiner Zeitung gelesen zu haben.«

Peter Sjögren gab keine Antwort, er folgte einer Gruppe Frauen mit den Blicken, von der Garderobe bis zum Tisch am anderen Ende des Lokals.

»Die Västra-Schule gab es übrigens noch«, sagte Wide.

»Was?«

»Die Västra, oben beim Wasserturm. Die gibt's noch.«

»Aha.«

»Ich habe mich mit einem eindrucksvollen alten Mann unterhalten, der dort Direktor gewesen ist. Über achtzig jetzt. Er versuchte sich mit viel Reden über sein angeblich schlechtes Gedächtnis wegzumogeln, aber er war echt gut.«

»So sind wir vom Hochland.«

»Ulla Bergsten ist in seine Schule gegangen. Ich hab ein Foto von ihr gesehen.«

»Das ist ja wohl logisch, da sie nicht auf unserer Schule war.«

»Erinnerst du dich, dass ich dir von einem Gesicht erzählt habe, das mir im Botanischen Garten aufgefallen ist und das mir bekannt vorkam? Jetzt habe ich es gesehen.«

»Jung oder alt?«

»Jung, auf einem Schulfoto von der Västra. Es hat auch einen Namen: Stig Thisenius.«

»Thilenius?«

»Thisenius, mit einem s und mit th. Stig.«

»Thisenius? Stig Thisenius?«

»Ja.«

»Der kommt mir tatsächlich bekannt vor.«

»Wie meinst du das?«

»Erinnerst du dich an einen Hockeyspieler aus den sechziger Jahren, der Sven Thylenius hieß? Er hat übrigens bei Västra Frölunda gespielt.«

»Nein.«

»Ich kann mich jedenfalls erinnern. Wegen meiner Sammelwut besaß ich unter anderem auch hundert Millionen Hockeybilder. Und an Sven Thylenius erinnere ich mich deshalb, weil ich von ihm viele Doppel hatte. Die waren nützlich, wenn man tauschen wollte.«

»Und?«

»Ich erkenne ihn, darum. Den Namen, Thisenius, das klingt doch wie mein Hockeyspieler, und deshalb erinnere ich mich an Thisenius.«

»Was?«

»Im Unterschied zu dir bin ich ein echter Sävsjöer. An das Mädchen Bergsten erinnere ich mich nicht, wahrscheinlich, weil sie ein Mädchen war. Aber ich bilde mir ein, dass ich einen Thisenius kannte, aber keinen Stig ... So hieß der nicht, das war der Bruder, aber die sind bald weggezogen. Bevor er in die Schule gekommen ist, glaube ich. Ja, so war es. Ich kann mich nicht erinnern, wie er aussieht oder aussah, aber der Name ist noch präsent.« Peter Sjögren klopfte sich an die Stirn.

»Mensch, was sagst du da?«

»Hoppla, jetzt hat es dich aber gepackt.«

»Es gab also einen Bruder. Davon hat mir der alte Mann nichts erzählt.«

»Hm.«

»Das hätte er aber tun sollen. Das kann man ja wohl erwarten.«

»Du hast gesagt, dass er von seinem schlechten Gedächtnis geredet hat. Aber das war es vielleicht gar nicht. Dieser Bruder war ja nicht an seiner Schule, der ging überhaupt nicht zur Schule. Damals nicht und nie.«

Peter Sjögren sah Wide geradewegs an, ließ das Glas stehen.

»Hast du von dem Todesfall gehört?«, fragte Sjögren.

»Dass Stig Thisenius vom Zug überfahren wurde? Ja.«

»Das ist passiert, kurz bevor du in die Stadt gekommen bist. Es war entsetzlich. Ich kannte den Bruder eigentlich gar nicht, jedenfalls nicht so gut, dass man mit ihm darüber hätte sprechen können. Aber das war sowieso nicht möglich, da sie schon weit weggezogen waren.«

»Jetzt kann ich dir nicht ganz folgen.«

»Eine Scheidungsgeschichte. Entschuldige, dass ich davon anfange, aber so war es. Manchmal fragt man sich, ob die ganze Welt verrückt ist, denn in diesem Fall wurde beschlossen, die beiden Brüder zu trennen. Der eine zog mit dem Vater nach Jönköping, glaube ich, und die Mutter blieb mit dem älteren Bruder in Sävsjö. Stig. Es war wie ein Tauziehen.«

»Der alte Direktor in Sävsjö sagte, dass Stig Pflegeeltern hatte.«

»Da täuscht er sich. Einen Pflegevater hatte er.«

»Das ist ja 'n Ding.«

»Eine Weile ging das Gerücht, Stig sei an dem Tag, als es passierte, von einer Clique gejagt worden. Aber es ist nichts herausgekommen. Vielleicht hatte niemand die Energie, sich damit auseinander zu setzen.«

»Eine Clique?«

»Ich weiß, was du jetzt denkst, aber in diesem Punkt kann ich dir nicht helfen. Ich hab nie Namen gehört. Und von Stig weiß ich auch nicht mehr, als dass er einsam war und dass ihm vielleicht mal übel mitgespielt worden ist. Sachen, die man so beiläufig hört.«

Wide schloss die Augen, öffnete sie wieder.

»Dieser … andere, den hast du nicht mal hier in der Stadt gesehen?«

»Nein, ich nicht, aber du vielleicht. Ich würde ihn nicht erkennen«, antwortete Sjögren.

»Wenn er es war«, sagte Wide.

»Du, Jon …«

»Ja?«

»Eine Frage nur: Warum beschäftigst du dich so sehr mit diesem ›Gesicht‹, das jetzt vielleicht einen Namen bekommen hat? Ich finde keine angemessene Erklärung.«

»Ich eigentlich auch nicht. Aber ich komme einfach nicht davon los. So was passiert manchmal.«

»Ich glaube, du hältst dich daran fest, weil du nichts Besseres zu tun hast. Was Sinnvolles.«

Darauf antwortete Wide nicht. Dann erkundigte er sich:

»Du erinnerst dich nicht zufällig, wie er hieß?«

»Ich hab darüber nachgedacht, während wir uns unterhalten haben. Aber ich bin nicht sicher. Ich glaube, er hieß Gunnar oder Gustav – nein, Gunnar, glaube ich, aber ganz sicher bin ich nicht.«

Wide kam vollkommen nüchtern nach Hause. Er setzte Wasser auf, gab das Kaffeepulver direkt in die Tasse, mischte es mit Milch und goss dann das kochende Wasser darüber.

Er trug die Tasse ins Schlafzimmer und hörte den Anrufbeantworter ab. Ard. Wide wählte die vertraute Nummer. Eine Minute später stand er da mit dem Hörer in der Hand, die dampfende Tasse auf dem Schreibtisch, und sah den Dampf auf dem Monitor des Computers gespiegelt.

Kajsa Lagergren war verschwunden, und das Bild, das er in diesem Moment von ihr vor Augen hatte, war ihre abwehrende Geste, als er versucht hatte, seinen Anteil der Taxifahrt zu bezahlen.

28

Ove Boursé stand in Kajsa Lagergrens Büro, die Stecknadel in der Hand. Er steckte sie in die Karte, in den südwestlichen Arm, und das rote Köpfchen blitzte in der Deckenbeleuchtung auf. So. Es war vollendet, soweit er sehen konnte. Das Kreuz hatte keine Lücken oder offenen Arme mehr, es schwebte wie ein roter Adler über der Stadt, und irgendwo dort drinnen in seinen Labyrinthen befand sich Kajsa Lagergren, und der Satan persönlich solle alle Nazis, Faschisten und rechten Idioten holen, wenn sie nicht zurückkäme, und zwar schnell, hatte Ard gesagt, geschrien hätte er es, rot und schweißgebadet, und zum Krieg aufgerufen.

Sie würden also einen Krieg an zwei Fronten kämpfen. Serienmörder und rechte Überfallbanden, das lief eigentlich auf dasselbe hinaus, hatte Boursé gedacht, den Blick auf das Kreuz und den Stadtplan gerichtet. Fast hätten die Nazis bei ihren Überfällen Leute umgebracht, es war Zufall oder Glück oder die gute Kondition der Opfer, dass sie überlebt hatten. WAM. Weißer arischer Widerstand. Widerstand gegen was?

Sie hatten ein massives *shakedown* eingeleitet, ein Ausdruck aus der Kriminalsprache, der Ove Boursé gefiel. *Shake-*

down, sie würden die Schweine so kräftig schütteln, dass sich die Knochen aus den Gelenken lösten. Oder war das nur leeres Gerede? Mit was sollten sie sie schütteln in diesen teuren Zeiten? Mit dem Martinishaker, den Babington einmal auf einem kleinen Fest für das alte Team geschwenkt hatte? Boursé hatte Kajsa Lagergren damals tatsächlich ein bisschen beschwipst erlebt und sie lachen gesehen, sogar mehrere Male.

Herr im Himmel. Hatte sie das die ganze Zeit mit ihren traurigen, beobachtenden Augen verfolgt? Was machten sie mit ihr? Wie zum Teufel waren sie auf die Idee gekommen, sie zu kidnappen? Würde ein Brief auftauchen?

Wide fühlte sich persönlich herausgefordert, geradezu getrieben zu einem Engagement. Für einen Fachmann war das nicht gut, für Jonathan Wide war es gut. Es erschütterte ihn. Zum Teufel mit der ganzen Professionalität. Oder besser noch, her damit, her mit der inneren Glut und all dem brennenden Zunder, den er mit sich herumtrug.

Morgens rief er von zu Hause Familie Nihlén an. Pontus war noch nicht zur Schule aufgebrochen, was bedeutete, dass Pontus wieder zur Schule ging und sich die Haare wachsen ließ.

Pontus hatte heftig mit Kreisen der Skinheads sympathisiert, und Wide hatte sich vor einem halben Jahr mit ihm unterhalten, im Auftrag von Pontus' Vater. Das hatte – nach einem Rückfall – dazu geführt, dass der Junge es sich anders überlegt hatte. Offenbar.

Wide holte ihn vor der Villa in Skår ab und fuhr zu der Tankstelle am Sankt Sigfrids Plan, wo er parkte. Sie blieben im Auto sitzen. Pontus Nihlén sah aus, als fürchtete er, ermordet zu werden, hier und jetzt. Das Haar war länger, die Pickel waren weniger geworden. Bald würde er nicht mehr das Gesicht eines Jugendlichen haben. In den Zügen war eine neue Härte, die vielleicht für etwas Lohnendes eingesetzt werden könnte. Ein Gesicht mit ein wenig mehr Charakter und ziemlich viel Angst.

»Ganz ruhig, ich will dir nur ein paar Fragen stellen.«

Schweigen.

»Ich komme gleich zur Sache. Eine Kriminalinspektorin ist verschwunden, und wir glauben, dass militante Faschisten sie mitgenommen haben.«

Schweigen.

»Ich sage ›wir‹, da ich in diesem Fall mit der Polizei zusammenarbeite. Wie du dich vielleicht erinnerst, war ich früher Polizist.«

Schweigen.

»Die Sache wird bald öffentlich gemacht, vermutlich schon heute Nachmittag. Du wirst nicht verdächtigt, aber ich möchte wissen, ob du mir helfen kannst.«

»Nein.«

»Nein? Nein was?«

»Ich weiß nichts von einem Kidnapping oder was das nun ist. Ich hab keinen Kontakt mehr zu der alten Clique.«

»Ich möchte einige Namen von denen haben.«

»Aber keiner von den Jungs gibt sich mit so was ab.«

»Was?«

»Kidnapping.«

Die Straßenbahn der Linie fünf rasselte vorbei. Pontus Nihlén rieb sich die Augen. Ein Minibus vom Schwedischen Rundfunk fuhr auf dem Weg in die Sendeanstalt um das Rondell. Wide rückte ein wenig näher.

»Jetzt hör mir mal zu. Du hast doch bestimmt von den Überfällen auf Läden von Einwanderern gelesen oder gehört. Die verschwundene Polizistin war mit der Ermittlung beschäftigt.«

»Diese Jungs sind nicht in der Lage, einen Haufen Lokale zu überfallen.«

»Das glaub ich auch nicht. Aber vielleicht kennen sie jemanden, der in diese Richtung denken kann.«

»Wie denn? Welche, die was planen?«

»Die darüber gesprochen haben. Oder es gewünscht haben.«

»Dann müssen Sie die fragen.«

»Genau das will ich ja.«

»Aber glauben Sie bloß nicht, wir gehörten zu einem inneren Kern oder so. Irgendwann mal ist jemand gekommen, oder mehrere, einer im Anzug, der hat von Politik geredet, aber dafür hat sich keiner von uns interessiert.«

»Nenn mir nur ein paar Namen.«

Pontus Nihlén gab nach und Wide fuhr ihn zur Vasagatan. Dort sah er ihn den Schulhof betreten und zum Schillergymnasium hinaufgehen, das karierte Hemd schaute unter der Jacke hervor und vor sich hatte er zwei Stunden Philosophie. Hatte er ohne eine Grimasse zu ziehen erzählt.

Eine Viertelstunde lang hatte das Auto für Verwirrung gesorgt, aber jetzt war der Ort abgesichert. Abgesichert. Das war aber auch das Einzige, was sicher war. Der Besitzer von »Höjdens Pizzeria« hatte keine Frau gesehen und nichts gehört, da er nahezu bewusstlos mit dem Kopf auf eine halb bedeckte Napoletana gefallen war. Ein Auto hatte er gehört, quietschende Reifen hatte er weit entfernt gehört, aber er wusste nicht, in welcher Richtung.

Ard war selbst nach Högsbo hinausgefahren, stand jetzt mit der Nase in Richtung Bokekullsgatan und fragte sich, ob er jemals erfahren werde, warum sie das Auto am Mariaplan abgestellt hatte und bei dem Sauwetter zu Fuß gegangen war. Aber das würde sich jetzt jedenfalls ändern:

Es war schon der siebte Dezembertag und die Stadt wurde zusehends matschiger. Die Regenperiode war vielleicht vorbei, gefolgt von einem nicht warmen, nicht kalten Kein-Wetter-Land dort oben am Himmel auf halbem Wege zu Jesus, so, wie es die letzten Wochen auf der Wanderung nach Bethlehem zu sein pflegt, dachte Ard. Er kroch unter der Absperrung hindurch, die schon nach einem Tag herunterhing, setzte sich ins Auto und blieb sitzen, die linke Hand auf dem Steuer.

Er holte die Briefkopie aus der Innentasche seines Mantels und entfaltete sie. Durch eine Klappe von einem jungen Mädchen übergeben, das den Brief von jemand anderem bekommen hatte, der ihn wiederum von jemandem bekommen hatte. So war es verabredet gewesen. Sie hatten schnell gehandelt. Die gehen mit der Zeit, dachte er und steckte das Ann-Peebles-Band in den Kassettenrekorder; reifer Soul mit kaum hörbarem Boden füllte das Auto. Die verfolgten die Nachrichten. Eine Selbstverständlichkeit für Aktivisten.

Die Sätze waren verhältnismäßig ordentlich formuliert, und Sten Ard spürte Übelkeit aufsteigen, als er den Text zum siebten oder achten Mal las:

Wir wollen nicht, dass Missverständnisse entstehen. Mit der verschwundenen Polizistin haben wir nichts zu tun. Das ist nicht unsere Methode. Wir kämpfen nicht gegen die weiße Rasse. Wir werden nicht mehr von uns hören lassen. Unser Auftrag ist jetzt beendet.

Computerschrift. Mac, hatte man im Labor gesagt. Typ Palatino, was auf eine halbe Million Besitzer hinwies. Und die Schreibweise glich der mehrerer hunderttausend Schweden und war heutzutage verabscheuungswürdig üblich. Simple Sätze. Keine Unterschrift, kein *Heil Hitler* oder *Sieg Heil.*

Ard hielt die Kopie an der rechten äußersten Ecke, als ob das Papier in Ebola-Viren getaucht wäre.

In diesem Brief kamen viele »nicht« vor. Abgesehen vom letzten Satz. *Unser Auftrag ist jetzt beendet.* Was sollte er damit anfangen? Jetzt war es an der Zeit, Hilfsmittel einzusetzen – die es nicht gab, wenn deren Auftrag tatsächlich beendet war. Er konnte einen Misserfolg im Job ertragen, aber dies hier war etwas anderes.

Ihm fehlte das Mädchen wie eine verlorene Tochter. Ihre mürrische Miene.

Wide hatte gefragt, ja sogar versteckt gedroht, aber die Antworten hatten nichts gebracht. Pontus Nihlén zu erwähnen würde ein Fehler sein. Niemand wollte etwas sagen, da er nicht verriet, wie er sich ihre Namen beschafft hatte, aber er sagte nichts, und das gab ihm ein gutes Gefühl. In zwei Tagen hatte er vier Gespräche geführt, aber es hatte nichts ergeben, nur die gebetsmühlenartige Wiederholung, wie überlegen die rasierten Schädel seien. Diese Jungs befanden sich am Rande, doch selbst das war erschreckend. Bald könnten sie von der Seite aufmarschieren, die Kungsportsavenyn herauf.

Er hatte mit Ard gesprochen und Ard begann wieder klar zu sehen. Wide hatte versucht, das Seine zu tun, aber die Unterwelt, die er aus seiner Polizistenzeit und danach kannte, bewegte sich in anderen Sonnensystemen als die der Faschisten. Keiner der alten Gangster raubte aus politischen Gründen, die schlugen Leute nicht aus glühender Überzeugung nieder.

Und mittendrin: seine frühere Familie.

»Du hast nicht auf meine Nachricht reagiert.«

»Ich hab mit Elsa gesprochen. Hat sie dir das nicht erzählt?«

»Es ist schon lange her, dass du mal mit mir gesprochen hast.«

»Ich war ausnahmsweise beschäftigt.«

»Beim NK?«

»Ja.«

»Du lügst.«

»Ja.«

»Dir ist es egal.«

»Ja.«

»Jonathan«, ausgesprochen mit einem Frostrand um das Wort, aber er meinte sie mitten in der Kälte lächeln zu hören.

»Elisabeth. Es ist nicht, wie du vielleicht glaubst. Ich war mit einem Fall beschäftigt. Besser gesagt, mehreren.«

»Småland.«

»Unter anderem.«

»Bist du jetzt wieder Polizist?«

»Gewissermaßen ja.«

»Ohne Gehalt.«

»Ja.«

»Dann weißt du anscheinend, wo du deine Brötchen herkriegst.«

»Elisabeth – du wolltest doch etwas anderes von mir?«

»Ich würde gern zwischen den Feiertagen verreisen. Bis dahin sind es zwar noch ein paar Wochen, ich weiß, aber können die Kinder in der Zeit bei dir sein?«

»Natürlich.«

»Keine Aufträge?«

»Jetzt fang nicht schon wieder damit an.«

»Okay. Aber es geht?«

»Klar, wie gesagt. Was willst du machen?«

»Verreisen, nur drei Tage.«

»Ja, aber wohin?«

»Nach Kopenhagen. Du kriegst natürlich die Adresse von dem Hotel und die Telefonnummer.«

»Von einem Hotel?«

»Lieber Jonathan, auch ich kann in einem Hotel wohnen.«

»Fährst du allein?«

»Nein.«

Warum machte er das? Warum stellte er diese blöden Fragen? Die Antworten gingen ihn nichts an.

»Mit wem?«

»Du brauchst gar nicht so scheinheilig zu fragen.«

War sie nicht allein? Hatte Elsa nicht an diesem strahlenden Samstag, als sie von Sillvik nach Hause fuhren, gesagt, Mama fühle sich einsam? Dies klang nicht nach Einsamkeit.

»Warum kannst du die Kinder nicht mitnehmen?«

»Jonathan ...«

»Ja, du hast Recht. Das geht schon alles in Ordnung. Über die Einzelheiten reden wir später. Tschüs.«

»Jonathan ...«

»Tschüs, richte Elsa und Jon aus, dass ich heute Abend anrufe.«

Sie überlegte, woran sie in dem Moment gedacht hatte, bevor sie das Bewusstsein verlor. Sie versuchte es zu finden wie etwas, an dem sie sich festhalten konnte, wenn die Schmerzen im Rücken so stark wurden, dass sie wieder fast ohnmächtig wurde. Sie wünschte, sie wäre ohne Bewusstsein.

Sie dachte an die Eingangshalle vom Präsidium, die alten mit Furnier verkleideten Wände. Es war eine Qual, täglich an ihnen vorbeizugehen, rein und raus in die Fahrstühle, und doch hatte sie sich dort mit mürrischer Miene problemlos bewegt. *Dies* war ein echtes Problem, noch wusste sie nicht, warum sie hier lag; sie hatte bisher absichtlich vermieden, darüber nachzudenken.

Er hatte noch kein Wort gesagt, aber sie nahm an, dass sie bald seine Stimme hören würde. Sie hatte gesagt, was für furchtbare Schmerzen es ihr bereite, so zu liegen, und er hatte ihr zwei weitere Decken gebracht. Sie hatte gesagt, dass sie pinkeln müsse, und er hatte ihr eine verrostete Waschschüssel gebracht, das als Klobecken dienen musste, und nach dem ersten Mal machte es ihr nichts mehr aus, wenn er ihre Hosen herunterzog und ihren Unterkörper ein wenig anhob. Es hatte nichts Sexuelles, sie nahm nichts wahr.

Es war so verdammt kalt hier drinnen. Das eine Fenster dort schien die ganze Zeit offen zu stehen, und Kajsa Lagergren spürte, dass sie eine Erkältung bekam. Es kitzelte in der Nase, und als er ihr Wasser brachte, fiel ihr das Schlucken schwer. Es wäre eine Katastrophe, wenn ich Fieber kriege, dachte sie und versuchte sich einzureden, dass sie nur wegen der Kälte zitterte. Er hatte kein Fenster geschlossen, als sie ihn darum gebeten hatte.

Die Geräusche draußen, sie waren das Schlimmste. Sie konnte nicht viel hören, aber sie hörte in langen Intervallen Autos vorbeifahren und etwa hundert Meter entfernt etwas, das wie eine Straßenbahn klang. Das Leben dort draußen ging weiter.

Sie könnte sich in der Nähe der Pizzeria befinden, aber es könnte auch irgendwo anders sein. An der Polizeihochschule hatten sie ein Rollenspiel in ähnlichen Situationen geübt, aber hatte sie an dem Tag gerade gefehlt? Was würde das jetzt auch bringen? Da er nicht reden wollte, konnte sie auch nichts aus ihm herauslocken. Noch nicht jedenfalls, und wenn sie zu schwach wurde … Aber sie *wollte* nicht schwach werden, und wenn sie laut schrie, wie sie es anfangs getan hatte, würde er wieder mit dem ekelhaften Lappen kommen und ihn nicht mehr wegnehmen. So viel hatte sie begriffen, ohne dass er es ausgesprochen hatte.

Jetzt hörte sie es wieder, das Rauschen der Straßenbahn, und sie fragte sich, wo zum Teufel Ard und Boursé steckten; selbst Babington wäre ihr jetzt recht gewesen. Warum zum Teufel rissen sie nicht jede Tür zu jeder Wohnung in jedem Stadtteil auf, Hausdurchsuchung *in blanco*? Das war sie doch wohl wert, oder etwa nicht? War sie es nicht wert, dass die gesamte Polizei und das Militär Schwedens einberufen wurden und eine Suchaktion nach ihr starteten? Und dann fing sie an zu weinen, weil sie ahnte, dass sie hier sterben würde.

29

Jonathan Wide war nicht der Typ, der mittendrin oder auf halbem Weg aufgab. So war es mit dem Gesicht, das er im Botanischen Garten gesehen hatte. Es interessierte ihn, je mehr er über die Geschichte dieses Gesichts hörte. Warum war es ihm bekannt vorgekommen, damals, beim ersten Mal? Er war dem Kind hinter dem Gesicht nie begegnet. Gunnar Thisenius. Er beschloss, dass es so hieß. Ihm war auch der Bruder nicht begegnet, Stig Thisenius, der am Rande einer kleinen Stadt auf Eisenbahngleisen zermalmt worden war.

Wide musste später von dem Unglück gelesen haben. Er hatte in der Stadtbibliothek gesessen, hatte Mikrofilme an sich vorbeirollen lassen, bis seine Augen brannten, hatte die Zeit bis zu dem Ereignis zurückverfolgt. Ja. Es könnte stimmen. Ungefähr zu der Zeit, als er in die Stadt gezogen war, hatte die Lokalzeitung eine Art Kampagne für sicherere Bahnübergänge und besseren Schutz der Menschen gestartet. Da gab es Fotos von Unfallopfern, Verletzten. Wide wunderte sich, dass es so viele waren, und fragte sich, was für ein Gefühl es für die Angehörigen sein mochte, wenn das

Entsetzen noch einmal an die Öffentlichkeit gezerrt wurde. Vielleicht war es für eine gute Sache.

Als Kind hatte Wide alles gelesen, was ins Haus kam. Das war nicht viel. Er musste diese Berichte gelesen haben und davon ergriffen worden sein. Davon war er überzeugt. Wenn es Gunnar Thisenius war, dem er als Erwachsenem begegnet war, dann hatte das Gesicht dieses Mannes seine Grundzüge behalten, aber Wide war nicht mehr ein Zeuge der Wahrheit: Seitdem hatte er zu viele Bilder gesehen. Die Züge vermischten sich.

Das reichte jedoch noch nicht. Er musste das Gesicht in einem anderen Zusammenhang gesehen haben. Vielleicht in seinem früheren Dienst bei der Polizei?

Er hatte noch etwas in der Bibliothek getan. Das Telefonbuch lag vor ihm, aber mitten in der Bewegung hielt er inne. Kajsa Lagergren fiel ihm ein und warum er sie nicht auf dem Heimweg von Ard zu Kaffee, Tee, Wein oder Whisky eingeladen hatte, zu Tom Waits oder Puccini, für ein Weilchen. Eine Stunde, um näher miteinander bekannt zu werden. Wann würde es ein nächstes Mal geben? Früher oder später verschwanden die Menschen aus seiner Nähe. Was für ein schrecklicher Gedanke. Was sollte er jetzt machen? Seit ihrem Verschwinden war er rastloser denn je. Persönliches Engagement war gut, aber Wide konnte im Augenblick nicht mehr nach ihr suchen, und irgendetwas musste er tun gegen sein Fieber.

Thisenius. Göteborger Telefonbuch: Fehlanzeige. Die Familie hatte sich zerstreut. Was hatte Sjögren gesagt? Sie hatte sich getrennt, der Vater hatte Gunnar in eine andere Stadt mitgenommen. Jönköping? Sjögren hatte Jönköping genannt. Hundertvierzig Kilometer in westlicher Richtung.

Wide schlug den Buchstaben T auf, fuhr mit dem Finger an den Zeilen entlang, wiederholte den Vorgang und sah es: Thisenius, der einzige Anschluss unter dem Namen. Er schrieb die Nummer in sein Notizbuch und überprüfte die anderen Telefonbücher von Südschweden. Nichts.

Sten Ard konnte nichts erklären, weil es nicht zu erklären war. Das erwartete auch niemand in diesem Haus in Björkekärr, wo die Adventskerzen vor den Fenstern standen und er den Duft nach Pfefferkuchen wahrnahm, sobald er die Diele betrat.

»Seit Kajsa verschwunden ist, habe ich nichts anderes getan – ich habe gebacken«, sagte die Frau ihm gegenüber. Sie versuchte gar nicht, ihre Tränen zu verbergen. »Vielleicht klingt das furchtbar, aber es hilft einem, dass die Zeit vergeht.«

Dass die Zeit vergeht. Ein schwerer Stein, den man rollen muss, dachte Ard und betrachtete den Mann neben der Frau: Er hätte eine Schablone von dem Bild des verbissenen Mannes sein können, der die Traurigkeit in sich einsperrt und nach außen herb und still ist, aber dieser Mann kümmerte sich nicht um die Fassade.

»Heute Morgen hab ich Kinderbilder von Kajsa hervorgeholt, der reine Wahnsinn, dass ich das getan habe«, sagte er.

»Warum?«

Er machte eine Handbewegung, ziellos.

»Das ist ja – als wäre sie für immer gegangen.«

Was sollte er sagen? Dass sie vielleicht tatsächlich von dem ganzen Mist abgehauen war, zur Sonne, zum Nachdenken? Nein, das sah Kajsa Lagergren nicht ähnlich.

Sie war irgendjemandem in die Quere geraten, aber das konnte er nicht formulieren.

»Ist so was schon mal passiert? Dass ein Polizist – verschwunden ist?«

Die Frau schaute zur Seite. Sie war Ards Blick ausgewichen, seit er sich in ihrer Wohnung aufhielt.

»Noch nie.«

»Es ist also das erste Mal.«

»Es wird alles wieder gut, da bin ich ganz sicher.«

»Wie lange hält man das durch, sicher sein?«

Das war der Mann, der Vater; er wich Ards Blick nicht aus, sondern hielt ihn fest.

So war es: Wie lange hielt man es durch, sicher zu sein, dass es ein glückliches Ende nehmen würde?

Als Ards Schwager an einem stürmischen Vorfrühlingsabend auf Heden das Auto gestohlen wurde, hatte es dreißig Tage gedauert, ehe die Versicherung den Wert eines neuen Fahrzeugs festgesetzt hatte. Der Schwager hatte gehofft, dass sein Auto vor Ende der Woche irgendwo am Stadtrand wiedergefunden würde, aber es war nie wieder aufgetaucht. Was für ein Vergleich, dachte Ard und schickte sich an zu gehen. Er hatte nicht danach gefragt, ob Kajsa Feinde hatte. Eine Polizistin? Die Polizei war der Schutz der Gesellschaft. Polizisten konnten keine Feinde haben.

Schließlich war er bereit gewesen, ein Handgelenk und einen Fuß von dem Eisen am Boden zu befreien, so dass sie sich auf die Seite legen konnte. Wann hatte er diese Ringe in den Boden gehämmert? Hatte sich keiner der Nachbarn gewundert? Warum hatte niemand den Hausmeister angerufen. Den Hausmeister fragen, dachte sie in ihrem Fieber, als wäre sie in telepathischer Verbindung mit Sten Ard.

Sie hatte an Sten Ard gedacht, an ihre Arbeit, war in ihre Gedanken hinein- und hinausgewandert, bis sich alles in einem Käfig verwirrte, der diese verdammte Gefängniswohnung war.

Aaaaah, es wäre eine Befreiung für den Körper, wenn sie

die Haltung ändern könnte, eine Weile Erholung von dieser Tortur.

Sie war krank. Sie war bewusstlos geworden und wieder zu sich gekommen und wieder ohnmächtig geworden. Wie sie jetzt lag, das Gesicht zur Wand gekehrt, konnte sie die farblose Tapete im Halbdunkel und einen Sessel sehen, der wer weiß wo herstammen mochte, und einen leeren Couchtisch. Und das verdammte Fenster, das immer offen stand. Und sie hatte noch nie so hohes Fieber gehabt wie jetzt; ihre Haut fühlte sich wie Pappe an.

Kajsa Lagergren hatte versucht, sich auf ihre Situation und auf eine Lösung zu konzentrieren, aber sie hatte keine Kraft, konkret festzuhalten, was ihr *hier* geschah. Einige Male, als sie zu sich gekommen war, hatte sie Fragen gestellt, aber der Mann irgendwo da hinten am anderen Ende des Zimmers oder der Wohnung hatte wieder nicht geantwortet.

Dann hatte sie ihn seitlich am Fenster lehnen sehen; es war wieder Abend und die Wohnung war dunkel. Bevor sie ihn wieder sah, war er hinter ihr und hatte ihr den stinkenden Lappen über den Mund gezogen, hatte ihn fest in den Mund hineingedrückt, und sie dachte, sie müsste ersticken, als der Lappen ihr die Nase verstopfte, aber durch den Hals bekam sie etwas Luft. So lag sie da, als es an der Tür klingelte. Sie hatte das Gefühl, als würde die ganze Welt warten: ihretwegen eine stille Minute im ganzen Universum.

Ein Klingelsignal, zwei. Schritte, die sich entfernten, ein dumpfes Geräusch aus dem Treppenhaus, als würde es in seinen Grundfesten erschüttert. Dann wurde der Lappen von ihrem Mund gezogen, sozusagen in letzter Sekunde.

Wide ließ es vier-, fünf-, sechsmal klingeln, führte den Hörer nach unten, hörte ein leises Krächzen von drinnen und hielt ihn wieder ans Ohr.

»Hallo?«

»Ja, hallo?«

Eine dünne Stimme, er konnte sie kaum hören, als würde die Person am anderen Ende den Telefonhörer zwei Meter vom Mund entfernt halten.

»Bin ich da bei Thisenius?«

»Hpm ...« (Unverständlich.)

Das reicht keine hundertvierzig Kilometer weit, dachte Wide, als ob die Wörter nur gerade den Körper des Alten am anderen Ende verlassen könnten.

»Mein Name ist Jonathan Wide. Ich rufe aus Göteborg an.«

»Mhm ... ja?« (Räuspern.)

»Ich bin ein alter Bekannter von Gunnar.«

Keine Antwort.

»Hallo?«

»Wer ist da?«

»Mein Name ist Jonathan Wide. Ich möchte gern mit Gunnar Thisenius sprechen.«

»Gunnar.«

»Ja, kann ich bitte mit Gunnar sprechen?«

(Räuspern.) »Ist es ...?« (Unverständlich.)

»Entschuldigung, ich habe Sie nicht verstanden.«

»Wer ist da?«

Jesus, lebte dieser Mann allein? Musste Wide nach Jönköping fahren, um dem Gesicht auf die Spur zu kommen?

»Gunnar Thisenius? Ist er da?«

»Gunnar? Bist du das?«

So ging es noch eine Weile hin und her.

Wide wollte schon auflegen, als es im Hörer raschelte und eine Frauenstimme ertönte, kräftig und deutlich nach dem Gemurmel vorher.

»Hallo? Wer ist da? Hallo?«

»Hallo. Guten Tag. Mein Name ist Jonathan Wide, ich rufe aus Göteborg an. Mit wem spreche ich?«

»Ich heiße Birgitta Olsson, ich bin die Pflegerin von Eskil Thisenius, mit dem Sie gerade gesprochen haben.«

»Zumindest habe ich es versucht.«

»Ich verstehe. Was wünschen Sie?«

»Ich bin ein alter Bekannter von Gunnar Thisenius und möchte gern Kontakt zu ihm aufnehmen.«

»Gunnar? Hier wohnt kein Gunnar.«

»Ich dachte ... Vielleicht weiß der Mann, wo sein Sohn jetzt wohnt.«

»Sein Sohn? Hat er einen Sohn? Davon weiß ich nichts, aber ich arbeite hier auch noch nicht lange.«

»Spricht er nie von einem Sohn?«

»Er sagt nie etwas, was einen Sinn ergibt. Er hat sich nur zufällig am Telefon gemeldet, weil ich gerade in der Küche zu tun hatte.«

»Ich hatte den Eindruck, er kannte den Namen.«

»Aha.«

»Gibt es jemanden, der etwas mehr über die Familie weiß?«

»Hier bin nur ich.«

»Ich meine, in der Stadt, bei der Kommune.«

»Da müssen Sie den Pflegedienst anrufen.«

»Den Pflegedienst. Das werde ich machen. Danke.«

»Danke.«

Wide erhob sich und griff nach dem Telefonbuch, diesmal hielt er sich an den lokalen Teil.

30

Bei der Telefongesellschaft kam es auf Nummern an – Personennummer, Telefonnummer. Dergleichen konnte Wide von Gunnar Thisenius nicht nennen und da waren Microfiches oder wie das hieß keine Hilfe. Das digitale Archiv war nicht auf Namen aufgebaut: »Wenn Sie eine Nummer haben, rufen Sie uns gern wieder an, dann können wir überprüfen, wer wann welche Nummer hatte oder wo er oder sie wohnte.«

Das war ein kleiner Fortschritt. Hatte Thisenius früher einen Telefonanschluss gehabt, dann konnte man ihn in der Vergangenheit aufspüren.

Er hatte nie einen Pass besessen, aber er war irgendwann geboren worden, und in Sävsjö war Wide richtig. Es gab einen Gunnar, geboren in Vetlanda, dann wohnhaft in Sävsjö. Peter Sjögren hatte Recht gehabt. Wide hatte auch versucht, Nils-Ewert Bengtsson zu erreichen, um sich das bestätigen zu lassen oder mit ihm ein Gespräch über das Gedächtnis zu führen, aber der Alte war »auf Dienstreise«, und Wide konnte ihn sich vorstellen, draußen auf dem Lande mit Dokumenten in der Hand.

Er wandte sich mit der Personennummer wieder an die Telefongesellschaft. Mit dieser Nummer hatte noch nie jemand ein Telefon in Göteborg registrieren lassen.

Er rief in Jönköping an. Beim Pflegedienst wusste niemand etwas von einem Thisenius-Sohn. Im Prinzip wusste auch niemand etwas vom Vater – ob Eskil Thisenius eigentlich der Vater war. Morgen würde jemand erreichbar sein, der früher bei Thisenius gearbeitet hatte. Also bis dann.

Er machte sich eine Notiz, dass er bei Arbeitgebern suchen wollte. Dann rief er Ard an.

»Nichts.«

»Tipps von der Öffentlichkeit?«

»In Mengen.«

»Was macht ihr?«

»Hier herrscht ein wenig Panik. Jetzt sagen die da oben, der Mörder könnte jeden Moment wieder zuschlagen, und wenn gleichzeitig Polizisten verschwinden, stehen die da oben nicht gut da. Und dann hat sich das ehrenwerte Volk ein wenig mobilisiert, nachdem Kajsas Hakenkreuz über der Stadt sichtbar geworden ist. Das ist immerhin ein kleiner Trost – oder wie zum Teufel ich das nennen soll. Doch die da oben sind nicht zufrieden.«

»Nein. Für dich sieht es aber auch nicht gut aus.«

»Was wir machen, hast du gefragt. Wir haben die militanten und nicht ganz so militanten Gruppen der Rechten verhört – nee, entschuldige, uns mit ihnen unterhalten. Aber das hat nicht mehr gebracht, als dass es einem schlecht wird.«

»Bis jetzt.«

»Warte mal.«

Wide hörte, dass irgendwo eine Tür in Ards Nähe geschlossen wurde. Dann wieder Stens Stimme:

»Sie ist irgendjemandem in die Quere gekommen.«

»Das da draußen ist eine große Stadt.«

»Die wirkt noch größer, wenn man an alle Türen klopfen muss, oder besser gesagt, an allen Türen klingeln muss.«

»Wo?«

»Überall, wenn ich das entscheiden dürfte. Aber bis jetzt arbeiten wir noch den Westen ab.«

»Da sind die Leute doch wohl schon aufmerksam geworden.«

»Viele haben viel gehört, aber nicht das, wofür wir uns interessieren.«

»Wofür genau interessieren wir uns denn?«

»Hast du eben ›wir‹ gesagt?«

»Im Augenblick ist das so, ja.«

»Interessiert? Da brauchst du nicht zu fragen. Noch etwas: Ich wollte mit dir reden. Es ist möglich, dass diese Decken, die du in Småland entdeckt hast, mit denen zusammengelegen haben, die wir bei den Mordopfern gefunden haben.«

»Möglich? Entweder ist es so oder es ist nicht so.«

»Die Analyse ist noch nicht klar. Ich kapier nicht, warum das so verdammt lange dauert. Vermutlich hängt das mit dem Alter zusammen. Irgendwas ist mit ihnen passiert, mit dem, was daran war, als sie von dem Haufen genommen wurden – wenn es der Haufen war – und an die Luft der neunziger Jahre kamen.«

»Nichts ist mehr so wie früher in der Luft der neunziger Jahre.«

»Direkt aus den Sechzigern in die Neunziger. Deswegen dauert die Analyse wohl so lange. Ich nehm's zurück.«

»Sten?«

»Ja?«

»Was glaubst du?«

»Was?«

»Wegen Kajsa. Was glaubst du?«

Ard schwieg.

»Sten, was glaubst du?«

»Ich glaube, sie ist tot.«

»Aber wie?«

»Was meinst du selber?«

»Ich sage nichts.«

»Hier haben wir es nur bedingt mit Zufällen zu tun. Ich glaube, sie wurde beobachtet, vielleicht verfolgt. Jemand hat auf eine Gelegenheit gewartet und die hat sich geboten.«

»Aber wer?«

Wide hörte Ard atmen, aus, ein, aus, ein, ein schwaches Zischen, das er nicht gehört hatte, bevor Ard fünfzig wurde. Aber das sagte Wide lieber nicht laut.

»Wer, Sten?«

»Hast du selber noch nicht darüber nachgedacht?«

»Klar.«

»Und?«

»Es ist ein Wahnsinn.«

»Überreagieren wir vielleicht?«

»Nein. Ja. Vielleicht. Jetzt hast du meinen Kommentar.«

»Du hast es ja selber auch schon gedacht.«

»Für mich war´s eher wie ein Alptraum in Momenten, wenn ich finde, dass es mir zu gut geht.«

»Also ziemlich oft.«

»In den letzten Tagen etwas öfter.«

»Jonathan, ich vermisse sie so sehr.«

Wide antwortete nicht. Das Beste, was er tun konnte, war, das Gespräch zu beenden, die Wohnung zu verlassen, sich in den beginnenden Weihnachtstrubel zu stürzen und sie zu finden.

Es war, als würde er sich aufs Sprechen vorbereiten. Ein Räuspern und Gemurmel in der Ecke. Sie fühlte sich etwas stärker, vielleicht war der Gipfel des Fiebers überschritten.

Er hatte ihren Zustand gesehen, aber nichts dagegen unternommen. Sie vermutete, dass er gehofft hatte, sie würde von allein auf seinem Fußboden sterben.

Es war lebensgefährlich, wieder gesünder zu werden. Was würde dann passieren? Würde er ihr dann kein Wasser mehr bringen und Brot und zermanschte Äpfel? Ihr war aufgegangen, dass er sie loswerden wollte, es aber nicht mit eigenen Händen schaffte. Sie musste mit ihm reden, ihn dazu bringen, etwas zu sagen. Wenn es überhaupt eine Chance gab, hier lebendig herauszukommen, dann lag sie dort. Woher kam der Funke Hoffnung, den sie jetzt empfand?

Dann war alle Hoffnung gewichen wie das Blut aus ihrem Gesicht. Er hatte eine kleine Glasschüssel, die wie ein Aquarium aussah, auf den Couchtisch gestellt, den sie drei oder vier Meter entfernt sah. Dann hatte er ihr Gesichtsfeld verlassen. Etwas schwamm in dem Wasser oder der Flüssigkeit oder was es war, nein, es war ... bewegte sich langsam aufwärts vom Grund ... einige Sachen, die unten befestigt zu sein schienen, und als sie erkannte, was es war – erst, als er eine Lampe eingeschaltet und das Licht auf die Schüssel gerichtet hatte, erkannte sie, was darin schwamm –, stürzte ihr Mageninhalt aus ihrem Mund.

31

Wide kratzte die Autoscheiben frei, zum ersten Mal in dieser Saison. Seine Finger wurden kalt und schmutzig vom Eis, das sich schwarz gefärbt hatte von alldem, was er von den südlichen Landstraßen mitgebracht hatte. Wenn es noch ein wenig stärker fror und die Straßen trockener wurden, würde er das Auto waschen lassen, das war er ihm schuldig. Jon könnte mitkommen. Der Junge liebte die Autowaschanlage, beobachtete stets mit einer Spur von Angst in der Begeisterung, wie das Wasser von allen Seiten strömte. Die Bürsten, die wie Trolle angerollt kamen. Die Waschanlage war wie ein kleiner Vergnügungspark. Der Preis war in etwa derselbe, aber den Gedanken an Geld schaltete Wide gleich nach der Szene der Autowäsche in seinem Kopf ab. Es war nicht gerade aufbauend, vor den bevorstehenden Festtagen an Geld zu denken. Den Menschen stand der Sinn nach Jubel und Ruhe, beides zu etwa gleichen Teilen, und in diesen Tagen konnte Wide es still genießen, dass er kein Polizist war, der die Aufgabe hatte, die Freude in den Familien zu dämpfen, wo der Jubel keine Grenzen mehr kannte.

Es gab zwei Kategorien von Menschen, die es während der

großen Festtage am schwersten hatten: Einsame und Polizisten im Dienst. Die Einsamen sahen in die Glotze, und die Polizisten sahen die Einsamen, nachdem diese den Fernseher eingetreten hatten. Er hatte gesehen, wie wenige es waren, die Geschenke bekamen. Wie viele auf Nahestehende eingeschlagen hatten. Einige hatten ihre Beziehung für beendet erklärt und hier und da Jonathan Wide als Scheidungsvollstrecker eingesetzt. Die Kinder als Zeugen. *The loneliness goes on and on.*

Wer trank nicht nach so einem Abend. Die schlimmsten Erinnerungen an Dienstnächte hatte er in den hintersten Müllschlucker des Gehirns verbannt, ihn schnell verschlossen und den Schlüssel hinterhergeschmissen. Das war ein schwieriges Manöver, aber nötig. Niemand konnte die Erinnerungen von dort heraufholen; aber einmal, vor gar nicht langer Zeit, hatte er an einem frühen Morgen, als er sehr betrunken gewesen war, die Klinke gesehen, und seitdem war er vorsichtiger mit dem Alkohol. Alle anderen Gründe für ein nüchternes Leben waren nur leeres Gerede. Die Ursache lag im Abfall; den konnte man in sieben Millionen Jahren weder verbrennen noch vernichten, aber er konnte ihn jetzt und in den folgenden Leben unter Verschluss halten.

Jetzt, da er ins Auto hineinschauen konnte, sollte es ja wohl auch möglich sein, hinauszuschauen. Er wischte den Schaber mit einem Stück Haushaltspapier von der Rolle ab, die unter dem Fahrersitz lag, und setzte sich in den Wagen. Er fuhr in südlicher Richtung und die Windschutzscheibe beschlug erneut. Der Ventilator war nicht in Ordnung. Er drehte das linke Seitenfenster einige Zentimeter herunter.

Er fuhr über den Hügel der Slottsskogsgatan und durch das Villenviertel von Skytteskogen; die Häuser schienen zu schlafen, als ob nichts sie wecken könnte. Hier könnte ich wohnen, dachte Wide und bog nach rechts in den Kreisel ein, fuhr weiter nach Westen. In der Kungsladugårdsgatan bog er links ab und hielt gegenüber von der Pizzeria in der Högsbogatan. Er sah keine Bewegung. Der Tag war ohne Tiefe und wie in Silber getaucht, das Licht ängstlich und ohne Selbstvertrauen. Er drehte das Seitenfenster ganz herunter und versuchte das Salz vom Meer in der Luft wahrzunehmen, aber da war nichts. Dann fahr ich raus nach Saltholmen und glotze, dachte er.

Die Absperrung um die Baracke war entfernt worden. *Back to business*. Hinter der Pizzeria standen die Hochhäuser mit der Breitseite zur Straße hin aufgereiht – gelber Ziegelstein oder gelber Putz, drei Stockwerke, und Wide sah, dass bei einem Haus rechter Hand, fünfundsiebzig Meter den Hügel hinauf, der Putz abblätterte. Der schwarzgraue Fleck hatte die Form von Schweden und Norwegen oder eines erschlafften Penis, wenn man in der heiteren Laune für einen derartigen Vergleich war, aber Wide hatte an diesem Ort des Verbrechens, wo Menschen verschwanden, keine heitere Laune.

Was könnte er sonst noch tun? Eine eigene Suchaktion starten? Gestern war er in Kajsa Lagergrens Wohnung an der Ecke der Västgötagatan und Smålandsgatan eingebrochen, nein, nicht eingebrochen, er hatte Schlüssel, die überall passten. Bevor er das Haus betrat, hatte er zum Polizeipräsidium hinaufgeschielt, das schräg über die Straße lag, und hatte Ard bedächtig zugewinkt, falls Ard in dem Augenblick dort oben am Fenster saß und über Leben und Tod nachgrübelte.

Sie wohnte dem Vaterhaus wahrhaftig nah. Vielleicht schaffte das die richtige Distanz.

Wide hatte Ard davon in Kenntnis gesetzt, dass er einbrechen würde, und, um es ganz klar zu machen, auch den Zeitpunkt angegeben, da er gern wollte, dass sie den Alarm ausschalteten. Er wollte allein gehen. Warum? Kein Wühlen in Papieren, das war schon geschehen. Das Privatleben in dieser Wohnung war gründlich verletzt worden, aber niemand glaubte, dass Kajsa Lagergren hinterher protestieren würde. »Das kann sie gern machen«, hatte Ard gesagt, »sie darf bei Gott sagen, was sie will, zu wem sie will, wenn sie es nur sagen kann.«

Er wollte nicht mehr als eine Weile hier sitzen, und das tat er nun. Um die Decke der geräumigen Zweizimmerwohnung in dem Patrizierhaus lief Stuckatur, und genau über seinem Kopf war eine Gipsblume, in der ein Lüster hätte hängen können.

Zwei Sessel, ein niedriger, breiter Tisch aus einem dunklen Holz, das er nicht kannte. Einige Plakate hinter Glas von einer Picasso-Ausstellung und einem Springsteen-Konzert. Drei Bilder, Impressionismus, in die er sich bei anderer Gelegenheit hätte vertiefen können. Geschliffener Holzfußboden, der matt im Schein der Stehlampe glänzte, die er angeknipst hatte. In der Ecke eine Musikanlage, drei Regale voller Bücher – mehr, als die meisten Leute haben, dachte er, blieb jedoch sitzen. Hier und da ein wenig Keramik. Nicht viele Pflanzen. Hatte es früher mehr gegeben? Waren sie vertrocknet, weggeworfen worden?

Auf der Schwelle zum Schlafzimmer blieb er stehen. Das Bett war abgedeckt worden, das Bettzeug für die Analyse auseinander gerissen worden. Auch das würde sie akzeptieren müssen. Das Allerprivateste in drei Buchstaben zusammengefasst: D-N-A. Aber wozu führte es ... Zu einem gesuchten Liebhaber? Viel Glück, Labor, dachte er und wandte sich ab. Dies Schlafzimmer kam ihm vor wie ein Raum für Schlaf und nicht viel anderes.

Die Küche war klein und dunkel, Geschirr in der Spüle. Sein Wissen über Frauen, die allein lebten, war begrenzt, aber aus den Studienjahren erinnerte er sich an die Unordnung, die er in ihren Küchen gesehen hatte. Die Studentenkorridore: Dort, wo überwiegend junge Frauen wohnten, entstand in den Küchen neues Leben mit vor Geschirr überquellenden Spülen.

Wo Männer dominierten, glänzten alle Flächen. Das sagte vielleicht eine ganze Menge über die Menschheit aus, vom Dreck in den Ecken und sauberen Höllen. Wide hatte die Statistik nicht hundertprozentig im Kopf, aber er war davon überzeugt, dass die richtig erfolgreichen Mörder im Allgemeinen Pedanten waren.

Auf einer Anrichte rechts stand eine Mikrowelle. Wide vermutete, dass es das am häufigsten benutzte Gerät in der Küche war.

Als er auf die Straße kam, war die Temperatur weiter gesunken. Er ging zum Stureplatsen hinunter. Seine Windschutzscheibe war mit einer dünnen Eisschicht bedeckt. Er kriegte die Autotür nicht auf. Anderer Leute Wohnungen kriegte er auf, aber nicht sein eigenes Auto. Wide ging zur Tankstelle beim Nya Ullevi und kaufte eine kleine, farblose Plastikflasche Enteiser. Auf dem Rückweg zum Auto hielt er den Autoschlüssel in die kalte Luft. Er bekam die Autotür auf, kratzte die Scheibe frei, fuhr vom Parkplatz und an der katholischen Kirche vorbei, wo eine Gruppe Menschen auf der Treppe stand. Er fädelte sich auf die Mittelspur der Nya Allén ein.

Das war am Vortag gewesen. Außerdem hatte er sämtliche Wohnungsgesellschaften der Stadt angerufen, um sich zu erkundigen, ob irgendwo ein Gunnar Thisenius wohnte. Das nannte er seine Beschäftigungstherapie. Fahnden, um das Gehirn in Gang zu halten.

Gunnar Thisenius wohnte in keinem Haus der Wohnungsgesellschaften. Nicht in Göteborg oder Västra Frölunda. Nicht in Kungsbacka oder Kungälv. Er hatte es auch in Mölndal probiert, aber auch dort Fehlanzeige.

Villa? Eigentumswohnung? Alles konnte man kontrollieren, sich damit beschäftigen.

Wide startete den Motor, fuhr rückwärts vom Parkplatz und verließ Högsbohöjd.

Er hatte alles unter Kontrolle, oder? Ganz ruhig, ganz ruhig. Er hatte es kaum gewagt, sie allein zu lassen, nicht bei offenem Fenster. Es war so schwer, mehrere Sachen gleichzeitig zu tun, aber das Fenster schloss er nie und er wollte es auch jetzt nicht tun. Also musste der Lappen her, das gefiel ihm jedoch nicht und ihr auch nicht.

Sie war krank gewesen, und das war wohl am besten so. Dann hatte sie sich ein wenig erholt, aber nun ging es ihr wieder schlechter, das sah er ihr an. Sie roch nicht gut. Das machte nichts. Er fühlte nichts mehr für sie, hatte er das vorher getan? Sie schien die Strafe zu verstehen. Sie hatte viel geweint, aber er verstand nicht, was sie damit bezweckte.

Sie hatte sich übergeben, er hatte es aufgewischt und kein Wort gesagt. Jetzt wusste sie es, und das hatte er ja auch beabsichtigt, oder? Dass sie angekommen war am richtigen Ort. Er war nicht sicher, ob *es* entdeckt worden war, hielt es aber für wahrscheinlich. Er hatte niemanden vergraben.

Warum sollte er darunter leiden? Er hatte genug gelitten, jetzt waren sie an der Reihe. Sie zitterte. Sie hatte geredet und geredet, aber er hatte ihr überhaupt nicht zugehört, hatte nur getan, was zu tun war.

Jetzt war sie still, und das war nicht verwunderlich. Aber er hatte erwogen, ihr alles zu erzählen, denn er hatte es noch nie jemandem erzählt. Vielleicht hätte er es tun sollen, und vielleicht hatte er sie nur deswegen hierher gebracht, um es zu tun. Vielleicht hatte er gewartet, weil er nicht wollte, dass sie zuhörte, sondern still dalag, *als würde sie zuhören*; aber ihm war klar, dass das keine Rolle mehr spielte. Vielleicht würde er sie retten. Es sagen? »Ich werde dich retten, wenn der richtige Zeitpunkt gekommen ist.« Aber würde sie das verstehen?

Bevor sie wieder in einer Fieberwelle versank, hatte sie die Ironie in allem erkannt, das Sonderbare. Oder vielleicht die verwickelte Logik, die darin lag, besessenem Verhalten und Abweichungen zu folgen: Indem sie nach den Schwarzmasken gesucht und sie gefunden hatte, war sie an den lokalen neuesten Feind Nummer eins der Gesellschaft geraten. Sie hatte zunächst vermutet, ein Verrückter habe sie gekidnappt. Hatte gehofft, sie würde es auf eigene Faust schaffen, hier wegzukommen. Aber die Zeichen für das Gegenteil hatten sich vermehrt, und das letzte Schreckliche war die Antwort, die war negativ, und dann war das Fieber wieder gestiegen und sie aß nichts mehr.

»Hören Sie mich?«

Nur so. Plötzlich hatte er etwas gesagt, und das war, als ob sie an einem ganz anderen Ort gelandet wäre.

In dem Augenblick hatte sie nicht geantwortet, hatte versucht, ihre Gedanken und sich zu sammeln, aber sie fand noch keinen Halt.

»Haben Sie gehört, was ich gesagt habe?«

Kajsa Lagergren konnte ihn nicht sehen, er saß oder stand direkt hinter ihr; es war Abend oder Nacht, alle Lichter waren gelöscht. Licht fiel nur durchs Fenster, kalt und rauchig.

»Jjj...jjja.«

»Möchten Sie etwas zu trinken haben?«

»Nn...nein.«

Sie hatte angefangen, ihr Bewusstsein zusammenzusetzen, Stück für Stück. Vom Fieber spürte sie so wenig, dass sie schon hoffte, es wäre ganz vorbei.

»Wo bin ich?«

Keine Antwort.

»Ich möchte wissen, wo ich bin.«

»Sie sind hier.«

»Sie können mir doch sagen, wo das ist.«

»In meinem Haus.«

»Sie besitzen ein Haus?«

»Ich wohne in einem Haus. Jeder Mensch wohnt doch wohl in einem Haus. Reden Sie nicht mit mir, als wäre ich ein Idiot. Sie haben die ganze Zeit solche Sachen gesagt, als wäre ich ein Idiot. Das bin ich ja wohl nicht, oder?«

»Nein.«

Danach hörte sie nichts mehr, er verließ das Zimmer und kehrte zurück. Sie sah seine Konturen, als er das Licht vom Fenster passierte.

»Ich hab die da erschlagen.«

»Ja.«

»Ich will nicht sagen, dass sie es verdient haben, es ist viel mehr als das.«

»Ja.«

Er hatte ihr sein Leben erzählt und sie hatte zugehört. Lange hatte er sich bei einem Ereignis in einem Sommer aufgehalten, als drei Kinder ihn voreinander und vor anderen erniedrigt hatten.

In dem Augenblick erinnerte er sich nicht genau daran, aber er meinte sicher zu sein, dass es vor anderen geschehen war.

Ein Mädchen war dabei gewesen. Ein Mädchen war dabei gewesen, nie hatte ihn das alles losgelassen.

Sie kannten ihn von dem Ort, wo er früher gewohnt hatte, aber er hatte sie nicht erkannt. »Wir haben dich schon mal gesehen«, sagten sie. Sie hatten ihn entkleidet und geschnitten und gesagt: »*Nächstes Mal nehmen wir dir alles, du Sau*«, und sie hörte die Erregung in seiner Stimme.

Dann hatten sie etwas mit ihm gemacht, was er ihr das nächste Mal erzählen würde.

Es war der Gipfel eines teuflischen Sommers gewesen, der ihn nie mehr losgelassen hatte. Niemals mehr war er ruhig geworden. Es war ihm anzumerken gewesen, als er zu dem Ort zurückkehrte, in dem er damals gewohnt hatte. Alle hatten es gesehen, es war wie in jenem Sommer geworden, vielleicht nicht ganz genauso – nur fast.

Danach hatten sie sich in alle Winde zerstreut. »Jetzt nehmen wir uns den Bruder vor«, hatten zwei von denen gesagt, und das waren die zwei, die in der Stadt wohnten, in der er früher gewohnt hatte. Dann war es passiert und er wusste es.

Er wusste, was passiert war.

Das war sein Leben. Jetzt war er ruhiger, oder? Wollte sie etwas zu trinken haben?

»Ja – bit…«

Wieder sah Kajsa Lagergren seine Konturen, und noch einmal, als er ihr Wasser brachte, sich bückte, sie beim Trinken stützte.

Sie sank zurück auf die Decken.

»Sie könnten sich mit an… ander…« Ihre Stimme wurde immer langsamer und schwächer.

»Mit anderen? Warum?«

»Das wäre gut – für Sie.«

»Mir geht es gut.«

Er sagte etwas, was sie nicht verstand, bemerkte eine Bewegung hinter sich und spürte, dass seine Angst zugenommen hatte. Doch dann kam seine Stimme:

»Jetzt ist ja alles besser.«

»Nein, das ist es nicht. Es ist schlimmer. Sie sehen – ich habe eine Lungenentz… Sie hören doch, dass ich kaum spre… sprechen kann.«

»Dann ruhen Sie sich aus.«

»Sie müssen mir zuhören ... Sie haben alles ... was ... nö... tig ist.«

»Nein.«

»Sie sollten ...«

»Sie können mir nicht helfen.«

»Ich kann Ihnen helfen. Machen Sie mich los.«

»Nein.«

»Wollen Sie nicht, dass es Ihnen bess... Das wollen Sie ... doch.«

»Ich bin doch ganz ruhig, oder?«

»... werden nie wieder ruhig, wenn Sie mir nicht ... helf... dass ich Ihnen helfen kann.«

»Ich bin ruhig, *oder*?!«

»Machen Sie mich los, helfen Sie mir. Sie sind der Einzige, der das ... kann.«

»Eben haben Sie gesagt, ich bin nicht ruhig.«

»Jetzt sind Sie ruhig ... Helfen Sie mir ... Alles wird ... gut.«

»Sie reden mit mir, als ob ich ein Kind wäre.«

»Entschuldigung. Ich hab keine – Kraft. Sie können mich nicht hier ... lie... liegen lassen.«

»Sie liegen doch gut.«

»... bin genau wie Sie da... mals. Ich bin unschul... Ich bin verle...«

»Nein.«

»... das nicht zu tun. Ich kann nicht ... wie andere wer...«

»Ich verstehe Sie nicht.«

Sie merkte, dass ihre Stimme versagte, das Geräusch ihrer Lungen war lauter als ihre Stimme. Sie hörte ihn hinter sich.

»... helf... helfen Sie mir, bitte ... Bringen Sie mich hier ww... Ich bin nicht ...«

Er antwortete nicht, sie hörte wieder ein Kratzen und von der Seite seine Stimme, die sich entfernte:

»... besser so. Es ist gut so.«

Da geht der Tod, dachte sie, der kommt und geht. Jetzt ist es zu Ende, dachte sie, ein Bild im Kopf: wie ihr Vater in seinem wiegenden Gang um den Härlanda See wandert, an einem frühen Morgen, wenn die Feuchtigkeit Schleier über die Wasseroberfläche wirft.

32

Sie hatte die Sirene eines Polizeiautos gehört, versucht, sich daran festzuklammern, als das Auto irgendwo da unten oder hinter dem Haus vorbeifuhr, aber sie reichte nicht weit. Jetzt hatte sie nicht mehr viel Kraft. Kajsa Lagergren hatte ein paar Blutspritzer bemerkt, als sie eben gehustet hatte, und jetzt hustete sie wieder und verlor das Bewusstsein und hustete.

Ich bin ein zäher Braten, hatte sie vorher noch gedacht. Einige Minuten Klarheit. Eine Lungenentzündung war insofern gut, da die Hustenanfälle sie noch eine kurze Weile vor dem Koma bewahren würden. Es gibt immer auch etwas Positives, dachte sie, selbst in Wohnungen im Schatten des Todes. Sie hatte auch versucht, sich die Wahrscheinlichkeit auszurechnen, dass jemand kommen würde, bevor es zu spät war. War es möglich, Menschen tagelang festgekettet zu halten, ohne dass die Leute in der Umgebung misstrauisch wurden? Wem konnte so etwas entgehen? Aber sie wusste ja, dass die Menschen sich am liebsten nur um ihre eigenen Angelegenheiten kümmerten. Außerdem war das, was ihr hier geschah, einzigartig. So etwas war noch nie passiert und würde nie wieder passieren, und deswegen würde sie hier liegen bleiben, bis die Sache vollendet war und ihr Geist frei wie der Wind die Wohnung verließ und ihr Fleisch irgendwo anders landete. Daran dachte sie in ihrer größten Verzweiflung: Sie wollte nicht, dass ihr Körper verschwand, aber sie glaubte nicht, dass er ihn sichtbar hinterlassen würde. Dies war etwas anderes. So wäre es anfangs nicht gewesen, hatte er gesagt. Sie sei eine von denen gewesen. Dann war er unsicher geworden. Und jetzt spielte es keine Rolle mehr, war höchstens noch eine praktische Frage. Nein, die Gedanken musste sie von sich wegschieben.

Sie hatte versucht, mit ihm darüber zu sprechen, es als potentiellen Weg ins Leben ausprobiert. Aber für sie als Frau war es schwieriger. Es war kein Zufall, dass er sein Gesicht vor ihr versteckte. Was ihm angetan worden war, hatte auch Hass auf Frauen bei ihm ausgelöst. Womöglich besonders gegen sie, gegen uns, dachte sie. Angst vor ihnen. Uns. Lebte er schon viele Jahre in dieser Wohnung? Hatte er einen Job gehabt? Er musste schon frühzeitig abgedriftet sein. Mit Argwohn betrachtet worden sein. So einen musste man doch finden. Wieso um alles in der Welt hatten sie seine entsetzliche Wohnung noch nicht gefunden? Gab es denn keine Kollegen mehr dort draußen? Woher kam die Sirene? Wie hatte sie diese Inkompetenz früher ertragen?

Sie ruhte ein wenig aus. Später: Warum hat er so lange gewartet, dachte sie, warum hat der Entschluss so viel Zeit gebraucht? Jetzt hustete sie und dann wurde es um sie herum rot und danach schwarz und sie dachte nicht mehr.

Wide rekapitulierte seine Reise nach Småland, die Notizen, Fotografien, Bilder in seinem Kopf, Erinnerungen, eigene und die anderer.

Da war noch etwas in seinem Kopf, seit er zurückgekommen war. Es war eine Aufgabe. Etwas war aufgeblitzt. Zahlen. Eine Aufgabe. Ein Unterschied. Da war ein Unterschied gewesen. Er suchte in seinem Notizbuch, jetzt erinnerte er sich, was es gewesen war. Auf den Fotografien, die Natanael Maars gemacht hatte, waren unterschiedlich viele Kinder in den betreffenden zwei Jahren gewesen. Für den Fotografen hatte das nichts bedeutet. Wide hatte es bemerkt, nicht mehr. Hatten sie darüber gesprochen?

Er hatte die Gesichter auf den beiden Fotos gezählt. Jetzt erinnerte er sich, dass er im Hotelzimmer gesessen und sie gezählt hatte. Er hatte es aufgeschrieben. Da war die Seite ... hier – 1961. Auf dem Foto von 1961 waren zweiundfünfzig Kinder. Im nächsten Jahr: sechsundvierzig. 1962 waren weniger Kinder auf dem Bild oder im Sommerlager. Sechs weniger. Warum? Hatte es doch keine Vorschriften gegeben? Was hatte das zu bedeuten? Gab es eine Antwort?

Es war Morgen, ein dunkler Morgen, obwohl es schon halb zehn war. Jonathan Wide hob den Telefonhörer ab, noch ein Auswärtsgespräch, er wartete, es klingelte dreimal, beim vierten Mal wurde es unterbrochen, als am anderen Ende abgehoben wurde.

»›Natanaels Porträt‹, guten Morgen.«

»Guten Morgen. Spreche ich mit Natanael Maars?«

»Ja.« (Räuspern.)

»Hier ist Jonathan Wide, der Detektiv aus Göteborg. Ich war vor einigen Tagen bei Ihnen wegen einiger Bild vom Kinderfe...«

»Ich erinnere mich an Sie.«

»Entschuldigen Sie bitte, wenn ich Sie noch einmal belästige. Es geht um die Fotos, die ich gekauft habe, von diesen beiden Jahren in den Sechzigern. Es klingt vielleicht seltsam, aber ich frage mich, warum unterschiedlich viele Kinder auf den Bildern sind.«

»Unterschiedlich?«

»1961 waren es mehr.«

»Aha.«

»Das ist Ihnen gar nicht aufgefallen?«

»Na ja, nicht direkt, es war eben mal so und mal so.«

»Es waren von Jahr zu Jahr unterschiedlich viele Kinder?«

»Ja, so war es wohl, aber manchmal waren auch nicht alle anwesend. Vielleicht konnten nicht alle in dem Moment dabei sein.«

»Konnten nicht in dem Moment dabei sein«, wiederholte Wide.

»Nein.«

Gab es noch mehr Bilder von dem jeweiligen Sommer? Hatte er schon danach gefragt? Nein.

»Ist es nie vorgekommen, dass Sie noch mehr Bilder in so einem Sommer aufgenommen haben? Ich meine, in einer Art Überprüfungsdurchgang.«

Schweigen.

»Hallo?«

»Ja, Entschuldigung, ich denke gerade nach. Hm, das ist vielleicht mal vorgekommen. Aber warum ich nachgedacht habe ... In den sechziger Jahren hab ich das wohl einige Male gemacht, ich erinnere mich nicht genau. Entschuldigung, das hätte ich Ihnen vielleicht erzählen sollen; aber Sie hatten ja gleich gesagt, wie viele Fotos Sie haben wollten.«

»Das spielt jetzt keine Rolle. Aber es wäre also möglich.«

»Was? Mehr Bilder? Ja, vielleicht.«

»Können Sie das kontrollieren?«

»Ich bewahre die Negative an verschiedenen Stellen auf. Deswegen habe ich nicht gesehen, ob es noch mehr Fotos gab von den entsprechenden Jahren. Ich kann ja mal nachsehen.«

»Könnten Sie das jetzt tun?«

»Es dauert ein Weilchen.«

»Wie lange?«

»Nicht mehr als eine halbe Stunde, wahrscheinlich weniger.«

»Könnten Sie mich zu Hause anrufen?«

Maars bekam ein weiteres Mal Wides Telefonnummer. Wide drückte die Gabel seines altmodischen Telefons herunter, wartete auf das Freisignal und rief Ard an. Bei ihm zu Hause hob niemand ab, nur ein witzig besprochener Anrufbeantworter. Beim Präsidium: niemand da. Handy: nicht zu erreichen.

Er erhob sich, trug die Tasse in die Küche, spülte sie unter fließendem Wasser ab, stellte sie in die Spüle und kehrte ins Schlafzimmer zurück. Ehe er sein Bett gemacht hatte, klingelte das Telefon.

»Wide.«

»Hier ist Natanael Maars.«

»Ja?«

»Es gibt noch ein Foto.«

Wide wartete.

»Von 1962. Da waren auf dem großen Bild weniger Kinder, wie Sie sagten. Ich bin damals noch einmal hinausgefahren und habe ein weiteres Foto von einigen anderen Kindern gemacht.«

»Wie vielen?«

»Ich habe das Negativ nicht vor mir.«

»Egal. Könnten Sie mir das Bild bitte schicken?«

»Ich kann es heute in den Briefkasten stecken. Oder möchten Sie es schneller haben?«

Wollte er das? Über diesen Fotos lag eine Haut wilder Wirklichkeit, über der ganzen Geschichte. Warum nicht? An diesem Tag hatte er nichts Wichtiges vor. Nur weiterzusuchen.

»Ja, wenn es geht.«

»Ich glaube, dass ich es durch die Zeitung übermitteln lassen kann. Aber dann muss es auch einen Empfänger geben.«

»Empfänger. Ja. Das krieg ich hin. Warten Sie bitte, ich rufe Sie in einigen Minuten wieder an.«

Wide drückte die Telefongabel herunter, wählte erneut, wartete. Sein Kopf war heiß und er spürte Nervosität in seinem Körper.

»*Göteborgs-Posten.* Guten Morgen.«

Wide hatte die Durchwahl in der Eile nicht gefunden.

»Ich möchte gern Peter Sjögren sprechen.«

»Peter Sjögren, einen Augenblick bitte.«

Das Warten. Wide nahm einen Schluck Kaffee; der war kalt geworden war und schmeckte streng und fett.

»Sjögren.«

»Hier ist Jonathan.«

»Moin. Du bist ja früh auf.«

»Peter, ich brauch fachliche Hilfe.«

»Da bist du bei mir richtig.«

»Ich komm sofort zur Sache. Ein Fotograf in Värnamo könnte mir ein Bild schicken, das ich heute unbedingt brauche. Kann er es an euch schicken?«

»Das nehm ich mal an.«

»Und kannst du dafür sorgen, dass es klappt?«

»Ich werde mit den Leuten am Photodesk reden. Muss ich irgendwas wissen?«

»Es geht um Leben und Tod.«

»Warte eine Minute.«

Wide wartete ein paar Minuten, dann war Sjögren wieder da.

»Von wo, hast du gesagt? Värnamo? Okay. Sag dem Mann, er soll zu *Värnamo Nyheter* gehen. Den Rest erledigen wir von hier. Was ist das für ein Bild?«

»Eine Gruppenaufnahme aus den sechziger Jahren.«

»Die vom Photodesk haben gesagt, die Information brauchen sie. Dann ist es mit Sicherheit mit einer Hasselblad aufgenommen, und er muss das Bild erst kopieren, weil das Negativformat für die digitale Bildübertragung zu groß ist. Aber das weiß er vielleicht selber.«

»Ich ruf ihn an. Dann komm ich sofort zu euch.«

»Sei mir willkommen.«

Wide rief in Värnamo an. Natanael Maars kannte Fotografen bei den *Värnamo Nyheter*, ja, mit dem Format und der digitalen Bildübertragung war er vertraut. Eine Stunde, nicht mehr, wenn er das Atelier schließen und zur Zeitung gehen konnte.

Göteborgs-Postens Zentralredaktion lag still und verlassen, viele waren beim Essen, und Wide stand bei den Bildschirmen der Fotoannahme, Photodesk, wie es hieß, und auf den Schirmen rund um ihn herum gingen reihenweise Bilder ein aus den Ecken der Region, des Landes und der Welt, wo es Neuigkeiten gab.

An der Westwand hingen die neuesten Schlagzeilen des Tages, und Wide wurde klar, dass er fast alles verpasst hatte, was an der Wand lauthals berichtet wurde.

Vor ihm stand ein kleinerer Schirm, blank gewetzt, benutzt und erprobt, »Basketball« genannt, auf Empfang gestellt. »Das ist ein Ding«, sagte der Bildredakteur am Telefon zu Värnamo. Er wandte sich an Wide und Peter Sjögren.

»Deren Quickmail ist grade abgestürzt, jetzt machen wir es etwas langsamer. Ist egal. Wir haben das Modem auf Autosendung geschaltet und bald taucht Ihr Bild im Basketball auf.«

»Sehr gut.«

»Es wird Zeile um Zeile aufgebaut – da kommt die oberste Schicht, jetzt kommt die zweite und das Ganze wird dann wie ein Rollo Millimeter um Millimeter runtergerollt. Es dauert siebeneinhalb Minuten, bis es fertig ist.«

»Danke.«

»Sagen Sie Bescheid, falls Sie eine Papierkopie haben möchten.«

»Danke.«

Wide blieb stehen, vor ihm arbeitete der Schirm. Ein Millimeter, zwei, drei, vier und fünf, und er unterschied etwas Helles und etwas Dunkles auf dem schmalen Streifen, mehr konnte er nicht verlangen. Das Bild rollte sich ab, jetzt sah er eine immer hellere Partie und eine daneben, noch eine, und gleichzeitig meinte er die Eiche zu erkennen, die am Ufer des Sees Hindsen stand.

Das Bild rollte. Wide blinzelte einige Male, um einen klaren Blick zu bekommen, schaute wieder: Himmel, Astwerk, drei halbe Gesichter, jetzt ein viertes, weiter unten, und das Bild rollte weiter über den grünlich flimmernden Schirm. In der Nähe stellte jemand einen Fernseher an, eine laute Stimme ertönte, die sofort leiser gestellt wurde. Irgendwo in der großen Computerlandschaft außerhalb des Kreises vom Photodesk klingelte ein Telefon.

Vier Gesichter waren jetzt fertig, nicht sechs, vier, das Bild fuhr fort, Körper für die Köpfe zu gestalten, aber Wides Blick war an dem Gesicht ganz außen rechts hängen geblieben.

Ein Gesicht, das diesem glich, hatte er zuletzt im Zimmer des ehemaligen Direktors Nils-Ewert Bengtsson in der Västra-Schule gesehen, aber jene Züge hatten Stig Thisenius gehört; Stig Thisenius war jedoch im Sommer 1961 nicht im Sommerlager gewesen, so viel wusste Wide. Jemand, der Stig sehr ähnlich sah, war 1962 dort gewesen: der gleiche Blick seitwärts, blonde Haare, über den Ohren kurz geschnitten,

Mittelscheitel. Ein Abstand zu den anderen, die mit auf dem Bild waren. Gunnar Thisenius. Derselbe Ort, derselbe Sommer, in dem Rickard Melinder, Bengt Arvidsson und Ulla Bergsten in Hindsekind gewesen waren.

Züge, die er im Herbst gesehen hatte. War es Einbildung? Nein. Er glaubte es nicht, war sich aber auch nicht sicher.

Hatte Wide dieses Gesicht auf diesem Bild erwartet? Wenn nicht – warum schwitzte er, spürte kleine heiße Blasen auf der Haut?

War das noch ein Zufall? Ein weiterer Berührungspunkt, aber nicht mehr?

Zum Teufel mit den Zweifeln.

»Ich habe einen Namen. Zu dem Gesicht, das mich so lange verfolgt hat.«

»Ich warte.«

»Gunnar Thisenius. Ich erkläre es später. Vielleicht habe ich es schon erwähnt, egal. Sten, du hast vorgestern oder irgendwann gesagt, dass ihr an allen Türen geklingelt habt.«

»Klar.«

»Im Westen«, sagte Wide, »in der Gegend, wo Kajsa verschwand.«

»Ja. Niemand hat etwas gesehen oder gehört.«

»Hast du die Namen und Adressen?«

»Die sind bei Ove.«

»Ist er da?«

»Nein.«

Wide sah im Geist die Liste auf Boursés Schreibtisch liegen, Zeile um Zeile, Millimeter um Millimeter Namen, die von den Polizisten, die an den Türen geklingelt hatten, abgehakt worden waren. Die, die nicht zu Hause gewesen waren oder Grund gehabt hatten, nicht zu öffnen, in einer gesonderten Spalte.

»Ich möchte, dass du mir einen Gefallen tust: Geh zu Ove, schnapp dir die Listen und ruf mich dann ... Warte mal ...«

Wide wandte sich zu Peter Sjögren um, bekam die Nummer.

»... ich warte hier. Mach Dampf, wenn du kannst. Ich bin nervös.«

Fünf Minuten später rief Sten Ard an.

»Ich hab sie.«

»Ich vermute, dass es keinen Gunnar Thisenius gibt.«

»T... Th... nein, warte, ich überprüfe die, die nicht aufgemacht haben. Nein.«

»Okay. Jetzt geh nach den Initialen vor. G für den Vornamen, T im Nachnamen.«

Er wohnte hier, mitten unter den Menschen der Stadt. Davon war Wide überzeugt, unter neuem Namen; aber eine Namensänderung pflegte selten weit von dem alten Namen entfernt zu sein. Das war ihm früher schon aufgefallen. Jetzt wurde es aktuell.

»Hier gibt es einen, aber, nee ... Gunilla Thissens. Eine Frau. Svängrumsgatan.«

»Nicht mehr?«

»Warte. Nein.«

»Dreh's um. T G. Nachnamen mit G.«

»Ja, da gibt es mehrere ... Hier ist noch eine Frau, Therese Gustavsson, und noch ein Vorname, Bo. Die leben wohl zusammen.«

»Keine anderen?«

»Zuerst hast du Gunnar gesagt. Hier gibt es einen Gunnar, der nicht aufgemacht hat. Gunnar als Nachname. Aber kein T im Vornamen. An der Tür stand Stig. Stig Gunnar.«

Wide spürte, dass ihm die Hitze ins Gesicht schoss.

»Adresse?«

Er merkte selbst, wie dünn und heiser seine Stimme klang.

»Was ist das für eine Adresse?«

»Ich hab dich verstanden. Späckhuggaregatan 12 D. Das ist in der Nähe der Stelle, wo Kajsa verschwunden ist. Aber das gilt ja für alle Adressen auf der Liste.«

»Sten, geh in dein Zimmer und bleib die nächste Stunde dort.«

»Was zum ...«

»Es ist ganz, ganz wichtig, dass du dasitzt und das Telefon anstarrst und dich die ganze Zeit nicht von der Stelle rührst«, sagte Wide und legte Sjögrens klebrigen Telefonhörer hin, bevor er eine Antwort bekommen hatte.

Wide spürte, wie plump seine Finger waren, als er die dünnen Gelben Seiten im Telefonbuch umblätterte. »Späckh.g.«, war oben auf Seite 25F2 zu lesen. Er ließ es da, wo er stand, und wartete ungeduldig auf den Fahrstuhl im fünften Stock der im Dallas-Stil gestalteten Empfangskathedrale der *Göteborgs-Posten*. Er verließ das Gebäude hastig durch den Hinterausgang, fuhr vom Parkplatz zur Burggrevegatan, schaffte es vor der roten Ampel über die Stampgatan und erhöhte die Geschwindigkeit auf der Nya Allén. Die Sonne tropfte auf die Windschutzscheibe, sickerte im Untergehen zwischen den Hausdächern hindurch. Es war wieder milder geworden.

Die Tür zu »Höjdens Pizzeria« stand offen. Wide fuhr daran vorbei und parkte hundert Meter weiter südlich auf der Högsbogatan. Im Schatten des Mietshauses direkt oberhalb ging er fünfzig Meter zurück und bog an der Giebelseite in den Fußweg ein. Wide ging fünfundzwanzig Meter aufwärts, den Blick auf das Haus rechter Hand gerichtet. Späckhuggaregatan 12 D war der nächste Eingang. Wide sah, dass es dasselbe Haus war, das er schon früher betrachtet hatte: Oben rechts hatte sich Putz gelöst. Neben der Stelle stand ein Fenster offen.

Eine Treppe führte zu dem Haus hinauf, oder zwei, erst sieben Stufen und dann neun. Er zählte sie, ging die wenigen Meter auf die Haustür zu und betrat das Treppenhaus, das frisch renoviert wirkte. Vielleicht, als der Fahrstuhl installiert wurde, dachte er und musterte die Namensschilder. Stig Gunnar. Der einzige Mieter im dritten Stock. Daneben hätte eigentlich noch ein Name stehen müssen, aber die Wohnung war vermutlich leer. Wide stieg die Treppen hinauf. Was sollte er sagen, wenn der Mann öffnete? »Hinter dir war ich her, Junge, und jetzt hab ich dich!«

Ihm war schlecht, die Übelkeit hatte da unten bei den Schildern angefangen. Sein Herz hatte den Platz mit dem Magen getauscht. Seine Finger waren eiskalt, und er wusste, dass sie bald brennend heiß sein würden. Er war bereit.

Als das Klingelsignal durch den Raum schrillte, dachte sie, es sei wieder die Sirene, diesmal nur ein wenig näher und trotzdem weit weg. Jetzt klingelte es wieder, und sie konnte seine Schuhe sehen, die ganz still standen; seine Füße regten sich nicht, aber sie meinte ein Zittern in den Hosenbeinen wahrzunehmen.

Sie schrie und schrie, aber sie hörte nichts, und er dahinten konnte es auch nicht gehört haben. Sie hatte keine Stimme mehr, und sie konnte nicht einmal fühlen, ob sich ihre Lippen bewegten, als sie schrie. Vorhin hatte sie etwas zu sagen versucht, hatte aber keinen Ton hervorgebracht. Obwohl das Fenster nicht geschlossen hatte, fror sie nicht mehr.

Noch ein Klingelsignal und er rührte sich nicht. Dann ein anderes Geräusch von draußen, das sie nur einmal vorher gehört hatte, als es an der Tür geklingelt und sie den Lappen im Mund gehabt hatte. Es zischte schwach, vielleicht ein Fahrstuhl, das Geräusch verschwand und sie hatte wieder Ruhe und Frieden.

Jetzt hörte sie wieder ein Geräusch, sie sah, dass sich diese Schuhe näherten und dicht bei ihrem Gesicht stehen blieben. Aber sie hatte keine Kraft, sich auch nur einen Millimeter zu rühren. Dann bewegten sich die Schuhe und es wurde wieder etwas dunkler. Sie wurde angehoben, etwas Glattes, Glänzendes, Kaltes wurde unter sie gelegt und sie spürte etwas Hartes an ihrem Hals brennen.

Er stand still vor der Tür und hörte, dass unten die Haustür geöffnet wurde. Eine Kinderstimme drang zu ihm herauf und dann ein Türklingeln da unten und eine Klinke, die bewegt wurde. Er hörte mehrere Kinderstimmen kichern und reden, und dann kam der Gesang, »Saaaanta Luciaaaa« stieg im Treppenhaus auf, und da drehte er den Schlüssel, den er in der Hand hatte, in dem Schloss oberhalb von Stig Gunnars Namensschild um und stieß die Tür gegen die Wand dahinter auf. Jetzt war keine Zeit für Stille. Er spürte die Kühle im Vorraum, als ob er wieder ins Freie käme, und Wide stürmte mit drei Schritten weiter in ein Zimmer, das schwach von einer Lampe nah der Tür erhellt wurde. Dies ist die Wirklichkeit, dachte er, jetzt *passiert* es.

Er kam hereingedonnert und es hatte nicht mehr als vier Sekunden gedauert. So was hatte er früher auch schon gemacht, da hatte er eine Waffe bei sich gehabt, aber das Gefühl war dasselbe: die Angst vor dem Tod mitten im Leben.

Ein Gesicht wandte sich ihm zu. Es hob sich langsam vom Boden und die Augen sahen ihn mitten in einer Vorwärtsbewegung an. Es war das Gesicht eines Mannes, und auf dem Fußboden lag etwas – Wide sah alles ganz deutlich, es war ein Körper, die Füße waren irgendwie gekrümmt, und Decken und einige schwarze Abfallsäcke lagen unter dem Körper, und ein fürchterlicher Gestank schlug ihm wie durch eine Schwingtür entgegen.

Jetzt erhob sich der Mann, er bewegte sich rasch und wich aus, als Wide sich auf ihn stürzte. Wide sah, dass der Mann einen Gegenstand zu Boden fallen ließ.

Wide war vorbereitet. Er breitete seine Arme aus und versuchte etwas zu sagen, war aber nicht sicher, ob er richtige Wörter herausbrachte.

Der Mann ging zwei Schritte rückwärts, drehte sich um, war mit einem Satz auf dem Fensterbrett und hing eine Sekunde im offenen Fenster. Er drehte den Kopf, Gunnar Thisenius drehte den Kopf und schaute zu etwas seitwärts von Wide, und in dem Augenblick blitzte die sinkende Sonne ein letztes Mal mit einem grellen Strahl in den Augen des Mannes auf. Seine Gesichtszüge wirkten jetzt weich und jung, wie auf dem Foto, das Wide vor kurzem auf einem Bildschirm gesehen hatte und dann auf einem deutlicheren Papierabzug. Es war das Gesicht eines Kindes. Es sagte nichts, in den Augen war keine Spur von Abschied.

Der Kopf wandte sich dem Abend dort draußen zu, der Mann richtete sich auf und fiel langsam nach vorn und verschwand durch die Luft und war fort.

Wide hörte einen Laut von dem Körper auf dem Boden und sank auf die Knie. Kajsa Lagergren lag gekrümmt da, Wide spürte einen schwachen Puls und zerrte das Handy aus der Brusttasche.

Er zog Jacke, Hemd und T-Shirt aus und blies warme Luft in Kajsa Lagergrens Nase und Mund, hielt sie mit seinem breiten, kochenden Körper warm und spürte ein schwaches, aber deutliches Pochen aus ihrer Brust, das geradewegs durch ihn hindurchging.

So lag er da, als sich etwas an der offenen Wohnungstür bewegte. Er hörte den Fetzen eines Liedes, gesungen von dünnen, kleinen Stimmen, und Jonathan Wide sah die Lichterkrone einer Lucia-Braut an der Tür aufblitzen, während gleichzeitig weit in der Ferne Sirenen ertönten, die immer näher und klarer kamen. Bald waren sie hier, er hörte sie da unten unter diesem Fenster, ein unbeschreiblicher Lärm, der nach dem kleinen Lucia-Zug zunahm, und er wusste, auch in diesem Jahr würde es wieder Weihnachten werden.

Privatdetektiv Jonathan Wide ermittelt

Auf einer Parkbank im Hafen von Göteborg sitzt ein Mann. Er ist tot. Durchbohrt von einem langen Messer. Es ist ein unendlich heißer schwedischer Sommer. Die Hitze liegt bleischwer in den Straßen der Stadt. Zusammen mit seinen ehemaligen Kollegen von der Kriminalpolizei macht sich Privatdetektiv Jonathan Wide auf die Suche nach dem Täter. Als sie schließlich das letzte Teil in das mörderische Puzzle legen, sind sie selber vom Ergebnis und den Folgen überrascht ... Ein typischer Edwardson – spannend, suggestiv und stilsicher geschrieben.

Åke Edwardson

Allem, was gestorben war

Roman

Deutsche Erstausgabe

List Taschenbuch

LG18